중·고등 영어도 역시 **1위** 해커스다.

해커스북 ^{중·고등}

HackersBook.com

WHY
HACKERS
READING SMART?

FUN & INFORMATIVE

**최신 이슈가 반영된
흥미롭고 유익한**

독해 지문

**배경지식이
풍부해지는**

Read & Learn

**재미있는 활동과
읽을거리가 가득한**

FUN FUN한 BREAK

**Hackers
Reading Smart**

Level 1

**Hackers
Reading Smart**

Level 2

**Hackers
Reading Smart**

Level 3

**Hackers
Reading Smart**

Level 4

SMART & EFFECTIVE

**최신 출제 경향을
철저히 반영한**

다양한 유형의 문제

**본책을 그대로 담은
편리하고 친절한**

해설집

**추가 연습문제로
독해 실력을 완성하는**

WORKBOOK

HACKERS
READING
SMART 1

LEVEL

미니 암기장

HACKERS

1 민트와 초코는 환상의 짝꿍

▲ MP3 바로 듣기

＊잘 외워지지 않는 단어를 체크해놓고 다시 확인해보세요.

☐	royal family	왕실
☐	provide	통 제공하다
☐	dessert	명 디저트
☐	celebration	명 축하 행사
☐	hold	통 열다, 개최하다; 잡다 (hold-held-held)
☐	competition	명 대회, 경쟁
☐	contest	명 대회
☐	participate	통 참가하다
☐	college	명 대학(교)
☐	think of	~을 떠올리다
☐	mint	명 민트, 박하
☐	mix	명 혼합(물) 통 섞다
☐	eventually	부 마침내, 결국
☐	popular	형 인기 있는
☐	flavor	명 맛
☐	order	통 주문하다; 명령하다 명 순서
☐	create	통 만들어 내다
☐	deliver	통 배달하다
☐	winner	명 당선작, 승리자

2 마음을 어루만지는 손짓

* 잘 외워지지 않는 단어를 체크해놓고 다시 확인해보세요.

☐ upset	형 속상한, 화난	
☐ stressed	형 스트레스를 받는[느끼는] (stress 명 스트레스)	
☐ butterfly	명 나비	
☐ effective	형 효과적인	
☐ technique	명 기법, 기술	
☐ anxiety	명 불안(감)	
☐ wing	명 날개	
☐ cross	동 교차하다; 건너다	
☐ place	동 두다, 놓다 명 장소	
☐ chest	명 흉부	
☐ shoulder	명 어깨	
☐ gently	부 부드럽게	
☐ tap	동 (톡톡) 두드리다	
☐ repeat	동 반복하다	
☐ movement	명 동작, 움직임	
☐ take a deep breath	심호흡을 하다	
☐ relax	동 휴식을 취하다	
☐ relief	명 안도(감)	
☐ go away	사라지다; 떠나다	
☐ therapy	명 치료(법)	
☐ peace	명 평온, 평화	
☐ hide	동 숨기다	
☐ emotion	명 감정	
☐ happen	동 일어나다, 발생하다	

3

숨겨왔던 나의...

* 잘 외워지지 않는 단어를 체크해놓고 다시 확인해보세요.

☐	come to (one's) mind	생각이 떠오르다
☐	quite	뿐 꽤
☐	half	명 절반
☐	length	명 길이
☐	bone	명 뼈
☐	fold	동 접다
☐	angle	명 각도
☐	within	전 ~ 안에
☐	bottom	명 (맨) 아래
☐	bent	형 구부러진
☐	step	명 걸음
☐	helpful	형 도움이 되는
☐	slip	동 미끄러지다
☐	in short	요컨대
☐	maintain	동 유지하다
☐	balance	명 균형

4 베개 휘날리며~

* 잘 외워지지 않는 단어를 체크해놓고 다시 확인해보세요.

☐ pillow	명 베개
☐ siren	명 사이렌
☐ ring	동 울리다 (ring-rang-rung)
☐ suddenly	부 갑자기
☐ hit	동 치다
☐ international	형 국제적인
☐ take place	개최되다, 열리다
☐ participate in	~에 참가하다
☐ free	형 무료의; 자유로운
☐ own	형 ~ 자신의
☐ be filled with	~으로 채워지다, 가득 차다
☐ feather	명 깃털
☐ cotton	명 솜, 목화
☐ harm	동 해치다 명 해, 피해
☐ go around	돌아다니다
☐ probably	부 아마
☐ finally	부 마지막으로, 마침내
☐ clean up	~을 치우다
☐ participant	명 참가자
☐ gather	동 모이다, 모으다

UNIT **01**

Word Review Test

정답 p.52

A. 다음 우리말 뜻에 해당하는 영어 단어를 쓰시오.

1. 축하 행사 _____
2. 인기 있는 _____
3. 효과적인 _____
4. 불안(감) _____
5. 동작, 움직임 _____
6. 안도(감) _____
7. 뼈 _____
8. 각도 _____
9. 국제적인 _____
10. 참가자 _____

B. 다음 영어 단어의 우리말 뜻을 쓰시오.

1. contest _____
2. eventually _____
3. flavor _____
4. technique _____
5. gently _____
6. fold _____
7. bent _____
8. maintain _____
9. take place _____
10. harm _____
11. go around _____
12. gather _____

1

화려한 복면이 나를 감싸네

▲ MP3 바로 듣기

* 잘 외워지지 않는 단어를 체크해놓고 다시 확인해보세요.

☐	sunburn	명 햇볕에 타는 것
☐	be interested in	~에 관심이 있다
☐	basically	부 기본적으로, 근본적으로
☐	bikini	명 비키니
☐	wear	동 착용하다, 입다 (wear-wore-worn)
☐	cover	동 덮다, 가리다
☐	entire	형 전체의
☐	except for	~을 제외하고
☐	robber	명 강도
☐	wrestler	명 레슬링 선수
☐	protect	동 보호하다
☐	harmful	형 해로운
☐	ray	명 광선
☐	necessary	형 필요한
☐	prevent	동 방지하다, 예방하다
☐	sting	명 쏘임 동 쏘다, 찌르다
☐	jellyfish	명 해파리
☐	in addition	게다가
☐	match	동 맞추다
☐	swimsuit	명 수영복
☐	show off	뽐내다, 자랑하다
☐	traditional	형 전통적인, 전통의

Hackers Reading Smart Level 1

2 나는 가끔 눈물을 흘려...

* 잘 외워지지 않는 단어를 체크해놓고 다시 확인해보세요.

☐	term	몡 용어, 말
☐	crocodile	몡 악어
☐	tear	몡 눈물
☐	describe	동 묘사하다, 말하다
☐	cry	동 (눈물을) 흘리다, 울다
☐	fake	형 거짓된, 가짜의
☐	observe	동 목격하다, 관찰하다
☐	pretend	동 ~인 척하다
☐	prey	몡 먹이
☐	trick	몡 속임수, 장난 동 속이다
☐	meaning	몡 의미
☐	natural	형 자연스러운, 천연의 (naturally 뷔 자연스럽게)
☐	physical	형 신체의; 물질의
☐	reaction	몡 반응
☐	chew	동 씹다
☐	jaw	몡 턱
☐	muscle	몡 근육
☐	pressure	몡 압박 동 압력을 가하다
☐	automatically	뷔 저절로, 자동적으로
☐	come out of	~에서 나오다
☐	fall	동 떨어지다
☐	laugh	동 웃다
☐	rest	동 쉬다 몡 휴식; 나머지
☐	be based on	~을 바탕으로 하다

3 자, 깨워줬지?

* 잘 외워지지 않는 단어를 체크해놓고 다시 확인해보세요.

☐	have a fight with	~와 싸우다
☐	each other	서로
☐	all day	온종일
☐	remember	퉁 기억나다, 기억하다
☐	appointment	뗑 약속, 예약
☐	heavy sleeper	잠이 많은 사람
☐	get up	일어나다
☐	thought	뗑 생각
☐	message	뗑 메시지
☐	sticky note	포스트잇
☐	wake up	깨우다, 일어나다
☐	look for	~를 찾다
☐	instead	뷔 대신에
☐	say	퉁 (~이라고) 적혀 있다
☐	promise	뗑 약속 퉁 약속하다
☐	specific	혱 특정한; 구체적인, 명확한

4 오, 마이 베이비!

* 잘 외워지지 않는 단어를 체크해놓고 다시 확인해보세요.

☐	delicious	형	맛있는
☐	surprisingly	부	놀랍게도
☐	guess	동	알아맞히다, 추측하다
☐	experiment	명	실험
☐	task	명	과제, 일
☐	count	동	세다
☐	certain	형	특정한; 확실한
☐	among	전	~ 중에, ~ 사이에
☐	afterwards	부	이후, 나중에
☐	repeat	동	반복하다
☐	performance	명	성과; 공연
☐	rate	명	비율; 속도
☐	increase	동	증가하다, 증가시키다
☐	improve	동	향상시키다, 개선되다
☐	concentration	명	집중(력)
☐	briefly	부	잠시
☐	take care of		~를 돌보다
☐	extra	부	각별히; 추가로
☐	aware	형	의식하는
☐	similar	형	유사한, 비슷한
☐	effect	명	효과
☐	amazing	형	놀라운
☐	ability	명	능력
☐	affect	동	영향을 끼치다
☐	focus	동	집중하다
☐	relieve	동	완화하다, 없애주다
☐	fall asleep		잠이 들다

UNIT 02

Word Review Test

정답 p.52

A. 다음 우리말 뜻에 해당하는 영어 단어를 쓰시오.

1. 보호하다 _____
2. 해로운 _____
3. 목격하다, 관찰하다 _____
4. ~인 척하다 _____
5. 근육 _____
6. 압박; 압력을 가하다 _____
7. 저절로, 자동적으로 _____
8. 대신에 _____
9. 비율; 속도 _____
10. 집중(력) _____

B. 다음 영어 단어의 우리말 뜻을 쓰시오.

1. be interested in _____
2. entire _____
3. show off _____
4. describe _____
5. prey _____
6. trick _____
7. appointment _____
8. specific _____
9. task _____
10. afterwards _____
11. improve _____
12. relieve _____

1

쓴맛은 싫어!

▲ MP3 바로 듣기

* 잘 외워지지 않는 단어를 체크해놓고 다시 확인해보세요.

☐	soldier	명 군인
☐	wartime	명 전시 형 전쟁 중인, 전시의
☐	a few	몇 개의, 약간의
☐	bitter	형 (맛이) 쓴
☐	fortunately	부 다행히
☐	barista	명 바리스타, 커피 전문가
☐	solution	명 해결책
☐	pour	동 붓다, 따르다
☐	mild	형 순한
☐	language	명 언어
☐	creator	명 창안자, 창조자
☐	salty	형 (맛이) 짠
☐	fresh	형 신선한
☐	healthy	형 건강에 좋은, 건강한
☐	expensive	형 비싼

2 목이 말라요, 주인님!

* 잘 외워지지 않는 단어를 체크해놓고 다시 확인해보세요.

☐ grow	동 기르다, 자라다	
☐ plant	명 식물 동 심다	
☐ flowerpot	명 화분	
☐ screen	명 화면	
☐ several	형 여러 개의	
☐ sensor	명 센서, 감지기	
☐ monitor	동 측정하다; 관찰[감시]하다 명 모니터	
☐ moisture	명 습기, 수분	
☐ amount	명 양	
☐ sunshine	명 햇빛	
☐ temperature	명 기온	
☐ water	명 물 동 물을 주다	
☐ thirsty	형 목마른	
☐ vampire	명 흡혈귀	
☐ lack	명 부족(함)	
☐ sunlight	명 햇빛	
☐ in addition	게다가	
☐ respond	동 반응하다, 대답하다	
☐ movement	명 움직임, 운동	
☐ fall asleep	잠이 들다	
☐ feeling	명 감정, 느낌	
☐ pot	명 화분; 냄비	
☐ choose	동 고르다	
☐ for example	예를 들어	
☐ in other words	다시 말해서	

3 고인돌? 거인돌!

* 잘 외워지지 않는 단어를 체크해놓고 다시 확인해보세요.

☐	giant	명 거인
☐	care about	~에 대해 신경[마음] 쓰다
☐	nut	명 견과(류)
☐	eventually	부 결국
☐	punish	동 벌하다
☐	feast	명 잔치
☐	invite	동 초대하다
☐	magical	형 마법의
☐	spell	명 주문
☐	legend	명 전설
☐	canyon	명 캐니언, 협곡
☐	national	형 국립의, 국가의
☐	huge	형 거대한
☐	pillar	명 기둥
☐	greedy	형 욕심 많은
☐	lonely	형 외로운
☐	jealous	형 질투하는
☐	according to	~에 따르면

4 발레도 힙하게

* 잘 외워지지 않는 단어를 체크해놓고 다시 확인해보세요.

☐	bass	명 베이스, 저음
☐	hip-hop	명 힙합
☐	ballerina	명 발레리나
☐	genre	명 장르, 형식
☐	motion	명 동작, 움직임
☐	posture	명 자세
☐	bounce	동 튕기다, 튀다
☐	shake	동 떨다, 흔들다
☐	wave	동 흔들다 명 파도
☐	current	형 최신의, 현재의
☐	combine	동 결합하다
☐	classical	형 고전의, 고전적인
☐	form	명 형태, 형식 (formal 형 격식을 차린)
☐	planned	형 계획된
☐	precise	형 정확한
☐	free-form	형 자유로운 형태[형식]의
☐	interesting	형 흥미로운 (interest 명 관심)
☐	express	동 표현하다
☐	perfect	형 완벽한
☐	attract	동 마음을 끌다 (attractive 형 매력적인)
☐	eye-catching	형 눈길을 끄는
☐	unique	형 독특한
☐	difference	명 차이(점)
☐	peaceful	형 평화로운
☐	previously	부 이전에

UNIT 03
Word Review Test

정답 p.52

A. 다음 우리말 뜻에 해당하는 영어 단어를 쓰시오.

1. (맛이) 쓴 _____
2. 언어 _____
3. 여러 개의 _____
4. 습기, 수분 _____
5. 기온 _____
6. 목마른 _____
7. 벌하다 _____
8. 전설 _____
9. 질투하는 _____
10. 자세 _____

B. 다음 영어 단어의 우리말 뜻을 쓰시오.

1. pour _____
2. amount _____
3. respond _____
4. in other words _____
5. feast _____
6. national _____
7. greedy _____
8. according to _____
9. motion _____
10. combine _____
11. express _____
12. attract _____

* 잘 외워지지 않는 단어를 체크해놓고 다시 확인해보세요.

☐ wizard	명 마법사
☐ tornado	명 회오리바람
☐ pick up	들어 올리다, 집다
☐ excellent	형 훌륭한
☐ farmer	명 농부
☐ nickname	명 별명
☐ famous	형 유명한
☐ donut	명 도넛
☐ hole	명 구멍
☐ center	명 중앙, 중심
☐ dough	명 (밀가루) 반죽
☐ instead of	~ 대신에
☐ throw away	버리다
☐ extra	형 여분의, 추가의
☐ decide	동 결심하다
☐ typically	부 일반적으로
☐ shape	명 모양
☐ tiny	형 (아주) 작은
☐ bake	동 굽다
☐ origin	명 시초, 유래 (original 형 원래의, 최초의)
☐ novel	명 소설
☐ in short	요컨대

2

영화에선 히어로로, 현실에선?

* 잘 외워지지 않는 단어를 체크해놓고 다시 확인해보세요.

☐	character	몡 캐릭터, 등장인물
☐	sharp	혱 날카로운
☐	claw	몡 발톱
☐	weapon	몡 무기
☐	be based on	~을 바탕으로 하다
☐	long	혱 ~의 길이인, 긴
☐	extremely	븬 매우, 극도로
☐	powerful	혱 강력한
☐	attack	동 공격하다
☐	such as	~과 같은
☐	reindeer	몡 순록
☐	crush	동 부수다
☐	bone	몡 뼈
☐	fierce	혱 사나운
☐	threaten	동 위협하다
☐	predator	몡 포식 동물, 포식자
☐	steal	동 빼앗다, 훔치다
☐	walk away	떠나 버리다
☐	wild	혱 야생의
☐	named after	~의 이름을 딴
☐	dangerous	혱 위험한
☐	have in common	공통점이 있다

3 주문하신 산소 나왔습니다~

* 잘 외워지지 않는 단어를 체크해놓고 다시 확인해보세요.

☐	weekend	몡 주말
☐	fine dust	미세먼지
☐	air pollution	대기 오염
☐	oxygen	몡 산소
☐	pure	혱 순수한
☐	machine	몡 기계
☐	filter	동 여과하다 몡 필터
☐	produce	동 만들어 내다, 생산하다
☐	connect	동 연결하다
☐	diffuser	몡 디퓨저, 확산기
☐	add	동 더하다
☐	scent	몡 향, 향기
☐	lavender	몡 라벤더(연보라색 꽃이 피는 향이 좋은 화초)
☐	breathe	동 (숨을) 들이마시다
☐	cost	동 (비용이) 들다 몡 비용
☐	refreshed	혱 상쾌한
☐	relaxed	혱 편안한, 느긋한
☐	terrible	혱 끔찍한
☐	mention	동 언급하다

4 더 이상 병원이 두렵지 않아!

* 잘 외워지지 않는 단어를 체크해놓고 다시 확인해보세요.

☐	pleasant	형 유쾌한, 쾌적한
☐	be filled with	~으로 가득 차다, 채워지다
☐	frightening	형 무서운
☐	medical	형 의료의, 의학의
☐	tool	명 도구
☐	needle	명 (주사)바늘
☐	fear	명 두려움, 공포
☐	unfortunately	부 불행하게도
☐	regularly	부 정기적으로
☐	rare disease	희귀병
☐	be afraid of	~을 두려워하다
☐	equipment	명 장비, 용품
☐	pouch	명 주머니
☐	cover up	~을 완전히 가리다
☐	donate	동 기부하다
☐	friendly	형 친숙한, 친절한
☐	effort	명 노력, 수고
☐	cure	동 치료하다
☐	recover	동 회복하다
☐	illness	명 병
☐	normal	형 평범한, 보통의
☐	empty	형 비어 있는

중요 단어는 한 번 더 복습하는

UNIT 04
Word Review Test

A. 다음 우리말 뜻에 해당하는 영어 단어를 쓰시오.

1. 시초, 유래 _____
2. 발톱 _____
3. 공격하다 _____
4. 빼앗다, 훔치다 _____
5. 산소 _____
6. 만들어 내다, 생산하다 _____
7. (주사)바늘 _____
8. 장비, 용품 _____
9. 기부하다 _____
10. 회복하다 _____

B. 다음 영어 단어의 우리말 뜻을 쓰시오.

1. extra _____
2. decide _____
3. extremely _____
4. fierce _____
5. threaten _____
6. predator _____
7. have in common _____
8. air pollution _____
9. pure _____
10. breathe _____
11. medical _____
12. illness _____

▲ MP3 바로 듣기

* 잘 외워지지 않는 단어를 체크해놓고 다시 확인해보세요.

☐	European	형 유럽의 명 유럽인
☐	explorer	명 탐험가 (explore 동 탐험하다)
☐	sail	동 항해하다
☐	Australia	명 호주
☐	unusual	형 특이한
☐	hop	동 깡충깡충 뛰어다니다
☐	pouch	명 주머니
☐	belly	명 배
☐	carry	동 데리고 다니다
☐	ask	동 묻다; 요청하다
☐	native	명 원주민, 현지인
☐	reply	동 대답하다, 답장하다
☐	return	동 돌아오다
☐	from then on	그 이후
☐	spread	동 퍼지다, 펼치다 (spread-spread-spread)
☐	language	명 언어
☐	truth	명 사실, 진상

2 까먹기 전에 꼭!

* 잘 외워지지 않는 단어를 체크해놓고 다시 확인해보세요.

☐ tangerine	명 귤	
☐ rub	동 문지르다	
☐ hard	부 세게, 열심히 형 단단한; 어려운	
☐ drop	동 떨어뜨리다, 떨어지다	
☐ floor	명 바닥	
☐ including	전 ~을 포함하여	
☐ amount	명 양	
☐ chemical	명 화학물질 형 화학의	
☐ ripen	동 익다 (ripe 형 익은)	
☐ physically	부 물리적으로; 신체적으로	
☐ stress	동 ~에 압력을 가하다; ~을 강조하다 명 스트레스	
☐ sugar level	당도	
☐ increase	동 증가하다	
☐ up to	~까지	
☐ already	부 이미	
☐ rot	동 썩다	
☐ sour	형 (맛이) 신	
☐ smooth	형 매끄러운	

3 뛰고 구르고 매달리고~

* 잘 외워지지 않는 단어를 체크해놓고 다시 확인해보세요.

☐	leap	동 도약하다, 뛰어오르다
☐	railing	명 난간, 철책
☐	climb	동 (타고) 오르다
☐	go over	~을 넘어가다, 건너다
☐	obstacle	명 장애(물)
☐	goal	명 목표, 목적
☐	pair (of)	명 (두 개로 된) 한 쌍[켤레, 벌]
☐	roll	동 구르다
☐	various	형 다양한
☐	martial arts	무술 (martial artist 무술가)
☐	non-competitive	형 비경쟁적인
☐	overcome	동 극복하다
☐	path	명 길
☐	go beyond	~을 넘어서다
☐	limit	명 한계, 제한
☐	loser	명 패자
☐	exercise	동 운동하다 명 운동
☐	train	동 단련시키다, 교육시키다 명 열차, 기차
☐	build	동 (근육을) 키우다; (건물을) 짓다
☐	pass	동 넘다, 통과하다

4 패션 피플의 비밀

* 잘 외워지지 않는 단어를 체크해놓고 다시 확인해보세요.

☐	turban	몡 터번
☐	mostly	뷔 주로
☐	religious	혱 종교적인, 종교의
☐	trendy	혱 유행하는 (trend 몡 유행, 동향)
☐	clothes	몡 의상, 옷; (단수형) 옷감, 천
☐	army	몡 군대
☐	conquer	둉 정복하다
☐	noble	몡 귀족 혱 고귀한
☐	escape	둉 도망치다, 탈출하다
☐	on the way	가는 길에, 도중에
☐	bald head	민머리, 대머리
☐	catch the eye of	~의 시선을 사로잡다
☐	surprisingly	뷔 놀랍게도
☐	as well	역시, 또한
☐	imagine	둉 생각하다, 상상하다
☐	secret	몡 비결, 비밀 혱 비밀의
☐	fashionista	몡 패셔니스타, 패션 리더
☐	brush	둉 빗다 몡 붓
☐	shave	둉 밀다, 면도하다

UNIT 05
Word Review Test

정답 p.52

A. 다음 우리말 뜻에 해당하는 영어 단어를 쓰시오.

1. 탐험가 _____
2. 퍼지다, 펼치다 _____
3. 물리적으로; 신체적으로 _____
4. 썩다 _____
5. (맛이) 신 _____
6. 한계, 제한 _____
7. 군대 _____
8. 정복하다 _____
9. 귀족; 고귀한 _____
10. 생각하다, 상상하다 _____

B. 다음 영어 단어의 우리말 뜻을 쓰시오.

1. unusual _____
2. chemical _____
3. ripen _____
4. increase _____
5. up to _____
6. climb _____
7. obstacle _____
8. overcome _____
9. path _____
10. go beyond _____
11. escape _____
12. shave _____

1 휴지, 어떻게 거나요?

▲ MP3 바로 듣기

* 잘 외워지지 않는 단어를 체크해놓고 다시 확인해보세요.

□	hang	동 걸다 (hang-hung-hung)
□	toilet paper	화장지
□	similar	형 비슷한
□	prefer	동 선호하다
□	tidy	형 깔끔한
□	loose	형 풀린, 헐거워진
□	slightly	부 약간
□	hidden	형 가려진, 숨겨진
□	pull down	끌어내리다
□	modern	형 현대식의, 현대의
□	invent	동 발명하다
□	originally	부 원래
□	intend	동 의도하다
□	debate	명 논쟁, 토론
□	correct	형 올바른; 정확한
□	continue	동 계속되다, 계속하다
□	tight	형 꽉 죄인
□	personal	형 개인적인
□	impossible	형 불가능한
□	method	명 방식, 방법

2 바닷속 미스터리 서클

* 잘 외워지지 않는 단어를 체크해놓고 다시 확인해보세요.

☐	a number of	많은, 다수의
☐	discover	동 발견하다
☐	seafloor	명 해저
☐	circular	형 원형의
☐	pattern	명 무늬, 양식
☐	mysterious	형 신비로운, 불가사의한
☐	artwork	명 예술 작품
☐	species	명 종, 종류 (복수형: species)
☐	structure	명 구조(물)
☐	times	명 ~배[곱]
☐	fin	명 지느러미
☐	male	형 수컷의
☐	along	전 ~을 따라
☐	valley	명 골짜기
☐	hill	명 언덕
☐	gather up	~을 모으다
☐	nest	명 둥지
☐	entire	형 전체의
☐	process	명 과정
☐	complete	형 완성된, 완벽한
☐	female	형 암컷의
☐	lay	동 (알을) 낳다; 놓다
☐	huge	형 거대한
☐	clever	형 영리한
☐	creative	형 창의적인
☐	home-builder	명 집 건설자

3

왜 자꾸 그게 당기지?

* 잘 외워지지 않는 단어를 체크해놓고 다시 확인해보세요.

☐	look for	~을 찾다
☐	spicy	형 매운, 양념 맛이 강한
☐	actually	부 사실은, 실제로
☐	pain	명 고통
☐	cause	동 야기하다, 불러일으키다 명 원인
☐	tongue	명 혀
☐	signal	명 신호
☐	brain	명 뇌
☐	reduce	동 줄이다
☐	positive	형 긍정적인
☐	release	동 내보내다, 풀어주다
☐	hormone	명 호르몬
☐	as a result	결과적으로
☐	lower	동 낮추다
☐	danger	명 위험(성)
☐	relationship	명 관계
☐	at first	처음에는
☐	later	부 나중에

4

어딘가 익숙한 이 장면은?!

* 잘 외워지지 않는 단어를 체크해놓고 다시 확인해보세요.

☐	scene	명 장면; 현장
☐	bomb	명 폭탄
☐	explode	동 터지다, 폭발하다
☐	wire	명 (전)선, 철사
☐	cliché	명 클리셰, 상투적인 문구
☐	phrase	명 관용구, 구
☐	action	명 행위
☐	appear	동 나오다; ~인 것 같다
☐	fresh	형 신선한
☐	be familiar with	~에 익숙하다, 친숙하다
☐	moreover	부 게다가
☐	simply	부 그냥; 간단히
☐	audience	명 청중
☐	love triangle	삼각관계
☐	situation	명 상황
☐	boring	형 지루한
☐	enjoyable	형 재미있는, 즐거운

UNIT 06

Word Review Test

정답 p.52

A. 다음 우리말 뜻에 해당하는 영어 단어를 쓰시오.

1. 선호하다 _____
2. 현대식의, 현대의 _____
3. 의도하다 _____
4. 논쟁, 토론 _____
5. 개인적인 _____
6. 신비로운, 불가사의한 _____
7. 구조(물) _____
8. 고통 _____
9. 신호 _____
10. 터지다, 폭발하다 _____

B. 다음 영어 단어의 우리말 뜻을 쓰시오.

1. tidy _____
2. pull down _____
3. method _____
4. pattern _____
5. artwork _____
6. fin _____
7. process _____
8. cause _____
9. release _____
10. as a result _____
11. appear _____
12. be familiar with _____

▲ MP3 바로 듣기

* 잘 외워지지 않는 단어를 체크해놓고 다시 확인해보세요.

☐	film	명 영화
☐	theater	명 극장
☐	lucky	형 운이 좋은
☐	environment	명 환경
☐	couple	명 연인; 두 사람[개]
☐	enter	동 입장하다, 들어가다
☐	right	부 바로 형 옳은
☐	each other	서로
☐	pay attention to	~에 집중하다, ~에 관심을 두다
☐	loudly	부 크게, 큰 소리로
☐	turn around	뒤돌아보다
☐	whisper	동 속삭이다
☐	stare at	~를 쳐다보다
☐	respond	동 대답하다
☐	private	형 사적인, 개인 소유의
☐	conversation	명 대화
☐	particular	형 특정한

2 동물 없는 동물원

* 잘 외워지지 않는 단어를 체크해놓고 다시 확인해보세요.

☐	dozens of	수십의, 많은
☐	ride	图 (올라)타다 图 타기
☐	move around	돌아다니다
☐	isle	图 섬
☐	stand	图 (높이가) ~이다; 서다
☐	steel	图 강철
☐	indoor	图 실내의
☐	lounge	图 휴게실, 라운지
☐	terrace	图 테라스
☐	passenger	图 승객
☐	spray	图 뿜다, 뿌리다
☐	trunk	图 (코끼리의) 코; 나무의 몸통
☐	part	图 부품, 부분, 일부
☐	control	图 조종하다 图 지배
☐	amusement park	놀이공원
☐	mechanical	图 기계의, 기계로 작동되는
☐	giant	图 거대한
☐	hummingbird	图 벌새
☐	wild goose	기러기 (복수형: wild geese)
☐	visitor	图 방문객

3 빨대의 변신은 무죄

* 잘 외워지지 않는 단어를 체크해놓고 다시 확인해보세요.

☐	go on	벌어지다, 일어나다
☐	enemy	몡 적
☐	plastic	혱 플라스틱으로 된　몡 플라스틱
☐	straw	몡 빨대; (밀)짚
☐	weapon	몡 무기
☐	bamboo	몡 대나무
☐	unlike	젠 ~과 달리
☐	cut down	베어내다
☐	peel	몡 껍질　됭 껍질을 벗기다
☐	throw away	버리다
☐	recycle	됭 재활용하다
☐	taste	됭 맛이 나다
☐	replace	됭 대체하다
☐	waste	몡 쓰레기, 낭비　됭 낭비하다
☐	slim	혱 얇은, 날씬한
☐	light	혱 가벼운　몡 빛
☐	typical	혱 일반적인
☐	environmentally	븻 환경적으로
☐	reuse	됭 재사용하다
☐	nationally	븻 전국적으로, 국내에서

4 선물을 뿌직!

* 잘 외워지지 않는 단어를 체크해놓고 다시 확인해보세요.

☐	receive	통 받다
☐	gift	명 선물
☐	poo	명 (어린 아이의 말로) 응가, 똥 (poop 통 배설하다)
☐	log	명 통나무
☐	Spanish	명 스페인어 형 스페인의
☐	present	명 선물 형 현재의
☐	offer	통 제공하다
☐	blanket	명 담요
☐	warm	형 따뜻한
☐	tap	통 (톡톡) 두드리다
☐	stick	명 막대기 통 찌르다
☐	remove	통 치우다
☐	well-fed	형 잘 먹은, 영양이 충분한
☐	fortunately	부 다행스럽게도
☐	smell	통 냄새가 나다
☐	take care of	~을 돌보다

Hackers Reading Smart Level 1

UNIT 07

Word Review Test

정답 p.53

A. 다음 우리말 뜻에 해당하는 영어 단어를 쓰시오.

1. 극장 _____
2. 승객 _____
3. 뿜다, 뿌리다 _____
4. 조종하다; 지배 _____
5. 기계의, 기계로 작동되는 _____
6. 껍질; 껍질을 벗기다 _____
7. 재활용하다 _____
8. 대체하다 _____
9. 쓰레기, 낭비; 낭비하다 _____
10. 통나무 _____

B. 다음 영어 단어의 우리말 뜻을 쓰시오.

1. environment _____
2. enter _____
3. right _____
4. stare at _____
5. particular _____
6. isle _____
7. indoor _____
8. go on _____
9. enemy _____
10. receive _____
11. gift _____
12. tap _____

나도 철 들었어~

▲ MP3 바로 듣기

* 잘 외워지지 않는 단어를 체크해놓고 다시 확인해보세요.

☐	cereal	몡 시리얼, 곡식이 되는 작물
☐	breakfast	몡 아침 식사
☐	in fact	사실
☐	contain	동 함유하다, 포함하다
☐	iron	몡 철(분)
☐	powder	몡 가루
☐	check	동 확인하다, 점검하다
☐	crush up	부수다, 분쇄하다
☐	piece	몡 조각
☐	bottle	몡 병
☐	halfway	뷔 반 정도, 중간에
☐	magnet	몡 자석
☐	follow	동 따라다니다, 뒤에 오다
☐	energy	몡 에너지, 기운
☐	dizzy	혱 어지러운
☐	meal	몡 식사
☐	nutrient	몡 영양분
☐	lose weight	체중이 줄다, 체중을 줄이다
☐	metal	몡 금속
☐	attract	동 끌어당기다, 마음을 끌다
☐	object	몡 물체

Hackers Reading Smart Level 1

2 개미 vs 사람 vs 코끼리

* 잘 외워지지 않는 단어를 체크해놓고 다시 확인해보세요.

☐	be good at	~을 잘하다
☐	scissors	명 가위
☐	version	명 버전, 형태
☐	stick out	~을 내밀다
☐	little finger	새끼손가락
☐	gesture	명 동작, 몸짓
☐	pointer finger	검지, 집게손가락
☐	finally	부 마지막으로, 마침내
☐	thumb	명 엄지(손가락)
☐	beat	동 이기다
☐	step	동 밟다, 걷다 명 걸음
☐	annoy	동 약 오르게 하다

3 지구야 잘 자!

* 잘 외워지지 않는 단어를 체크해놓고 다시 확인해보세요.

☐	Eiffel Tower	에펠탑
☐	turn off	(전기·가스 등을) 끄다
☐	switch off	(전등·동력 등을) 끄다
☐	as well	또한, 역시
☐	bright	형 밝은
☐	consume	동 소비하다
☐	electricity	명 전력, 전기
☐	light pollution	빛 공해
☐	draw	동 끌다; 그리다
☐	attention	명 관심, 주의
☐	nation	명 국가
☐	participate in	~에 참여하다
☐	usage	명 사용(량)
☐	decrease	동 감소하다
☐	on average	평균적으로
☐	remind	동 상기시키다
☐	save	동 아끼다; 구하다
☐	planet	명 행성
☐	time difference	시차
☐	silent	형 조용한, 침묵하는

4 좋아해서 그래~

* 잘 외워지지 않는 단어를 체크해놓고 다시 확인해보세요.

☐ cover	동 가리다
☐ share	동 공유하다
☐ habit	명 습관, 버릇
☐ close	형 가까운 동 닫다
☐ notice	동 의식하다 명 주목, 알아챔
☐ psychologist	명 심리학자
☐ phenomenon	명 현상
☐ chameleon	명 카멜레온
☐ behavior	명 행동
☐ match	동 맞추다
☐ social	형 사회적인
☐ environment	명 환경
☐ by nature	본래
☐ naturally	부 자연스럽게
☐ crush	명 짝사랑 상대 동 부수다
☐ surroundings	명 환경, 주변; (단수형) 포위, 둘러싸기
☐ good-looking	형 잘생긴, 보기 좋은

A. 다음 우리말 뜻에 해당하는 영어 단어를 쓰시오.

1. 함유하다, 포함하다 _____

2. 반 정도, 중간에 _____

3. 자석 _____

4. 따라다니다, 뒤에 오다 _____

5. 어지러운 _____

6. ~을 내밀다 _____

7. 소비하다 _____

8. 조용한, 침묵하는 _____

9. 현상 _____

10. 행동 _____

B. 다음 영어 단어의 우리말 뜻을 쓰시오.

1. nutrient _____

2. beat _____

3. switch off _____

4. electricity _____

5. attention _____

6. usage _____

7. decrease _____

8. on average _____

9. remind _____

10. notice _____

11. match _____

12. by nature _____

1 삼촌이 왜 거기서 나와?

▲ MP3 바로 듣기

* 잘 외워지지 않는 단어를 체크해놓고 다시 확인해보세요.

☐	academy	몡 아카데미, (학술·문예·미술의) 협회, 학회; 학원
☐	award	몡 상
☐	nickname	몡 별명
☐	trophy	몡 트로피
☐	winner	몡 수상자, 우승자
☐	be known as	~으로 알려지다
☐	librarian	몡 사서
☐	organization	몡 조직, 단체
☐	present	동 수여하다, 주다 형 현재의
☐	reporter	몡 기자
☐	beside	젠 ~의 옆에
☐	article	몡 기사

2 티끌 모아 100L

* 잘 외워지지 않는 단어를 체크해놓고 다시 확인해보세요.

☐	village	명 마을 (villager 명 마을 사람)
☐	Ethiopia	명 에티오피아
☐	consist of	~으로 이루어지다[구성되다]
☐	mesh	명 그물(망)
☐	net	명 망, 망사
☐	bottom	명 바닥
☐	architect	명 건축가
☐	collect	동 모으다, 수집하다
☐	be named after	~의 이름을 따서 이름 지어지다
☐	native	형 자생하는, 토착의, 출생지의
☐	temperature	명 기온
☐	daytime	명 낮 (시간)
☐	degree	명 (온도의 단위인) 도
☐	drop	동 떨어지다 명 방울
☐	turn into	~으로 변하다
☐	design	동 설계하다 명 설계, 디자인
☐	form	동 형성되다
☐	per day	하루에
☐	local	형 현지의
☐	effort	명 노력, 수고
☐	solve	동 해결하다
☐	pollution	명 오염

3 여긴 특급 축구장이야

*잘 외워지지 않는 단어를 체크해놓고 다시 확인해보세요.

☐	stadium	명 스타디움, 경기장
☐	football	명 축구
☐	arch	명 아치, 아치형 구조물
☐	goal	명 골, 득점; 목표
☐	score	동 득점하다 명 득점
☐	flash	동 번쩍이다
☐	space	명 자리, 공간
☐	toilet	명 변기, 화장실
☐	pop music	대중음악
☐	host	동 주최하다 명 주인
☐	perform	동 공연하다; 행하다
☐	be on the stage	무대에 오르다, 공연하다
☐	history	명 역사
☐	hall	명 홀, 회관; 현관
☐	common	형 흔한; 공통의
☐	comfortable	형 편안한

4 눈사람도 추워요!

* 잘 외워지지 않는 단어를 체크해놓고 다시 확인해보세요.

☐	snowman	명	눈사람
☐	frozen	형	언, 얼어있는, 냉동된
☐	thanks to		~ 덕분에
☐	without	전	~ 없이
☐	power	명	힘
☐	blanket	명	담요
☐	be covered with		~으로 덮여 있다
☐	melt	동	녹다, 녹이다
☐	fall apart		허물어지다
☐	heat	명	열(기)
☐	flow	동	흐르다
☐	area	명	부분, 지역
☐	reach	동	~에 닿다; (손을) 뻗다
☐	prevent	동	막다, 예방하다

Word Review Test

A. 다음 우리말 뜻에 해당하는 영어 단어를 쓰시오.

1. 조직, 단체 _____
2. 건축가 _____
3. 형성되다 _____
4. 오염 _____
5. 주최하다; 주인 _____
6. 흔한; 공통의 _____
7. 언, 얼어있는, 냉동된 _____
8. 부분, 지역 _____
9. ~에 닿다; (손을) 뻗다 _____
10. 막다, 예방하다 _____

B. 다음 영어 단어의 우리말 뜻을 쓰시오.

1. reporter _____
2. article _____
3. consist of _____
4. local _____
5. perform _____
6. history _____
7. comfortable _____
8. thanks to _____
9. be covered with _____
10. melt _____
11. fall apart _____
12. heat _____

1

LA에서 만나요

▲ MP3 바로 듣기

* 잘 외워지지 않는 단어를 체크해놓고 다시 확인해보세요.

☐	throughout	전 ~의 도처에
☐	interchange	명 교차로; 교환
☐	sign	명 표지판; 징후
☐	include	동 포함하다
☐	post office	우체국
☐	square	명 광장; 정사각형
☐	be named after	~의 이름을 따서 이름 지어지다
☐	independence	명 독립
☐	activist	명 운동가
☐	poor	형 열악한, 가난한
☐	conditions	명 환경; (단수형) 상태
☐	opportunity	명 기회
☐	successful	형 성공한
☐	community	명 공동체
☐	educate	동 교육하다 (education 명 교육)
☐	fight for	~을 (얻기) 위해 투쟁하다[싸우다]
☐	take over	점령하다
☐	celebrate	동 기념하다
☐	achievement	명 업적
☐	gain	동 얻게 되다
☐	difficulty	명 고난, 어려움
☐	information	명 정보
☐	wealth	명 부, 재산

Hackers Reading Smart Level 1

* 잘 외워지지 않는 단어를 체크해놓고 다시 확인해보세요.

☐	throw	图 던지다 (throw-threw-thrown)
☐	feel bad for	~을 후회하다
☐	lose one's temper	화를 내다
☐	regret	图 후회하다
☐	later	图 나중에
☐	anger	圆 분노, 화
☐	hormone	圆 호르몬
☐	normal	图 정상의, 보통의
☐	level	圆 수준, 수치
☐	physical	图 신체의
☐	reaction	圆 반응
☐	last	图 지속되다 图 마지막의
☐	clear	图 비우다, 치우다 图 분명한
☐	count	图 세다
☐	set	图 설정하다
☐	block	图 막다 圆 (사각형) 덩어리
☐	exit	图 떠나다 圆 출구
☐	forget	图 잊다

* 잘 외워지지 않는 단어를 체크해놓고 다시 확인해보세요.

☐	pull on	잡아당기다
☐	upset	형 화가 난
☐	hope	동 바라다
☐	Hungarian	명 헝가리 사람
☐	earlobe	명 귓불
☐	lyrics	명 (노래의) 가사; (단수형) 서정시
☐	mean	동 의미하다
☐	ankle	명 발목
☐	at the same time	동시에
☐	recently	부 최근에
☐	scientist	명 과학자
☐	benefit	명 이점, 이로움, 혜택
☐	massage	명 마사지, 안마
☐	relieve	동 완화하다, 없애주다
☐	health	명 건강
☐	scare	동 겁주다
☐	bother	동 귀찮게 하다
☐	congratulate	동 축하하다
☐	otherwise	부 그렇지 않으면
☐	wish	동 기원하다, 바라다
☐	actual	형 실제의

4 특명! 숨겨진 간식을 찾아라

*잘 외워지지 않는 단어를 체크해놓고 다시 확인해보세요.

☐	vacation	명 방학
☐	prepare	동 준비하다
☐	riddle	명 수수께끼
☐	drawer	명 서랍
☐	snack	명 간식
☐	delicious	형 맛있는
☐	look around	(주위를) 둘러보다
☐	treat	명 (특별한) 간식 동 대우하다
☐	notice	동 알아차리다, 의식하다 명 주의; 공지
☐	letter	명 글자; 편지
☐	bold	형 (글자의 획이) 굵은; 대담한
☐	capital	형 (글자가) 대문자인 명 수도
☐	carefully	부 신중히, 주의 깊게
☐	shout	동 소리치다, 외치다
☐	period	명 기간, 시기

A. 다음 우리말 뜻에 해당하는 영어 단어를 쓰시오.

1. 포함하다 _____

2. 독립 _____

3. 교육하다 _____

4. 부, 재산 _____

5. 반응 _____

6. 지속되다; 마지막의 _____

7. 완화하다, 없애주다 _____

8. 수수께끼 _____

9. (특별한) 간식; 대우하다 _____

10. 기간, 시기 _____

B. 다음 영어 단어의 우리말 뜻을 쓰시오.

1. opportunity _____

2. successful _____

3. community _____

4. take over _____

5. achievement _____

6. gain _____

7. normal _____

8. feel bad for _____

9. earlobe _____

10. at the same time _____

11. look around _____

12. capital _____

Word Review Test | 정답

UNIT 01

A. 1. celebration 2. popular 3. effective
4. anxiety 5. movement 6. relief
7. bone 8. angle 9. international
10. participant

B. 1. 대회 2. 마침내, 결국 3. 맛 4. 기법, 기술 5. 부드럽게 6. 접다 7. 구부러진
8. 유지하다 9. 개최되다, 열리다 10. 해치다; 해, 피해 11. 돌아다니다 12. 모이다, 모으다

UNIT 02

A. 1. protect 2. harmful 3. observe
4. pretend 5. muscle 6. pressure
7. automatically 8. instead 9. rate
10. concentration

B. 1. ~에 관심이 있다 2. 전체의 3. 뽐내다, 자랑하다 4. 묘사하다, 말하다 5. 먹이 6. 속임수, 장난; 속이다 7. 약속, 예약 8. 특정한; 구체적인, 명확한 9. 과제, 일 10. 이후, 나중에 11. 향상시키다, 개선되다 12. 완화하다, 없애주다

UNIT 03

A. 1. bitter 2. language 3. several
4. moisture 5. temperature
6. thirsty 7. punish 8. legend
9. jealous 10. posture

B. 1. 붓다, 따르다 2. 양 3. 반응하다, 대답하다
4. 다시 말해서 5. 잔치 6. 국립의, 국가의
7. 욕심 많은 8. ~에 따르면 9. 동작, 움직임
10. 결합하다 11. 표현하다 12. 마음을 끌다

UNIT 04

A. 1. origin 2. claw 3. attack 4. steal
5. oxygen 6. produce 7. needle
8. equipment 9. donate 10. recover

B. 1. 여분의, 추가의 2. 결심하다 3. 매우, 극도로 4. 사나운 5. 위협하다 6. 포식 동물, 포식자 7. 공통점이 있다 8. 대기 오염 9. 순수한 10. (숨을) 들이마시다 11. 의료의, 의학의 12. 병

UNIT 05

A. 1. explorer 2. spread 3. physically
4. rot 5. sour 6. limit 7. army
8. conquer 9. noble 10. imagine

B. 1. 특이한 2. 화학물질; 화학의 3. 익다
4. 증가하다 5. ~까지 6. (타고) 오르다
7. 장애(물) 8. 극복하다 9. 길 10. ~을 넘어서다 11. 도망치다, 탈출하다 12. 밀다, 면도하다

UNIT 06

A. 1. prefer 2. modern 3. intend
4. debate 5. personal 6. mysterious
7. structure 8. pain 9. signal
10. explode

B. 1. 깔끔한　2. 끌어내리다　3. 방식, 방법
4. 무늬, 양식　5. 예술 작품　6. 지느러미
7. 과정　8. 야기하다, 불러일으키다; 원인
9. 내보내다, 풀어주다　10. 결과적으로
11. 나오다; ~인 것 같다　12. ~에 익숙하다,
친숙하다

UNIT 07

A. 1. theater　2. passenger　3. spray
4. control　5. mechanical　6. peel
7. recycle　8. replace　9. waste
10. log

B. 1. 환경　2. 입장하다, 들어가다　3. 바로; 옳은
4. ~를 쳐다보다　5. 특정한　6. 섬　7. 실내
의　8. 벌어지다, 일어나다　9. 적　10. 받다
11. 선물　12. (톡톡) 두드리다

UNIT 08

A. 1. contain　2. halfway　3. magnet
4. follow　5. dizzy　6. stick out
7. consume　8. silent
9. phenomenon　10. behavior

B. 1. 영양분　2. 이기다　3. (전등·동력 등을) 끄
다　4. 전력, 전기　5. 관심, 주의　6. 사용
(량)　7. 감소하다　8. 평균적으로　9. 상기
시키다　10. 의식하다; 주목, 알아챔　11. 맞
추다　12. 본래

UNIT 09

A. 1. organization　2. architect　3. form
4. pollution　5. host　6. common
7. frozen　8. area　9. reach
10. prevent

B. 1. 기자　2. 기사　3. ~으로 이루어지다[구성되
다]　4. 현지의　5. 공연하다; 행하다　6. 역사
7. 편안한　8. ~ 덕분에　9. ~으로 덮여 있다
10. 녹다, 녹이다　11. 허물어지다　12. 열(기)

UNIT 10

A. 1. include　2. independence
3. educate　4. wealth　5. reaction
6. last　7. relieve　8. riddle　9. treat
10. period

B. 1. 기회　2. 성공한　3. 공동체　4. 점령하다
5. 업적　6. 얻게 되다　7. 정상의, 보통의
8. ~을 후회하다　9. 귓불　10. 동시에
11. (주위를) 둘러보다　12. (글자가) 대문자
인; 수도

MEMO

MEMO

HACKERS
READING SMART
1
LEVEL

HACKERS

Contents

HACKERS READING SMART LEVEL 1

Overview

Fun & Informative

UNIT 08

1

★★☆
130 words

Do you eat cereal for breakfast? Then, you are probably _____! In fact, many kinds of cereal contain iron powder, even yours. You can check this with a simple test.

First, crush up some cereal into small pieces. Put them inside a plastic bottle and fill it halfway with water. Next, get a magnet. Hold it close to the cereal pieces that are inside the bottle. When you move the magnet slowly, you will see small iron pieces from the cereal follow it!

Now, you may worry about eating iron, but you don't have to. The iron in cereal is clean and safe to eat. It's actually necessary for your body because it helps produce energy. You can feel weak or dizzy without enough of it.

Read & Learn

아이언 맨 대신 아이언 피쉬!

철분을 보충하는 데 시리얼로 부족하다면, 철 물고기는 어떤가요? 요리를 할 때 Lucky Iron Fish를 넣고 10분 정도 끓이면 음식에 철분이 녹아요. 이 녹아들어 음식과 함께 철분을 섭취할 수 있어요. 실제로 캄보디아에서는 제대로 끼니를 해결하지 못해 철분이 부족한 사람들이 많은데, Lucky Iron Fish를 통해 이를 해결하고 있답니다. 수많은 캄보디아 사람들의 영양 상태를 책임지는 Lucky Iron Fish야말로 진짜 히어로가 아닐까요?

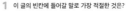

1 이 글의 빈칸에 들어갈 말로 가장 적절한 것은?
① eating iron every time
② looking for a healthier meal
③ getting too many nutrients
④ not producing enough energy
⑤ losing some weight

2 이 글의 밑줄 친 a simple test의 과정과 일치하지 않는 것은?
① 시리얼을 작은 조각으로 부순다.
② 플라스틱병 안에 시리얼 조각들을 넣는다.
③ 병에 물을 반쯤 채운다.
④ 병 안에 자석을 넣고 병을 흔든다.
⑤ 철 조각들이 자석을 따라다니는 것을 관찰한다.

3 다음 영영 풀이에 해당하는 단어를 글에서 찾아 쓰시오.

a piece of metal that attracts objects made of iron

_____

4 이 글의 내용으로 보아, 다음 빈칸에 들어갈 말을 글에서 찾아 쓰시오.

Cereal contains _____ powder. It is _____ to eat, clean, and even necessary for our bodies to produce _____.

Words

cereal ⑲시리얼, 곡식이 되는 작물 breakfast ⑲아침 식사 in fact 사실 contain ⑧함유하다, 포함하다 iron ⑲철(분) powder ⑲가루 check ⑧확인하다, 점검하다 crush up 부수다, 분해하다 piece ⑲조각 bottle ⑲병 halfway ⑨반 정도, 중간에 magnet ⑲자석 follow ⑧따라다니다, 뒤에 오다 energy ⑲에너지, 기운 dizzy ⑲어지러운 <문제> meal ⑲식사 nutrient ⑲영양분 lose weight 체중이 줄다, 체중을 줄이다 metal ⑲금속 attract ⑧끌어당기다, 마음을 끌다 object ⑲물체

---

1. 흥미롭고 유익한 지문

최신 이슈와 관심사 반영
국내외 다양한 최신 이슈와 관심사가 반영된 흥미진진한 지문으로 재미있게 독해 실력을 쌓을 수 있어요.

교과서 연계 소재 반영
과학, 문화, 예술 등 교과서와 연계되는 최신 소재의 지문이 담겨 있어, 중등 교과 과정에 대한 이해력을 높일 수 있어요.

2. 배경지식이 풍부해지는 Read & Learn
지문과 관련된 유용한 배경지식을 읽으며, 지문 내용에 대해 확실히 이해하고 상식도 넓힐 수 있어요.

3. 추리 지문으로 독해력 up 재미도 up!
범인은 이 안에 있다! 교재의 마지막 지문에서는 추리 퀴즈를 다루고 있어요. 상상력과 추리력을 발휘해서 퀴즈를 풀어보며 재미있게 독해 실력을 키울 수 있어요.

4.
재미있는 활동과 읽을거리가 가득한 Fun Fun한 Break
각 UNIT의 마지막 페이지에는 지문과 관련된 다양한 활동과 읽을거리가 담겨 있어, 재미있게 학습을 마무리할 수 있어요.

Smart & Effective

1. 효과적으로 독해 실력을 향상시키는 **다양한 유형의 문제**

서술형 문제
다양한 유형의 서술형 문제로 학교 내신 시험에도 대비할 수 있어요.

심화형 문제
조금 더 어려운 심화형 문제로 사고력을 키우고 독해 실력을 향상시킬 수 있어요.

다양한 도표 문제
표, 전개도 등 지문 내용을 도식화한 다양한 유형의 문제로 글의 구조와 핵심을 파악하는 능력을 키울 수 있어요.

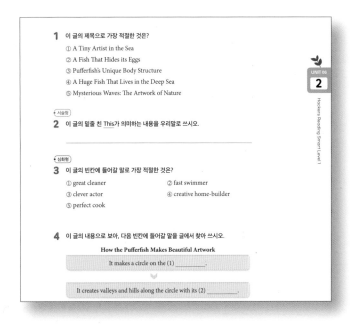

2. 추가 연습문제로 독해 실력을 완성하는 **워크북**

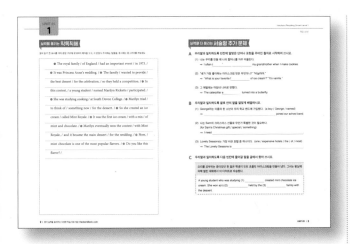

직독직해 워크시트
각 지문에 대한 직독직해와 문장별 주어·동사를 파악하는 훈련을 통해 한 문장씩 완벽히 복습할 수 있어요.

서술형 추가 문제
어휘·구문 확인 문제와 다양한 유형의 추가 서술형 문제를 통해 지문 내용을 확실히 익히고 영작 실력도 키울 수 있어요.

3. 본책을 그대로 담은 편리하고 친절한 **해설집**

본책의 지문과 문제를 그대로 담아 편리하게 학습할 수 있어요. 문장의 정확한 해석을 알려주는 직독직해와 본문 해석, 오답의 이유까지 설명해주는 자세한 문제 해설, 예문과 함께 제공되는 친절한 구문 해설을 통해 꼼꼼히 복습할 수 있어요.

HackersBook.com

UNIT 01

The royal family of England had an important event in 1973. It was Princess Anne's wedding. The family wanted to provide the best dessert for the celebration, so they held a competition. In this contest, a young student named Marilyn Ricketts participated. She was studying cooking at South Devon College. Marilyn tried to think of something new for the dessert. So she _____ an ice cream called Mint Royale. It was the first ice cream with a mix of mint and chocolate. Marilyn eventually won the contest with Mint Royale, and it became the main dessert for the wedding. Now, mint chocolate is one of the most popular flavors. Do you like this flavor?

3

6

9

12

Read & Learn

편식에도 다 이유가 있다?

혹시 오이를 싫어하나요? 한 연구 결과에 따르면 오이에 대한 호불호 차이는 유전자 때문이라고 해요. 'TAS2R38'이라는 유전자는 입맛에 영향을 미치는데, 쓴맛에 민감한 타입과 둔감한 타입으로 나뉘어요. 쓴맛에 민감한 타입은 둔감한 타입보다 쓴맛을 100~1,000배나 더 잘 느껴, 오이에서도 강력한 쓴맛과 향을 느낀다고 해요. 따라서 오이를 싫어한다면 이 타입의 유전자를 가졌을 가능성이 커요.

1 이 글의 주제로 가장 적절한 것은?

① 영국 최초의 디저트 대회

② 민트 초콜릿 아이스크림의 유래

③ 아이스크림을 즐기는 새로운 방법

④ 영국에서 민트가 사랑받게 된 이유

⑤ 민트와 초콜릿을 활용한 디저트의 종류

2 이 글의 빈칸에 들어갈 말로 가장 적절한 것은?

① ordered   ② created   ③ delivered

④ enjoyed   ⑤ changed

3 이 글을 읽고 답할 수 <u>없는</u> 질문은?

① 누가 디저트 대회를 열었는가?

② Marilyn은 대학에서 무엇을 공부했는가?

③ Marilyn이 디저트 대회에서 사용한 재료는 무엇이었는가?

④ Marilyn의 디저트를 심사한 사람은 누구였는가?

⑤ Anne 공주의 결혼식의 주요 디저트는 무엇이었는가?

4 이 글의 내용으로 보아, 다음 빈칸에 들어갈 말을 보기에서 골라 쓰시오.

| 보기 | winner | cooking | wedding | flavor |

A competition was held to find the best dessert for Princess Anne's _____ in 1973. Marilyn Ricketts' mint and chocolate ice cream was the _____ and is still popular.

Words

royal family 왕실   provide 통제공하다   dessert 명디저트   celebration 명축하 행사   hold 통열다, 개최하다; 잡다 (hold-held-held)

competition 명대회, 경쟁   contest 명대회   participate 통참가하다   college 명대학(교)   think of ~을 떠올리다

mint 명민트, 박하   mix 명혼합(물) 통섞다   eventually 문마침내, 결국   popular 형인기 있는   flavor 명맛

<문제> order 통주문하다; 명령하다 명순서   create 통만들어 내다   deliver 통배달하다   winner 명당선작, 승리자

If you are feeling upset or stressed, try the Butterfly Hug. It is an easy and effective technique which can help with your anxiety. To do it, you move your hands like the wings of a butterfly. This is why it is named the Butterfly Hug.

First, cross your hands and place them on your chest. You can also place them on each shoulder if you want. Then, gently tap the left side and then the right. Repeat this movement. While you are doing this, take some deep breaths. You can stop and relax when you start to feel some relief. This simple self-hug will make your stress go away in just a few minutes.

1 이 글의 제목으로 가장 적절한 것은?

① Good Stress and Bad Stress

② The Secret of Butterfly Wings

③ Butterfly Hug: The Oldest Therapy

④ How to Find Peace with the Butterfly Hug

⑤ Don't Hide Your Emotions When You Feel Bad

2 버터플라이 허그에 관한 이 글의 내용과 일치하지 <u>않는</u> 것은?

① 불안을 느낄 때 시도할 수 있는 기법이다.

② 손동작의 모습을 본떠서 이름이 지어졌다.

③ 손은 흉부나 양쪽 어깨에 둔다.

④ 동작을 하는 동안 심호흡을 한다.

⑤ 두 사람이 함께 해야 한다.

• 서술형

3 이 글의 밑줄 친 <u>this movement</u>가 의미하는 내용을 우리말로 쓰시오.

_____

4 다음 영영 풀이에 해당하는 단어를 글에서 찾아 쓰시오. (단, 주어진 철자로 시작하여 쓰시오.)

to do something again or to make something happen again

r _____

Words

upset 형 속상한, 화난   stressed 형 스트레스를 받는[느끼는] (stress 명 스트레스)   butterfly 명 나비   effective 형 효과적인
technique 명 기법, 기술   anxiety 명 불안(감)   wing 명 날개   cross 동 교차하다; 건너다   place 동 두다, 놓다 명 장소   chest 명 흉부
shoulder 명 어깨   gently 부 부드럽게   tap 동 (톡톡) 두드리다   repeat 동 반복하다   movement 명 동작, 움직임
take a deep breath 심호흡을 하다   relax 동 휴식을 취하다   relief 명 안도(감)   go away 사라지다; 떠나다   <문제> therapy 명 치료(법)
peace 명 평온, 평화   hide 동 숨기다   emotion 명 감정   happen 동 일어나다, 발생하다

Think about a penguin. What comes to your mind first? You may think of it walking around on its short legs.

_____(A)_____, penguins have quite long legs. (a) In fact, their legs are about half of their body length! (b) Their legs look short because the leg bones are folded at a 90-degree angle. (c) Strong legs help penguins swim for a long time to get food. (d) Their legs are mostly hidden within their bodies. (e) Therefore, we can only see the bottom part of them.

When penguins walk with their bent legs, they can move only a little with each step. But on the ice, this is actually helpful for _____(B)_____. That's why penguins don't slip on ice easily.

1 이 글의 제목으로 가장 적절한 것은?

① Penguins' Strong Bones

② The Hidden Legs of Penguins

③ How Penguins Live on the Ice

④ Penguins Can Actually Walk Fast

⑤ An Unusual Way Penguins Use Their Legs

2 이 글의 빈칸 (A)에 들어갈 말로 가장 적절한 것은?

① So   ② However   ③ Moreover

④ In short   ⑤ In other words

3 이 글의 (a)~(e) 중, 전체 흐름과 관계<u>없는</u> 문장은?

① (a)   ② (b)   ③ (c)   ④ (d)   ⑤ (e)

● 심화형

4 이 글의 빈칸 (B)에 들어갈 말로 가장 적절한 것은?

① hiding their eggs

② jumping into the sea

③ saving their energy

④ maintaining balance

⑤ finding fish in the water

Words

come to (one's) mind 생각이 떠오르다   quite 回 꽤   half 回 절반   length 回 길이   bone 回 뼈   fold 回 접다   angle 回 각도
within 回 ~ 안에   bottom 回 (맨) 아래   bent 回 구부러진   step 回 걸음   helpful 回 도움이 되는   slip 回 미끄러지다   <문제> in short 요컨대
maintain 回 유지하다   balance 回 균형

One afternoon, Emily went out on the street with her pillow. There were many people around her, and they were holding their pillows, too. Then, at three o'clock, the siren rang, and people suddenly started hitting each other!

On International Pillow Fight Day, people have a big fight with pillows. ⓐ It takes place on the first Saturday of April. (①) Participating in this event is free, but you should bring your own pillow. (②) And it should be filled with soft feathers or cotton so that ⓑ it won't harm others. (③) You can go around and start to fight from 3 p.m. (④) This is because they are probably just watching the fun fight. (⑤) Finally, don't forget to clean up the streets after the fight is over.

1 이 글의 흐름으로 보아, 다음 문장이 들어가기에 가장 적절한 곳은?

> But don't hit people who don't have a pillow.

①   ②   ③   ④   ⑤

UNIT 01

4

Hackers Reading Smart Level 1

2 이 글의 밑줄 친 ⓐ와 ⓑ가 가리키는 것을 글에서 찾아 쓰시오.

ⓐ: _____   ⓑ: _____

3 다음 중, 국제 베개 싸움의 날에 관해 답할 수 <u>없는</u> 질문을 <u>모두</u> 고른 것은?

> (A) 언제 개최되는가?
> (B) 얼마나 많은 인원이 참가하는가?
> (C) 참가자들은 어떤 베개를 준비해야 하는가?
> (D) 우승자는 어떤 상품을 받는가?

① (A), (C)   ② (B), (C)   ③ (B), (D)

④ (A), (C), (D)   ⑤ (B), (C), (D)

4 다음 질문에 대한 답이 되도록 빈칸에 들어갈 말을 글에서 찾아 쓰시오.

> Q. What should participants do after the pillow fight is finished?

A. They should _____ _____ the streets.

5 이 글의 내용으로 보아, 다음 빈칸에 들어갈 말을 보기 에서 골라 쓰시오.

| 보기 | take place | participate in | hit | watch | pillows |

International Pillow Fight Day is an event that people _____ to have fun. They gather together and _____ each other with _____ .

Words

pillow 몡 베개   siren 몡 사이렌   ring 통 울리다 (ring-rang-rung)   suddenly 뷔 갑자기   hit 통 치다   international 혱 국제적인
take place 개최되다, 열리다   participate in ~에 참가하다   free 혱 무료의; 자유로운   own 혱 ~ 자신의   be filled with ~으로 채워지다, 가득 차다
feather 몡 깃털   cotton 몡 솜, 목화   harm 통 해치다 몡 해, 피해   go around 돌아다니다   probably 뷔 아마   finally 뷔 마지막으로, 마침내
clean up ~을 치우다   <문제> participant 몡 참가자   gather 통 모이다, 모으다

1 다음 중, 밑줄 친 단어나 표현의 뜻이 올바르지 <u>않은</u> 것은?

① Let me give you some <u>helpful</u> advice. (도움이 되는)
② Many students will <u>participate in</u> summer school. (개최하다)
③ Please <u>fold</u> these shirts and put them in the drawer. (접다)
④ She will <u>probably</u> go hiking this weekend. (아마)
⑤ Jack was <u>upset</u> because his puppy was sick. (속상한)

2 나머지 단어를 포함할 수 있는 것은?

① anxiety   ② relief   ③ happiness   ④ emotion   ⑤ surprise

3 짝지어진 단어의 관계가 나머지와 <u>다른</u> 것은?

① celebrate – celebration   ② move – movement   ③ gentle – gently
④ repeat – repetition   ⑤ compete – competition

4 다음 빈칸에 공통으로 들어갈 단어로 가장 적절한 것은?

• If you _____ your legs when you sit, your back will hurt later.
• Raise your hand when you _____ the street.

① arrive   ② maintain   ③ cross   ④ order   ⑤ return

[5-8] 다음 빈칸에 들어갈 단어나 표현을 보기 에서 골라 쓰시오.

| 보기 | popular | international | balance | go away | provide |

5 It can be difficult to keep your _____ on a boat.

6 Lisa is a kind person, so she is _____ with everyone.

7 Taking this medicine will make your headache _____ .

8 Many teachers _____ pencils to their students.

[9-10] 다음 밑줄 친 단어나 표현에 유의하여 각 문장의 해석을 쓰시오.

9 Marilyn tried to <u>think of</u> something new for the dessert.

→ _____

10 And it should <u>be filled with</u> soft feathers or cotton so that it won't harm others.

→ _____

주말엔 내가 요리사!
초간단 브런치 레시피

느지막이 일어나 하루를 시작해도 좋은 주말! 가족들과 함께
즐길 수 있는 영양 만점 초간단 브런치를 만드는 법을 알아볼까요?

이탈리아식 오믈렛
프리타타(frittata)

준비물 | 계란, 소금, 우유, 치즈, 토마토, 새우, 마늘, 양파,
브로콜리, 파슬리 가루, 버터, 올리브유

Step 1 마늘, 토마토, 양파, 브로콜리, 버터를 적당한 크기로 썰고,
계란에 소금과 우유를 넣고 저어 우유 계란물을 만듭니다.

Step 2 달궈진 팬에 올리브유를 두르고 우유 계란물에 썰어놓은
마늘, 양파, 브로콜리, 새우를 올려서 익힙니다.

> **TIP** 프리타타는 불 조절이 중요한 요리예요. 우유 계란물을 익힐 때는
> 최대한 약불로 익혀야 타지 않아요.

Step 3 그 위에 썰어놓은 토마토, 치즈, 버터를 올립니다.

Step 4 녹은 치즈와 버터 위에 파슬리 가루를 뿌려주면 완성~

오븐 없이 쉽게 만드는
고구마 무스 브런치

준비물 | 고구마, 바나나, 바게트, 파슬리 가루

Step 1 끓는 물에 고구마를 삶습니다.

Step 2 삶은 고구마를 볼에 옮겨 담고, 바나나를 넣습니다.

Step 3 고구마와 바나나가 입자가 고운 무스 형태로 변할
때까지 같이 으깨주세요.

Step 4 먹기 좋게 자른 바게트 위에 으깬 고구마 무스를 올린 후
파슬리 가루를 뿌려주면 완성~

> **TIP** 바게트가 없다면 식감이 비슷한 크래커를 사용해도 좋아요!

HackersBook.com

UNIT 02

Do you enjoy playing at the beach but hate sunburns, especially on your face? ₃ If you do, you may be interested in a "facekini." Basically, it is a bikini that can be worn on your face! ₆

In China, many people wear facekinis at the beach. They may appear strange and funny at first. They cover the entire head except for the eyes, nose, and mouth, so you look like ₉ a robber or a wrestler. (a) However, they fully protect your face from the sun's harmful rays. (b) Wearing sunglasses is necessary to protect your eyes. (c) Facekinis can also ₁₂ prevent stings from jellyfish. (d) In addition, they can be a great fashion item. (e) They are made in many different colors and patterns. So, some people like to match their facekinis with their swimsuits to show off their styles!

Read & Learn

페이스키니처럼 알아두면 재미있는 이색 조합 단어 사전

스라밸 [Study(공부) + Life Balance(삶의 균형)]
몡 공부와 삶의 균형(공부와 휴식 시간의 적당한 균형이 필요함)
ㅣ또 밤새워서 공부했다고? 스라밸 좀 지켜!

행그리 [Hungry(배고픈) + Angry(화난)]
혱 배가 고파서 화가 난 상태
ㅣ치킨 시켜 먹자! 나 지금 행그리해.

글램핑 [Glamorous(화려한) + Camping(캠핑)]
몡 캠핑 장비가 갖춰져 있어 편리한 럭셔리 캠핑
ㅣ글램핑하러 가서 수영도 하고 고기도 구워 먹자~

홈캉스 [Home(집) + Vacance(휴가)]
몡 휴가철에 먼 곳으로 떠나지 않고 집에서 휴식을 즐기는 것
ㅣ이번 여름은 너무 더워서 홈캉스할 예정이야.

1 이 글의 제목으로 가장 적절한 것은?

① Don't Stay in the Sun for Too Long

② A Beach in China That Looks Beautiful

③ Facekini: A Traditional Chinese Swimsuit

④ How to Wear a Facekini Safely at the Beach

⑤ An Item That Protects Your Face at the Beach

2 이 글의 (a)~(e) 중, 전체 흐름과 관계없는 문장은?

① (a)   ② (b)   ③ (c)   ④ (d)   ⑤ (e)

3 페이스키니에 관한 이 글의 내용과 일치하면 T, 그렇지 않으면 F를 쓰시오.

(1) 많은 중국인들이 해변에서 착용한다.   _____

(2) 고객에 따른 맞춤 제작이 가능하다.   _____

4 이 글의 내용으로 보아, 다음 빈칸에 들어갈 말을 글에서 찾아 쓰시오.

The facekini helps people prevent _____ on their faces and _____ from jellyfish. It can also be a great fashion item.

Have you heard the term *crocodile tears*? It is used to describe a person who cries fake tears to look sad or sorry.

A long time ago, people observed crocodiles crying while they _____. They thought crocodiles were pretending to feel sorry for their prey, so the tears seemed fake.

In fact, crocodiles do cry when they are not sad at all. However, this is not a trick and doesn't have any meaning. It is just a natural physical reaction. To chew their prey, crocodiles open their mouths wide. <u>This</u> causes their jaw muscles to move a lot and put pressure on their *tear ducts. Then, the tears automatically come out of their tear ducts and start to fall!

3

6

9

12

*tear duct 눈물샘

 Read & Learn

하품을 하면 왜 눈물이 날까?
사람도 악어처럼 의도하지 않았는데 눈물이 저절로 나는 때가 있죠. 바로 하품할 때예요. 하품을 할 때 우리는 보통 산소를 많이 들이마시기 위해 입을 크게 벌려요. 그러면 아래턱 근육이 늘어나면서 눈 옆에 위치한 눈물주머니를 누르게 되고, 그 안에 고여있던 눈물이 밖으로 나오면서 흐르게 된답니다.

심화형

1 이 글의 빈칸에 들어갈 말로 가장 적절한 것은?

① laughed   ② ate   ③ rested

④ slept   ⑤ swam

서술형

2 이 글의 밑줄 친 This가 의미하는 내용을 우리말로 쓰시오.

_____

_____

3 다음 중, 악어의 눈물(crocodile tears)을 흘리는 사례로 가장 적절한 것은?

① 경기에서 진 아쉬움에 눈물을 흘리는 경우

② 자신의 잘못을 반성하며 눈물을 흘리는 경우

③ 드라마 속 슬픈 장면을 보며 눈물을 흘리는 경우

④ 부모님께 혼나지 않기 위해 억지로 눈물을 흘리는 경우

⑤ 안 좋은 일이 생긴 친구를 진심으로 위로하며 눈물을 흘리는 경우

4 이 글의 내용으로 보아, 빈칸 (A)와 (B)에 들어갈 말로 가장 적절한 것은?

> People call _____(A)_____ tears *crocodile tears*. This is based on the
> fact that crocodiles naturally cry when they move their _____(B)_____ .

    (A)   (B)

① sad   ......   eyes

② natural   ......   eyes

③ natural   ......   mouths

④ fake   ......   mouths

⑤ fake   ......   noses

Words

term 명 용어, 말   **crocodile** 명 악어   **tear** 명 눈물   **describe** 동 묘사하다, 말하다   **cry** 동 (눈물을) 흘리다, 울다   **fake** 형 거짓된, 가짜의

observe 동 목격하다, 관찰하다   **pretend** 동 ~인 척하다   **prey** 명 먹이   **trick** 명 속임수, 장난 동 속이다   **meaning** 명 의미

natural 형 자연스러운, 천연의 (**naturally** 부 자연스럽게)   **physical** 형 신체의; 물질의   **reaction** 명 반응   **chew** 동 씹다   **jaw** 명 턱

muscle 명 근육   **pressure** 명 압박 동 압력을 가하다   **automatically** 부 저절로, 자동적으로   **come out of** ~에서 나오다   **fall** 동 떨어지다

<문제> **laugh** 동 웃다   **rest** 동 쉬다 명 휴식; 나머지   **be based on** ~을 바탕으로 하다

▲ 지문 음상 바로 듣기

A girl had a fight with her mother. They didn't speak to each other all day. Then, that night, ⓐ the girl remembered that she had an appointment the next day. She was going to meet her friend early in the morning, but she was a heavy sleeper. ⓑ She needed her mother's help to get up. However, she didn't want to talk first. What could she do? After much thought, she wrote a message on a sticky note. "Please wake ⓒ me up at 8 a.m." She put it on her mother's phone and went to sleep. The next day, she woke up at 11 a.m.! She looked for her mother, but ⓓ she wasn't home. Instead, ⓔ she found a note. It said, "It's 8 a.m. Wake up."

1 이 글의 밑줄 친 ⓐ~ⓔ 중, 가리키는 대상이 나머지 넷과 <u>다른</u> 것은?

① ⓐ   ② ⓑ   ③ ⓒ   ④ ⓓ   ⑤ ⓔ

2 이 글의 내용과 일치하도록 (A)~(C)를 알맞은 순서대로 배열한 것은?

> (A) 소녀는 엄마의 쪽지를 발견했다.
> (B) 소녀는 엄마에게 쪽지를 남겼다.
> (C) 소녀는 친구와 약속이 있는 것이 생각났다.

① (A) – (C) – (B)   ② (B) – (A) – (C)   ③ (B) – (C) – (A)

④ (C) – (A) – (B)   ⑤ (C) – (B) – (A)

3 이 글의 밑줄 친 문장을 통해 유추할 수 있는 내용으로 가장 적절한 것은?

① 엄마는 약속 때문에 급하게 나가야 했다.

② 엄마는 소녀에게 말을 하고 싶지 않았다.

③ 엄마는 소녀를 깨우는 것을 잊어버렸다.

④ 엄마는 소녀의 쪽지를 발견하지 못했다.

⑤ 엄마는 소녀를 깨워야 할 시간을 잘못 알고 있었다.

4 이 글에서 소녀가 마지막에 느꼈을 심경으로 가장 적절한 것은?

① 안도한   ② 황당한   ③ 부끄러운

④ 행복한   ⑤ 슬픈

5 다음 영영 풀이에 해당하는 단어를 글에서 찾아 쓰시오.

> a promise to meet someone or do something at a specific time and place

_____

Words

have a fight with ~와 싸우다   **each other** 서로   **all day** 온종일   **remember** 图 기억나다, 기억하다   **appointment** 图 약속, 예약
heavy sleeper 잠이 많은 사람   **get up** 일어나다   **thought** 图 생각   **message** 图 메시지   **sticky note** 포스트잇   **wake up** 깨우다, 일어나다
look for ~를 찾다   **instead** 图 대신에   **say** 图 (~이라고) 적혀 있다   <문제> **promise** 图 약속 图 약속하다   **specific** 图 특정한; 구체적인, 명확한

A cute puppy or some delicious pasta can make us feel good when we see them. Surprisingly, one of them can even help you _____! Can you guess which one? 3

In <u>one experiment</u>, two groups were given a task. They counted how many times a certain number appeared among 40 numbers. Afterwards, Group A looked at pictures of baby 6 animals, and Group B looked at images of food. Then, they repeated the task. Group B's performance had almost no change. However, Group A's success rate increased by 16%! 9

Babies or baby animals can improve your concentration briefly. This is because when you take care of a baby, you become extra careful and aware. Even just looking at them 12 in pictures has a similar effect.

Read & Learn

● 눈 크기 ★★★★★
● 머리 크기 ★★★★★
● 통통 지수 ★★★★★

귀여움 레벨 100

"아우~ 귀여워~" 우리가 귀여움을 느끼는 포인트는 무엇일까요? 인간이 본능적으로 귀여움을 느끼는 필수 요소들을 유아 도해(baby schema)라고 하는데, 큰 눈, 큰 머리, 넓은 이마, 통통한 몸, 작은 코 등이 이에 해당돼요. 사람, 동물 은 물론이고 사물에도 이러한 특징이 있다면 우리는 그것을 볼 때 귀엽다고 느끼게 된답니다.

1 이 글의 주제로 가장 적절한 것은?

① babies' amazing ability to learn

② food that is good for concentration

③ what makes baby animals look cute

④ how babies affect your concentration

⑤ why you should be careful with babies

2 이 글의 빈칸에 들어갈 말로 가장 적절한 것은?

① focus better　　　　　② relieve stress

③ fall asleep easily　　　④ think more creatively

⑤ stay healthy

3 이 글의 밑줄 친 one experiment의 결과를 다음과 같이 나타낼 때, 괄호 안에서 알맞은 말을 골라 표시하시오.

A그룹	(1) (새끼 동물 / 음식) 사진을 본 후, 과제의 성공률이 (2) (증가했다 / 거의 변하지 않았다).
B그룹	(3) (새끼 동물 / 음식) 사진을 본 후, 과제의 성공률이 (4) (증가했다 / 거의 변하지 않았다).

4 이 글의 내용으로 보아, 다음 빈칸에 들어갈 말을 글에서 찾아 쓰시오.

> An experiment showed that looking at pictures of baby animals can make you become more _____ and _____.

Words

delicious 휑 맛있는　**surprisingly** 튄 놀랍게도　**guess** 튐 알아맞히다, 추측하다　**experiment** 휑 실험　**task** 휑 과제, 일　**count** 튐 세다
certain 휑 특정한; 확실한　**among** 젠 ~ 중에, ~ 사이에　**afterwards** 튄 이후, 나중에　**repeat** 튐 반복하다　**performance** 휑 성과; 공연
rate 휑 비율; 속도　**increase** 튐 증가하다, 증가시키다　**improve** 튐 향상시키다, 개선되다　**concentration** 휑 집중(력)　**briefly** 튄 잠시
take care of ~를 돌보다　**extra** 휑 각별히; 추가로　**aware** 휑 의식하는　**similar** 휑 유사한, 비슷한　**effect** 휑 효과　<문제> **amazing** 휑 놀라운
ability 휑 능력　**affect** 튐 영향을 끼치다　**focus** 튐 집중하다　**relieve** 튐 완화하다, 없애주다　**fall asleep** 잠이 들다

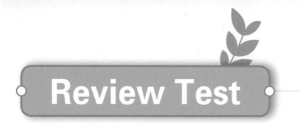

Review Test

정답 및 해설 p.83

[1-3] 단어와 영영 풀이를 알맞게 연결하시오.

1 traditional •   • ⓐ to make someone or something better

2 improve •   • ⓑ sharing things in common, but not exactly the same

3 similar •   • ⓒ relating to old beliefs and behaviors of a society

4 다음 빈칸에 공통으로 들어갈 단어로 가장 적절한 것은?

> • Sam was tired after his long trip, so he had to _____.
> • We will be free for the _____ of the day.

① match   ② focus   ③ count   ④ rest   ⑤ end

5 다음 밑줄 친 단어와 가장 비슷한 의미의 단어는?

> Global warming can <u>affect</u> the weather.

① influence   ② show   ③ guess   ④ notice   ⑤ check

[6-8] 다음 빈칸에 들어갈 단어나 표현을 보기 에서 골라 쓰시오.

> 보기   interested in   take care of   harmful   relieve

6 Sally dresses well because she is _____ fashion.

7 Please _____ my dog while I'm away.

8 Some factories produce a lot of _____ gases.

[9-10] 다음 밑줄 친 단어나 표현에 유의하여 각 문장의 해석을 쓰시오.

9 Then, the tears automatically <u>come out of</u> their tear ducts and start to fall!

→ _____

10 She <u>looked for</u> her mother, but she wasn't home.

→ _____

#캘리그래피 #영어필기체연습

Handwriting

감성 자극 영어 필기체 쓰기

좋은 명언은 우리에게 용기와 위로를 주죠. 이런 명언을 필기체로 멋지게 써놓고, 책상에 붙이거나 책갈피로 써보면 어떨까요?
사랑하는 사람들에게도 멋진 선물이 될 거예요. 자, 영어 필기체로 감성 자극 문구 같이 연습해봐요!

Don't dream it, Be it.   꿈만 꾸지 말아라, 그 꿈이 되어라

Don't dream it, Be it.

Happy things happen every day.   행복한 일은 매일 일어나

Happy things happen every day.

HackersBook.com

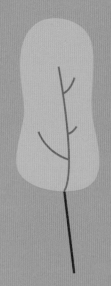

UNIT 03

During World War II, some American soldiers were in Italy. (a) It was wartime, but there was one good thing. (b) The food and wine were very delicious! (c) However, they did not like the Italian coffee called espresso. (d) There were only a few cafés that sold espresso. (e) It was too bitter for the American soldiers.

Fortunately, one barista found a solution. He put espresso in a large cup. Then, he poured hot water into it. The coffee became _____, and the American soldiers loved it! Italians started to call this mild coffee "Americano." (A) <u>It meant "American coffee" in their language.</u> Now, the Americano is enjoyed by people around the world.

Read & Learn

OX 퀴즈 아이스 아메리카노는 세계 어느 곳에서든 쉽게 마실 수 있다?

정답은 바로... 'X'랍니다! 유럽의 카페에서는 '아이스 아메리카노'를 찾기 힘들다고 해요. 이탈리아에서 유래된 에스프레소에 익숙한 유럽인들은 뜨겁고 향기가 진한 커피를 즐겨 마셔 왔어요. 그래서 얼음을 넣어 차갑고 향이 옅게 만들어진 아이스 아메리카노는 이들에게 낯설다고 해요. 그렇기 때문에 만약 유럽 여행 중에 아이스 아메리카노를 마시고 싶다면, 에스프레소와 얼음물을 각각 주문해야 해요.

1 이 글의 주제로 가장 적절한 것은?

① why coffee is popular in Italy

② how the first Americano was made

③ why espresso was loved by soldiers

④ a special way to enjoy the Americano

⑤ the creator of espresso and the Americano

· 심화형

2 이 글의 (a)~(e) 중, 전체 흐름과 관계<u>없는</u> 문장은?

① (a)　　　　② (b)　　　　③ (c)　　　　④ (d)　　　　⑤ (e)

3 이 글의 빈칸에 들어갈 말로 가장 적절한 것은?

① salty　　　　　　　　② fresh

③ healthier　　　　　　④ less bitter

⑤ less expensive

4 이 글의 밑줄 친 (A)의 이유를 가장 바르게 유추한 사람은?

① 재현: 미국에서 처음 만들어진 커피이기 때문이야.

② 소연: 미국 군인들을 위해 만들어진 커피이기 때문이야.

③ 정국: 미국 사람들에게 커피가 매우 중요했기 때문이야.

④ 지수: 미국 군인이 이 커피를 발명했기 때문이야.

⑤ 슬기: 미국에서 가장 인기 있는 커피였기 때문이야.

Words

soldier 몡 군인　**wartime** 몡 전시 혱 전쟁 중인, 전시의　**a few** 몇 개의, 약간의　**bitter** 혱 (맛이) 쓴　**fortunately** 뮈 다행히
barista 몡 바리스타, 커피 전문가　**solution** 몡 해결책　**pour** 동 붓다, 따르다　**mild** 혱 순한　**language** 몡 언어　<문제> **creator** 몡 창안자, 창조자
salty 혱 (맛이) 짠　**fresh** 혱 신선한　**healthy** 혱 건강에 좋은, 건강한　**expensive** 혱 비싼

Growing plants is not easy. It's hard to know what they need. _____, we don't ₃ have to guess anymore with Lua, the smart flowerpot.

It has a screen and several ₆ sensors. (①) The sensors monitor moisture, the amount of sunshine, and the temperature. (②) If your plant needs water, a thirsty face appears. ₉ (③) A vampire face is shown when the plant has a lack of sunlight. (④) But if you water your plant and let it stay in the sun for some time, you will see a happy face. (⑤) ₁₂ In addition, Lua responds to movement. It sometimes falls asleep, but when you come near, it will wake up and look at you. It's just like a pet! ₁₅

1 이 글의 제목으로 가장 적절한 것은?

① Do Plants Have Feelings?

② Tips for Planting Flowers in a Pot

③ How to Choose the Best Pot for Plants

④ A Flowerpot That Helps You Grow Plants

⑤ A Type of Plant That You Can Grow Easily

2 이 글의 빈칸에 들어갈 말로 가장 적절한 것은?

① However   ② In addition

③ So   ④ For example

⑤ In other words

3 이 글의 흐름으로 보아, 다음 문장이 들어가기에 가장 적절한 곳은?

> Then, Lua shows how your plant is feeling on its screen.

①   ②   ③   ④   ⑤

4 이 글에서 Lua가 보이는 반응으로 언급되지 <u>않은</u> 것은?

① 물이 필요하면 목마른 얼굴을 보여준다.

② 햇빛이 부족하면 흡혈귀의 얼굴을 보여준다.

③ 물과 햇빛을 충분히 얻으면 행복한 얼굴을 보여준다.

④ 누군가 자신을 바라보면 조명을 비춘다.

⑤ 누군가 가까이 다가오면 잠에서 깨어난다.

Words

grow 图기르다, 자라다 **plant** 圐식물 图심다 **flowerpot** 圐화분 **screen** 圐화면 **several** 圐여러 개의 **sensor** 圐센서, 감지기
monitor 图측정하다; 관찰[감시]하다 圐모니터 **moisture** 圐습기, 수분 **amount** 圐양 **sunshine** 圐햇빛 **temperature** 圐기온
water 圐물 图물을 주다 **thirsty** 圐목마른 **vampire** 圐흡혈귀 **lack** 圐부족(함) **sunlight** 圐햇빛 **in addition** 게다가
respond 图반응하다, 대답하다 **movement** 圐움직임, 운동 **fall asleep** 잠이 들다 <문제> **feeling** 圐감정, 느낌 **pot** 圐화분; 냄비
choose 图고르다 **for example** 예를 들어 **in other words** 다시 말해서

A long time ago, there were _____ giants. They were living with animals, but they didn't care about ⓐ them. They drank all the water and took every nut and fruit ⓑ they saw. Eventually, the hungry animals asked the god Coyote to punish ⓒ the giants. A few days later, Coyote held a great feast and invited all the animals and the giants. As soon as the giants arrived, ⓓ they started to eat like pigs. At that moment, Coyote used a magical spell. Suddenly, every giant turned into stone! Since that day, ⓔ they have stood there under the spell.

This is the legend of Bryce Canyon, a national park in the U.S. The legend is about the park's huge stone pillars that stand like humans. If you visit the park, you can see the giants yourself!

Read & Learn

HACKERS PEDIA
The Most Kind Encyclopedia

브라이스 캐니언(Bryce Canyon)이 유명한 이유
브라이스 캐니언은 '후두(hoodoo)'라고 불리는 붉은색 암석 기둥들로 가득 차 있어요. 이 기둥들은 수백 년의 세월을 거쳐 침식에 의해 자연적으로 만들어진 것으로, 엄청난 경관을 연출하지요. 사진 속 우뚝 솟은 후두는 번개의 신 토르의 망치를 닮아 특히 유명합니다.

1 이 글의 빈칸에 들어갈 말로 가장 적절한 것은?

① shy   ② old   ③ greedy

④ lonely   ⑤ jealous

2 이 글에 따르면, Coyote 신이 거인들에게 한 행동은?

① 신비한 돌을 건넸다.   ② 음식을 가져오게 했다.

③ 성대한 잔치에 초대했다.   ④ 인간으로 만들어 주었다.

⑤ 다른 동물들을 소개했다.

3 이 글의 밑줄 친 ⓐ~ⓔ 중, 가리키는 대상이 나머지 넷과 다른 것은?

① ⓐ   ② ⓑ   ③ ⓒ   ④ ⓓ   ⑤ ⓔ

4 이 글에서 설명하는 전설의 내용과 가장 잘 어울리는 속담은?

① 시장이 반찬이다.   ② 뿌린 대로 거둔다.

③ 소 잃고 외양간 고친다.   ④ 빈 수레가 요란하다.

⑤ 가재는 게 편이다.

5 이 글의 내용으로 보아, 빈칸 (A)와 (B)에 들어갈 말로 가장 적절한 것은?

According to the legend of Bryce Canyon, hungry animals asked the god Coyote to _____(A)_____ the giants. So, Coyote changed them into _____(B)_____ .

	(A)	(B)		(A)	(B)
①	invite	...... water	②	invite	...... humans
③	visit	...... food	④	punish	...... animals
⑤	punish	...... stone			

Words

giant 몡 거인   care about ~에 대해 신경[마음] 쓰다   nut 몡 견과(류)   eventually 뷔 결국   punish 동 벌하다   feast 몡 잔치
invite 동 초대하다   magical 혱 마법의   spell 몡 주문   legend 몡 전설   canyon 몡 캐니언, 협곡   national 혱 국립의, 국가의
huge 혱 거대한   pillar 몡 기둥   <문제> greedy 혱 욕심 많은   lonely 혱 외로운   jealous 혱 질투하는   according to ~에 따르면

"Boom, boom, boom!" You hear the heavy bass of hip-hop. But you see ballerinas dancing to the music! They are doing "hiplet," a new dance genre. Dancers use ballet motions and postures. At the same time, they bounce their bodies, shake their legs, and wave their arms to current popular songs. 3

Hiplet was created by Homer Bryant. He combined classical ballet and hip-hop dance. These two dance forms are very _____. Ballet uses planned movements and precise postures. On the other hand, hip-hop is free-form. And this is what makes hiplet interesting. Hiplet ballerinas use the techniques of ballet, and they also move and express themselves freely with hip-hop motions. It is the perfect mix of both! 6 9 12

Hiplet now attracts people who were not interested in classical ballet before. They say, "Hiplet is different. It's new and eye-catching." 15

1 이 글의 제목으로 가장 적절한 것은?

① Hiplet: Another Form of Music

② A Unique Mix of Two Dance Genres

③ Homer Bryant: The Best Ballet Dancer

④ The Differences Between Ballet and Hip-hop

⑤ Which Type of Music Is Popular among People?

2 이 글의 빈칸에 들어갈 말로 가장 적절한 것은?

① different　　② simple　　③ traditional

④ peaceful　　⑤ formal

3 힙레에 관한 이 글의 내용과 일치하면 T, 그렇지 않으면 F를 쓰시오.

(1) 무용수들은 최신 음악에 맞춰 팔과 다리를 흔들고 떠는 동작을 한다.　＿＿＿＿＿＿

(2) 자유로운 표현을 위해 발레 동작 대신 힙합 동작으로만 춤을 춘다.　＿＿＿＿＿＿

4 이 글의 내용으로 보아, 다음 빈칸에 공통으로 들어갈 말을 글에서 찾아 쓰시오.

> Hiplet is a new kind of dance that combines hip-hop with ＿＿＿＿＿＿＿＿
> ＿＿＿＿＿＿＿. It is even attractive to people who previously had no
> interest in ＿＿＿＿＿＿ ＿＿＿＿＿＿.

Words

bass 명 베이스, 저음　hip-hop 명 힙합　ballerina 명 발레리나　genre 명 장르, 형식　motion 명 동작, 움직임　posture 명 자세
bounce 동 튕기다, 뛰다　shake 동 떨다, 흔들다　wave 동 흔들다 명 파도　current 형 최신의, 현재의　combine 동 결합하다
classical 형 고전의, 고전적인　form 명 형태, 형식 (formal 형 격식을 차린)　planned 형 계획된　precise 형 정확한
free-form 형 자유로운 형태[형식]의　interesting 형 흥미로운 (interest 명 관심)　express 동 표현하다　perfect 형 완벽한
attract 동 마음을 끌다 (attractive 형 매력적인)　eye-catching 형 눈길을 끄는　<문제> unique 형 독특한　difference 명 차이(점)
peaceful 형 평화로운　previously 부 이전에

1 짝지어진 단어의 관계가 나머지와 다른 것은?

① food – nut   ② genre – hip-hop   ③ problem – solution

④ language – Korean   ⑤ place – canyon

2 다음 영영 풀이에 해당하는 단어는?

feeling unhappy because someone has something that you want to have

① excellent   ② jealous   ③ lonely   ④ precise   ⑤ sleepy

[3-4] 다음 밑줄 친 단어와 가장 반대되는 의미의 단어는?

3 The new smartphone's unique design attracts many customers.

① common   ② current   ③ natural   ④ interesting   ⑤ expensive

4 My English teacher previously lived in Australia.

① fast   ② suddenly   ③ later   ④ finally   ⑤ fortunately

[5-8] 다음 빈칸에 들어갈 단어를 보기 에서 골라 쓰시오.

| 보기 | healthy | classical | lack | invite | choose |

5 I exercise every day to stay _____.

6 Let's _____ some friends to our house tomorrow.

7 The _____ of parking spaces causes many problems.

8 Please help me _____ a computer because I don't know computers well.

[9-10] 다음 밑줄 친 단어나 표현에 유의하여 각 문장의 해석을 쓰시오.

9 There were only a few cafés that sold espresso.

→ _____

10 They were living with animals, but they didn't care about them.

→ _____

알고 마시면 더 맛있는 달콤쌉쌀한 커피 메뉴

까마득한 9세기부터 재배해서 마시기 시작했다는 커피. 그 긴 역사만큼이나 다채로운 커피 메뉴가 사람들에게 사랑받고 있어요. 그 중 특색 있는 커피 메뉴를 함께 알아볼까요?

- 우유 거품
- 데운 우유
- 에스프레소

Cappuccino

우유 거품 듬뿍 **카푸치노**

카푸치노는 에스프레소에 따뜻하게 데운 우유를 붓고, 그 위에 우유 거품을 소복하게 얹은 커피예요. 우유 거품이 쌉쌀한 커피를 부드럽게 만들어준답니다. 풍성한 거품 때문에 입술 위에 콧수염 모양의 자국이 나는 것도 카푸치노의 매력 중 하나예요.

- 휘핑크림
- 데운 우유
- 초콜릿 시럽
- 에스프레소

Mocha

커피와 초콜릿의 달콤한 조화 **카페 모카**

카페 모카는 에스프레소에 데운 우유와 초콜릿 시럽을 넣어 만든 메뉴예요. 초콜릿 향기가 나는 예멘의 '모카 원두'의 이름을 따서 카페 모카라는 이름이 붙여졌답니다.

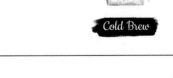

- 얼음
- 물
- 콜드브루 원액

Cold Brew

깊은 풍미의 **콜드 브루**

겉보기엔 아이스 아메리카노와 똑같은데 뭐가 다르냐고요? 바로 커피를 내리는 방식이 다르답니다! '차갑게 커피를 내렸다'는 뜻의 콜드 브루는 차가운 물로 장장 8시간 동안 커피를 우려내 만들어요. 오랜 시간 동안 우려낸 만큼 그 향과 풍미가 깊답니다.

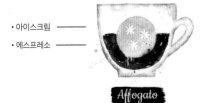

- 아이스크림
- 에스프레소

Affogato

아이스크림일까 커피일까? **아포가토**

에스프레소에 빠진 아이스크림! 아포가토는 아이스크림에 진한 에스프레소를 끼얹어 먹는 메뉴예요. 이탈리아인들이 사랑하는 대표적인 디저트이기도 한 아포가토는 이탈리아어로 '빠지다, 끼얹다'라는 뜻이라고 해요. 이름이 메뉴를 잘 설명하고 있죠?

HackersBook.com

UNIT 04

In *The Wonderful Wizard of Oz*, a tornado picks up Dorothy's house and takes it to a strange place named Munchkin Country. There, Dorothy meets the Munchkins. ₃ They are excellent farmers, but they are much smaller than other people.

Since then, when people see something small, they call ₆ it a "munchkin." _____, cats that have very short legs are called munchkins. It is also sometimes used as a nickname for kids. (a) However, the most famous munchkin ₉ is probably a donut. (b) To make a donut, a hole is made in the center of some dough. (c) Instead of throwing away the extra dough from the hole, someone decided to use it. ₁₂ (d) Donuts are typically round, but some may have other shapes. (e) This eventually became a tiny dessert ball and was named the Munchkin. ₁₅

1 이 글의 제목으로 가장 적절한 것은?

① The Smaller, the Better

② A Great Idea to Bake a Donut

③ The Origin of a Famous Novel

④ The Smallest People in the World

⑤ Munchkin: A Name for Small Things

2 이 글의 빈칸에 들어갈 말로 가장 적절한 것은?

① However　　　　② In short　　　　③ Finally

④ For example　　　⑤ On the other hand

3 이 글의 (a)~(e) 중, 전체 흐름과 관계없는 문장은?

① (a)　　　② (b)　　　③ (c)　　　④ (d)　　　⑤ (e)

4 이 글의 내용으로 보아, 다음 빈칸에 들어갈 말을 보기에서 골라 쓰시오.

| 보기 | houses | farmers | dough | children |

The original Munchkins were small (1) _____ in the novel.

⬇

The name "munchkin" is also given to ...

⬇　　　　　　⬇　　　　　　⬇

cats　　　　(2) _____　　　donuts

Words

wizard 명 마법사　tornado 명 회오리바람　pick up 들어 올리다, 집다　excellent 형 훌륭한　farmer 명 농부　nickname 명 별명
famous 형 유명한　donut 명 도넛　hole 명 구멍　center 명 중앙, 중심　dough 명 (밀가루) 반죽　instead of ~ 대신에　throw away 버리다
extra 형 여분의, 추가의　decide 동 결심하다　typically 부 일반적으로　shape 명 모양　tiny 형 (아주) 작은　<문제> bake 동 굽다
origin 명 시초, 유래 (original 형 원래의, 최초의)　novel 명 소설　in short 요컨대

Wolverine is a popular character from the *X-Men* superhero movies. His sharp claws are great weapons that are strong enough to cut anything. But did you know 3 the character is based on a real animal? It's called a wolverine, too!

Wolverines look like little bears. They are only 70 6 centimeters long, but they are extremely strong for their size. Like the character Wolverine, they use their powerful claws to hunt. They often attack and kill large animals, 9 such as reindeer and sheep. Their teeth and jaws are also so strong that they can crush bones. Fierce wolverines even threaten other predators to 12 steal their prey. When they come near, even bears and wolves stop eating and walk away!

Read & Learn

신이 울버린을 만들 때?

사실 울버린의 진짜 무기는 따로 있었으니… 바로 악취예요. '스컹크 곰 (skunk bear)'이라고도 불리는 울버린은 항문 주위에서 매우 고약한 냄새가 나요. 곰처럼 포악한 동물들도 냄새를 참지 못해 울버린을 피한다고 하니, 그 냄새가 얼마나 지독할지 상상이 가나요?

일단 귀여운 외모를 한 방울 넣고

포악함은 세 방울…

마지막으로 냄새를 넣으아아아으억

1 이 글의 제목으로 가장 적절한 것은?

① Stop Hunting Wild Wolverines

② Animals Named after Superheroes

③ Movie Characters Based on Predators

④ How Wolverines Are Different from Bears

⑤ Wolverines: A Strong and Dangerous Animal

2 다음 질문에 대한 답이 되도록 빈칸에 들어갈 말을 글에서 찾아 쓰시오.

> Q. What does a real wolverine and the character Wolverine have in common?

A. They both use their powerful _____.

3 울버린에 관한 이 글의 내용과 일치하지 <u>않는</u> 것은?

① 곰과 비슷하게 생겼다.

② 종종 순록이나 양을 사냥한다.

③ 뼈를 부술 정도로 강력한 이빨과 턱을 가지고 있다.

④ 다른 동물들의 먹이를 빼앗기도 한다.

⑤ 곰과 늑대를 마주치면 도망간다.

4 이 글의 내용으로 보아, 괄호 안에서 알맞은 말을 골라 표시하시오.

> Wolverines are (1) (small / big) animals that are very powerful and fierce. They hunt much (2) (faster / larger) animals and are even avoided by other predators.

Words

character 몡 캐릭터, 등장인물 sharp 혱 날카로운 claw 몡 발톱 weapon 몡 무기 be based on ~을 바탕으로 하다 long 혱 ~의 길이인, 긴
extremely 閉 매우, 극도로 powerful 혱 강력한 attack 동 공격하다 such as ~과 같은 reindeer 몡 순록 crush 동 부수다 bone 몡 뼈
fierce 혱 사나운 threaten 동 위협하다 predator 몡 포식 동물, 포식자 steal 동 빼앗다, 훔치다 walk away 떠나 버리다 <문제> wild 혱 야생의
named after ~의 이름을 딴 dangerous 혱 위험한 have in common 공통점이 있다

3

★★★
121 words

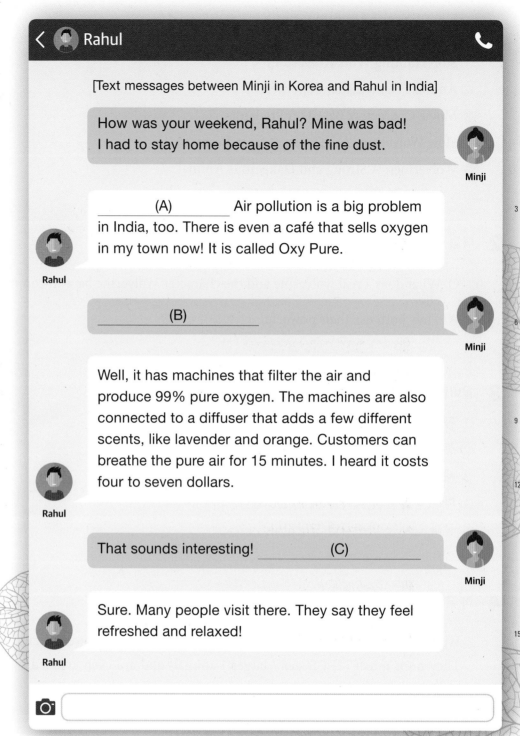

Rahul   📞

[Text messages between Minji in Korea and Rahul in India]

How was your weekend, Rahul? Mine was bad! I had to stay home because of the fine dust.

Minji

_____(A)_____ Air pollution is a big problem in India, too. There is even a café that sells oxygen in my town now! It is called Oxy Pure.

Rahul

_____(B)_____

Minji

Well, it has machines that filter the air and produce 99% pure oxygen. The machines are also connected to a diffuser that adds a few different scents, like lavender and orange. Customers can breathe the pure air for 15 minutes. I heard it costs four to seven dollars.

Rahul

That sounds interesting! _____(C)_____

Minji

Sure. Many people visit there. They say they feel refreshed and relaxed!

Rahul

📷 _____

 Read & Learn

Q. 다음 중 인도에서 대기 오염을 발생시키는 원인이 아닌 것은?
① 자동차   ② 공장   ③ 쓰레기   ④ 축제

정답은 무엇일까요? 당연히 ④ '축제'인 것 같지만, 사실 이 중에 정답은 없답니다. (속았죠?) 인도에서는 자동차, 공장, 쓰레기 외에도 '축제'가 대기 오염의 원인 중 하나예요. 10~11월에는 인도 최대 축제인 '디왈리 축제'가 열리는데, 이때 엄청난 양의 폭죽을 터뜨린답니다. 그래서 디왈리 축제를 기점으로 대기 상태가 급격히 나빠지곤 해요.

1 이 대화문의 빈칸 (A)~(C)와 각각에 들어갈 말을 알맞게 연결하시오.

(A) •   • (1) How does a café sell oxygen?

(B) •   • (2) It's terrible, isn't it?

(C) •   • (3) Is the café popular?

2 다음 질문에 대한 답이 되도록 빈칸에 들어갈 말을 글에서 찾아 쓰시오.

Q. What is mentioned as a common problem in Korea and India?

A. Minji and Rahul both mention _____ _____ like fine dust.

3 이 대화문의 내용과 일치하면 T, 그렇지 않으면 F를 쓰시오.

(1) 민지는 미세먼지 때문에 주말에 집에 있어야 했다.   _____

(2) Rahul은 민지에게 자신의 동네에 생긴 카페를 소개하고 있다.   _____

(3) Oxy Pure는 깨끗한 산소를 무료로 제공한다.   _____

4 다음 영영 풀이에 해당하는 단어를 글에서 찾아 쓰시오. (단, 주어진 철자로 시작하여 쓰시오.)

to make or grow a large amount of something

p _____

5 이 대화문의 내용으로 보아, 다음 빈칸에 들어갈 말을 보기에서 골라 쓰시오.

보기   breathe   machines   sell   oxygen

At Oxy Pure, customers can _____ pure _____ with different scents.

Words

weekend 몡주말 fine dust 미세먼지 air pollution 대기 오염 oxygen 몡산소 pure 혱순수한 machine 몡기계 filter 동여과하다 몡필터
produce 동만들어 내다, 생산하다 connect 동연결하다 diffuser 몡디퓨저, 확산기 add 동더하다 scent 몡향, 향기
lavender 몡라벤더(연보라색 꽃이 피는 향이 좋은 화초) breathe 동(숨을) 들이마시다 cost 동(비용이) 들다 몡비용 refreshed 혱상쾌한
relaxed 혱편안한, 느긋한 <문제> terrible 혱끔찍한 mention 동언급하다

Hospitals are not pleasant places. They are filled with frightening medical tools like knives and needles. (①) For kids, the fear is bigger. (②) Unfortunately, 12-year-old Ella had to go to the hospital regularly. (③) She had a rare disease and needed to get an *IV every two months. (④) Like other children, she was afraid of the IV bags and medical equipment. (⑤) It is a cute teddy bear with a pouch in the back, and it fully covers up the IV bag. The bag doesn't look _____ anymore this way.

So far, Ella and her family have donated thousands of Medi Teddys to children's hospitals. Ella's small but great idea has made hospitals friendlier places.

*IV (Intravenous) 링거 (주사)

Read & Learn

아프지 말아요~ 사랑꾼의 발명품 '반창고'
마음이 따뜻해지는 발명품이 하나 더 있었으니… 바로 아내를 향한 사랑으로 만들어진 '반창고'! 1900년대 초 미국, 회사원 얼 딕슨(Earle Dickson)에게는 사랑스러운 아내 조세핀이 있었는데, 그녀는 집안일에 서툴러 손을 자주 베었어요. 딕슨은 아내가 혼자서도 상처를 쉽게 치료할 수 있도록 의료용 테이프에 거즈를 붙인 것을 여러 장 만들어 두었고, 이것이 오늘날 일회용 반창고의 시초가 되었답니다.

1 이 글의 제목으로 가장 적절한 것은?

① A Special Hospital for Children

② An Effort to Cure a Rare Disease

③ A Girl's Small Idea to Help Children

④ A Doll Donated for Medical Research

⑤ A Girl Who Recovered from an Illness

2 이 글의 내용과 일치하면 T, 그렇지 않으면 F를 쓰시오.

(1) Ella는 희귀병에 걸려 정기적으로 병원에 가야 했다. _____

(2) 수천 개의 Medi Teddy가 아동 병원에 판매되었다. _____

3 이 글의 흐름으로 보아, 다음 문장이 들어가기에 가장 적절한 곳은?

> So Ella created the Medi Teddy.

①   ②   ③   ④   ⑤

4 이 글의 빈칸에 들어갈 말로 가장 적절한 것은?

① normal   ② scary   ③ dirty

④ empty   ⑤ small

5 이 글에 따르면, Medi Teddy가 하는 역할은?

① 병원 내부를 꾸며준다.   ② 링거 주머니를 가린다.

③ 의료 장비의 작동 상태를 알려준다.   ④ 환자들에게 정기 검진 날짜를 안내한다.

⑤ 병원의 기금 마련 행사를 홍보한다.

Words

pleasant 휑 유쾌한, 쾌적한 **be filled with** ~으로 가득 차다, 채워지다 **frightening** 휑 무서운 **medical** 휑 의료의, 의학의 **tool** 뗑 도구
needle 뗑 (주사)바늘 **fear** 뗑 두려움, 공포 **unfortunately** 휫 불행하게도 **regularly** 휫 정기적으로 **rare disease** 희귀병
be afraid of ~을 두려워하다 **equipment** 뗑 장비, 용품 **pouch** 뗑 주머니 **cover up** ~을 완전히 가리다 **donate** 통 기부하다
friendly 휑 친숙한, 친절한 <문제> **effort** 뗑 노력, 수고 **cure** 통 치료하다 **recover** 통 회복하다 **illness** 뗑 병 **normal** 휑 평범한, 보통의
empty 휑 비어 있는

Review Test

정답 및 해설 p.85

1 단어의 성격이 나머지와 다른 것은?

① unfortunately   ② eventually   ③ friendly   ④ extremely   ⑤ typically

2 짝지어진 단어의 관계가 나머지와 다른 것은?

① origin – original   ② regular – regularly   ③ power – powerful
④ danger – dangerous   ⑤ fear – fearful

[3-4] 다음 영영 풀이에 해당하는 단어를 보기에서 골라 뜻과 함께 쓰시오.

보기	weapon	connect	center	donate	recover

		단어	뜻
3	to give something to a person or an organization to help them	_____	_____
4	something that can be used to fight with or attack someone	_____	_____

[5-8] 다음 빈칸에 들어갈 단어나 표현을 보기에서 골라 쓰시오.

보기	sharp	filled with	refreshed	tiny	afraid of

5 The trash cans were _____ garbage after the concert.

6 I am _____ snakes because some of them are poisonous.

7 The knife is so _____ that it can cut a can.

8 I lost my earrings because they were too _____ .

[9-10] 다음 밑줄 친 단어나 표현에 유의하여 각 문장의 해석을 쓰시오.

9 Instead of throwing away the extra dough from the hole, someone decided to use it.

→ _____

10 But did you know the character is based on a real animal?

→ _____

아재력 모의고사

썰렁하지만 묘하게 빠져드는 아재 개그!
여러분의 아재력을 알아볼 수 있는 테스트, 시작해 볼까요?

아재력 모의고사
개그 영역

◎ 주관식: 다음 아재 개그의 정답은 무엇일까요?

1. 여름마다 나는 전쟁은? ( )	7. 사슴이 눈이 좋으면? ( )
2. 돌잔치를 영어로 하면? ( )	8. 석유가 도착하는 데 걸리는 시간은? ( )
3. 뱀이 불타면? ( )	9. 미국에 비가 오면? ( )
4. 반성문을 영어로 하면? ( )	10. 젊은 물고기는? ( )
5. 아몬드가 죽으면? ( )	11. 키보다 크면? ( )
6. 파가 스타가 되면? ( )	12. 미술학과 학생들이 타는 버스는? ( )

아재력 모의고사
문제 풀이

◎ 정답을 확인해보세요.

1. 더워	7. 굿아이디어(Good Eye Deer)
2. 록 페스티벌(Rock Festival)	8. 5일(Oil)
3. 뱀파이어	9. USB
4. 글로벌	10. 영어
5. 다이아몬드	11. 키위
6. 파스타	12. 캔버스

HackersBook.com

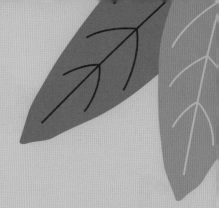

UNIT 05

▲ 지문 음성 바로 듣기

Long ago, European explorers sailed to Australia. There, they saw <u>an animal</u> that was very unusual. It had large ears and hopped around on two legs. It also had a pouch on its belly to carry its baby. ⓐ <u>They</u> had never seen an animal like this before. So they asked the natives, "What is this animal?" The natives replied, "Kangaroo." After the explorers returned home, they told everyone about the new animal called kangaroo. From then on, ⓑ <u>the name</u> spread all over the world. However, *kangaroo* meant "I don't know" in the natives' language. The truth is, the natives didn't know the name, either!

3

6

9

12

Read & Learn

'캥거루', 진실 혹은 거짓

'캥거루'라는 이름에 얽힌 이야기는 널리 퍼진 재미있는 속설이지만, 진실이 아닐 수도 있어요. 언어학자들에 의하면, 사실 호주 원주민들은 캥거루를 '강우루(gangurru)'라는 이름으로 불렀다고 해요. 하지만 유럽인 탐험가들이 이를 듣고 자신들에게 익숙한 발음인 '캥거루'로 바꿔 부르면서 이러한 이야기가 퍼지게 됐답니다.

1 이 글의 제목으로 가장 적절한 것은?

① How Kangaroos Got Their Name

② What Kangaroos Were Called Before

③ Languages of the Natives in Australia

④ Why Europeans Liked Unusual Animals

⑤ The First Europeans Who Explored Australia

(서술형)

2 이 글의 밑줄 친 an animal의 세 가지 특징을 우리말로 쓰시오.

(1) _____

(2) _____

(3) _____

3 이 글의 밑줄 친 ⓐ와 ⓑ가 가리키는 것을 글에서 찾아 쓰시오.

ⓐ: _____   ⓑ: _____

4 이 글의 내용과 일치하지 않는 것은?

① 유럽의 탐험가들은 호주에 갔다.

⬇

② 탐험가들은 이전에 보지 못했던 동물을 발견했다.

⬇

③ 원주민들은 탐험가들에게 동물의 이름을 알려주었다.

⬇

④ 유럽인들은 고국으로 돌아가 동물에 대해 알렸다.

⬇

⑤ 동물의 이름이 전 세계에 퍼지게 되었다.

Words

European 혱 유럽의 몡 유럽인   explorer 몡 탐험가 (explore 통 탐험하다)   sail 통 항해하다   Australia 몡 호주   unusual 혱 특이한
hop 통 깡충깡충 뛰어다니다   pouch 몡 주머니   belly 몡 배   carry 통 데리고 다니다   ask 통 묻다; 요청하다   native 몡 원주민, 현지인
reply 통 대답하다, 답장하다   return 통 돌아오다   from then on 그 이후   spread 통 퍼지다, 펼치다 (spread-spread-spread)
language 몡 언어   truth 몡 사실, 진상

Have you ever heard that you should hit a tangerine before you eat it? Hitting a tangerine makes it ____(A)____! You can also rub it hard with your hands or drop it on the floor. 3

Most fruits, including tangerines, produce a small amount of a chemical that helps fruits ripen. It is called *ethylene. More of it is produced when a fruit is physically 6 stressed. ____(B)____, if you hit a tangerine, it will produce more ethylene. Eventually, the tangerine will ripen faster and taste better. In fact, the sugar level can increase up to 9 20%!

However, if the tangerine is too soft, don't hit it. It means it's already ripe, so hitting it will only make it rot faster. 12

*ethylene 에틸렌 (식물의 여러 기관에서 생성되는 호르몬)

Read & Learn

1일1귤♥
귤이 제일 좋아! 근데 귤 너무 많이 먹으면 얼굴이 노래진다는 말이 있던데 진짜인가요?

👍 22 👎 답글

냠냠 귤 최고
귤 많이 먹으면 피부가 노랗게 되는 건 사실이에요!
귤에는 카로틴이라는 색소 물질이 있는데, 카로틴이 착색 현상을 일으켜서 피부를 노랗게 만들거든요. 근데 일시적인 변색이라 카로틴 섭취를 멈추면 금방 다시 색이 돌아오니 걱정 마세요!
카로틴은 눈 건강에도 좋고 지방도 쌓이지 않게 해줘서 좋으니까 귤 많이 드세요~

1 이 글의 주제로 가장 적절한 것은?

① 귤의 성분과 효능

② 귤을 더 맛있게 먹는 방법

③ 귤을 신선하게 보관하는 비결

④ 화학약품이 과일에 미치는 영향

⑤ 과일이 익었을 때 나타나는 특징

● 심화형

2 이 글의 빈칸 (A)에 들어갈 말로 가장 적절한 것은?

① harder ② sourer ③ sweeter

④ cooler ⑤ smoother

● 서술형

3 과일에서 에틸렌이 더 많이 생성될 수 있는 조건을 우리말로 쓰시오.

_____

4 이 글의 빈칸 (B)에 들어갈 말로 가장 적절한 것은?

① Therefore ② However

③ Fortunately ④ On the other hand

⑤ Instead

5 다음 질문에 대한 답이 되도록 빈칸에 들어갈 말을 글에서 찾아 쓰시오.

> Q. What happens to a soft tangerine when you hit it?

A. It will _____ _____ because it is already ripe.

Words

tangerine 명 귤 **rub** 동 문지르다 **hard** 부 세게, 열심히 형 단단한; 어려운 **drop** 동 떨어뜨리다, 떨어지다 **floor** 명 바닥 **including** 전 ~을 포함하여 **amount** 명 양 **chemical** 명 화학물질 형 화학의 **ripen** 동 익다 **(ripe** 형 익은) **physically** 부 물리적으로; 신체적으로 **stress** 동 ~에 압력을 가하다; ~을 강조하다 명 스트레스 **sugar level** 당도 **increase** 동 증가하다 **up to** ~까지 **already** 부 이미 **rot** 동 썩다 <문제> **sour** 형 (맛이) 신 **smooth** 형 매끄러운

A man leaps and runs up the side of a building. He jumps over a railing. Then, he climbs up and down a tree. What is he doing? It is parkour, a sport of going over obstacles such as walls and railings. (a) The goal is to move from one place to another as quickly as possible. (b) You don't even need any special equipment for parkour. (c) A pair of sneakers is enough. (d) Some people like collecting different kinds of sneakers. (e) Parkour includes movements like jumping, rolling, and climbing. People sometimes add various moves from *gymnastics and martial arts, too.

Parkour is a non-competitive sport. People practice it to overcome the obstacles in their paths and go beyond their physical limits. There are no time limits, no points, and no losers. Before you try parkour, however, you should exercise enough to train your muscles. If not, you may hurt yourself!

*gymnastics 체조

Read & Learn

목숨이 열 개라면 도전해볼까...? 위험한 스포츠 TOP **5**

사망률	60명 중 1명	100명 중 1명	560명 중 1명	1,000명 중 1명	2,200명 중 1명
	<1위> *베이스 점핑	<2위> 자동차 레이싱	<3위> 행글라이딩	<4위> 오토바이 레이싱	<5위> 복싱

(*베이스 점핑: 높은 건물이나 절벽에서 낙하하는 스포츠)

1 이 글의 제목으로 가장 적절한 것은?

① How Parkour Became a Sport

② The Best Exercises to Build Muscle

③ Why People Enjoy Dangerous Sports

④ Parkour: Passing Your Physical Limits

⑤ Martial Artists and Their Special Skills

2 이 글의 (a)~(e) 중, 전체 흐름과 관계<u>없는</u> 문장은?

① (a)　　　② (b)　　　③ (c)　　　④ (d)　　　⑤ (e)

3 파쿠르에 관한 이 글의 내용과 일치하지 <u>않는</u> 것은?

① 벽이나 난간 등의 장애물을 이용한다.

② 특별한 장비 없이도 할 수 있다.

③ 체조와 무술의 움직임을 활용하기도 한다.

④ 다른 사람과 경쟁하지 않는 스포츠이다.

⑤ 정해진 시간 안에 동작들을 완료해야 한다.

4 이 글의 내용으로 보아, 다음 빈칸에 들어갈 말을 보기에서 골라 쓰시오.

보기	train	move	add	overcome	try

Parkour

What people do	• They jump, roll, and climb to (1) _____ quickly. • Before doing parkour, they should (2) _____ their muscles.
Why people do it	They want to (3) _____ obstacles and their physical limits.

> **Words**
>
> **leap** 통도약하다, 뛰어오르다　**railing** 명난간, 철책　**climb** 통(타고) 오르다　**go over** ~을 넘어가다, 건너다　**obstacle** 명장애(물)
> **goal** 명목표, 목적　**pair (of)** 명(두 개로 된) 한 쌍[켤레, 벌]　**roll** 통구르다　**various** 형다양한　**martial arts** 무술 (**martial artist** 무술가)
> **non-competitive** 형비경쟁적인　**overcome** 통극복하다　**path** 명길　**go beyond** ~을 넘어서다　**limit** 명한계, 제한　**loser** 명패자
> **exercise** 통운동하다 명운동　**train** 통단련시키다, 교육시키다 명열차, 기차 <문제> **build** 통(근육을) 키우다; (건물을) 짓다　**pass** 통넘다, 통과하다

Turbans are mostly worn for religious reasons today. But they were once very trendy clothes in Brazil.

In the early 1800s, Napoleon and his armies were trying to conquer Europe. Nobles from Portugal were afraid, so they sailed to Brazil to escape. On the way, unfortunately, everyone on the ship got *head lice. They had to _____ their heads, even the princess. The princess and other ladies didn't want to show their bald heads. Therefore, they wore turbans when they arrived in Brazil. <u>This</u> caught the eyes of the Brazilian women, and surprisingly, they liked it! They thought the turbans were a fashion trend from Europe, and they began to wear turbans as well.

Imagine that! The secret to becoming a fashionista was head lice!

*head lice 머릿니 (사람의 두피에서 피를 빨아먹고 사는 곤충)

1 이 글의 주제로 가장 적절한 것은?

① 종교와 의복의 관계

② 터번을 착용할 때 유의할 점

③ 유럽에서 최초로 만들어진 터번

④ 브라질 사람들이 터번을 쓰게 된 이유

⑤ 패션에 대한 포르투갈과 브라질의 문화적 차이

2 이 글의 빈칸에 들어갈 말로 가장 적절한 것은?

① hit   ② wash   ③ brush

④ shake   ⑤ shave

(서술형)

3 이 글의 밑줄 친 This가 의미하는 내용을 우리말로 쓰시오.

_____

4 터번에 대한 포르투갈과 브라질 여성들의 생각으로 가장 적절한 것은?

          <포르투갈 여성>   <브라질 여성>

① 예의를 갖추기 위한 것   ······   종교적인 것

② 종교적인 것   ······   머리를 가리기 위한 것

③ 유행하는 것   ······   추위를 견디기 위한 것

④ 머리를 가리기 위한 것   ······   유행하는 것

⑤ 추위를 견디기 위한 것   ······   예의를 갖추기 위한 것

Words

turban 몡터번 **mostly** 튀주로 **religious** 혱종교적인, 종교의 **trendy** 혱유행하는 (**trend** 몡유행, 동향) **clothes** 몡의상, 옷; (단수형) 옷감, 천
army 몡군대 **conquer** 툉정복하다 **noble** 몡귀족 혱고귀한 **escape** 툉도망치다, 탈출하다 **on the way** 가는 길에, 도중에
bald head 민머리, 대머리 **catch the eye of** ~의 시선을 사로잡다 **surprisingly** 튀놀랍게도 **as well** 역시, 또한
imagine 툉생각하다, 상상하다 **secret** 몡비결, 비밀 혱비밀의 **fashionista** 몡패셔니스타, 패션 리더 <문제> **brush** 툉빗다 몡붓
shave 툉밀다, 면도하다

[1-3] 단어와 영영 풀이를 알맞게 연결하시오.

1 train •   • ⓐ to jump over something

2 leap •   • ⓑ to get ready to do activities or sports

3 native •   • ⓒ a person who was born in a certain region or country

4 다음 빈칸에 들어갈 단어로 가장 적절한 것은?

> You should _____ your hair to make it look neater.

① cure   ② lose   ③ brush   ④ keep   ⑤ shake

[5-7] 다음 괄호 안에서 알맞은 단어를 골라 표시하시오.

5 Please (carry / reply) to this e-mail as soon as you get it.

6 Kenneth's Garage repairs (various / religious) types of cars.

7 We tried to get to the airport on time, but our flight had (always / already) left.

8 다음 밑줄 친 hard와 같은 의미로 쓰인 것은?

> These pillars are made of <u>hard</u> wood.

① Richard studied <u>hard</u> to pass the exam.
② I can't sleep well on this bed because it is too <u>hard</u>.
③ The quiz show's host asked many <u>hard</u> questions.
④ You can succeed at anything if you work <u>hard</u>.
⑤ No one could solve the <u>hard</u> puzzle.

[9-10] 다음 밑줄 친 단어나 표현에 유의하여 각 문장의 해석을 쓰시오.

9 People practice it to overcome the obstacles in their paths and <u>go beyond</u> their physical limits.

→ _____

10 This <u>caught the eyes of</u> the Brazilian women, and surprisingly, they liked it!

→ _____

홈트레이닝
운동법

하루 10분으로 건강 챙기기!

매일 공부하랴 숙제하랴,
책상 앞에 오래 앉아있다 보면 체지방이 쌓이기 쉽죠.
체지방과 굿바이 할 수 있는 '홈트레이닝' 방법을 공개합니다!
집에서 간단하게 따라 할 수 있는 전신 운동들,
함께 해 볼까요?

코어 근육을 강화해요
브릿지

1. 천장을 보고 누워 무릎을 골반 너비로 세운다.
2. 숨을 마시고 내쉬는 호흡에 등을 천천히 말아
   엉덩이에 힘을 주며 천장으로 올려준다.

칼로리를 태워요!
마운틴 클라이머

1. 한 손씩 차례로 바닥을 짚은 뒤 한 다리씩 뒤로 보내
   골반 수평을 낮춘다.
2. 달리기를 하는 것처럼 한 다리씩 번갈아 가며 명치
   쪽으로 가져온다.

HackersBook.com

UNIT 06

When you hang your toilet paper, is it similar to the picture on the left or the right? (A) <u>Some people prefer the way on the right.</u> They say it looks tidier because the loose end is slightly hidden. But others think the way on the left is actually _____. If the toilet paper is hung in this way, your hand doesn't have to touch the dirty wall. Also, it is easier to pull the tissue down.

Modern toilet paper was invented in 1891. Originally, it was intended to hang like the left way. However, some people began to hang the toilet paper in the other way. And they found no problems with it! Since then, the debate over the correct way of hanging toilet paper has continued.

Read & Learn

오늘의 일기: "휴지가 왜 여기서 나와?"　　　　　　　　　　9월 16일 화요일　날씨: 맑음

오늘은 영국에서 온 내 친구 소피를 만났다. 집에서 재미있게 노는데, 소피가 주방 식탁 위에 있는 두루마리 휴지를 보고 깜짝 놀라며, "왜 화장실에서 쓰는 휴지가 여기에 있어?"라고 물었다. 나는 아무런 생각이 없었는데, 외국에서는 두루마리 휴지의 명칭이 toilet paper라며 화장실에서만 쓴다고 했다. 휴지에 대해 이렇게 문화적인 차이가 있었을 줄이야!

서술형

1 이 글의 밑줄 친 (A)의 이유를 우리말로 쓰시오.

_____

2 이 글의 빈칸에 들어갈 말로 가장 적절한 것은?

① wrong   ② tighter   ③ cleaner

④ personal   ⑤ impossible

3 이 글의 내용과 일치하면 T, 그렇지 않으면 F를 쓰시오.

(1) 오른쪽 사진처럼 화장지를 거는 것을 선호하는 사람이 더 많다. _____

(2) 화장지를 더 쉽게 끌어내리려면 왼쪽 사진처럼 거는 것이 좋다. _____

(3) 원래 현대식 화장지는 왼쪽 사진처럼 걸도록 발명되었다. _____

4 다음 영영 풀이에 해당하는 단어를 글에서 찾아 쓰시오.

to like someone or something more than others

_____

5 이 글의 내용으로 보아, 괄호 안에서 알맞은 말을 골라 표시하시오.

Some people think the (1) (left / right) way is a better method to hang the toilet paper because they don't want to touch the dirty wall. However, there isn't any problem with the (2) (left / right) way either.

Words

hang ⑧ 걸다 (hang-hung-hung)   toilet paper 화장지   similar ⑱ 비슷한   prefer ⑧ 선호하다   tidy ⑱ 깔끔한   loose ⑱ 풀린, 헐거워진
slightly ⑭ 약간   hidden ⑱ 가려진, 숨겨진   pull down ⑧ 끌어내리다   modern ⑱ 현대식의, 현대의   invent ⑧ 발명하다   originally ⑭ 원래
intend ⑧ 의도하다   debate ⑲ 논쟁, 토론   correct ⑱ 올바른; 정확한   continue ⑧ 계속되다, 계속하다   <문제> tight ⑱ 꽉 죄인
personal ⑱ 개인적인   impossible ⑱ 불가능한   method ⑲ 방식, 방법

One day, a number of divers discovered something strange on the seafloor near Japan. It was a two-meter-wide circular pattern, and it looked like a piece of art. Who created this mysterious but beautiful artwork? Surprisingly, the artist was a tiny fish!

The fish is a species of *pufferfish that is only 12 centimeters long. It builds a structure that is 20 times its size by only using its fins! First, the male fish creates a circle on the seafloor. Then, it waves its fins along the circle. This makes small valleys and hills. Finally, it gathers up the sand in the center to make a nest.

The entire process takes six weeks. When the nest is complete, a female pufferfish will lay eggs in it. What a _____ the male pufferfish is!

*pufferfish 복어

1 이 글의 제목으로 가장 적절한 것은?

① A Tiny Artist in the Sea

② A Fish That Hides its Eggs

③ Pufferfish's Unique Body Structure

④ A Huge Fish That Lives in the Deep Sea

⑤ Mysterious Waves: The Artwork of Nature

• 서술형

2 이 글의 밑줄 친 This가 의미하는 내용을 우리말로 쓰시오.

_____

• 심화형

3 이 글의 빈칸에 들어갈 말로 가장 적절한 것은?

① great cleaner   ② fast swimmer

③ clever actor   ④ creative home-builder

⑤ perfect cook

4 이 글의 내용으로 보아, 다음 빈칸에 들어갈 말을 글에서 찾아 쓰시오.

How the Pufferfish Makes Beautiful Artwork

It makes a circle on the (1) _____.

It creates valleys and hills along the circle with its (2) _____.

It builds a (3) _____ with the sand in the center of the circle.

Words

a number of 많은, 다수의 discover 동발견하다 seafloor 명해저 circular 형원형의 pattern 명무늬, 양식
mysterious 형신비로운, 불가사의한 artwork 명예술 작품 species 명종, 종류 (복수형: species) structure 명구조(물) times 명~배[곱]
fin 명지느러미 male 형수컷의 along 전~을 따라 valley 명골짜기 hill 명언덕 gather up ~을 모으다 nest 명동지 entire 형전체의
process 명과정 complete 형완성된, 완벽한 female 형암컷의 lay 동(알을) 낳다; 놓다 <문제> huge 형거대한 clever 형영리한
creative 형창의적인 home-builder 명집 건설자

When you feel a lot of stress, do you look for something spicy to eat? Eating spicy food actually makes you feel pain. However, many people still want spicy food when they get stressed. What causes this?

When your tongue feels something spicy, it sends a signal to the brain. (A) These reduce the pain, and they also cause a positive feeling in your body. (B) Your brain then releases hormones called *endorphins. (C) As a result, you usually feel better after eating spicy food. This is why you want something spicy especially when you feel stressed. Your brain tells you to eat it to lower your stress!

*endorphin 엔도르핀 (뇌에서 분비되는 신경 전달 물질)

Read & Learn

**스코빌 지수로 알아보는 단계별 매운맛*
*스코빌 지수(SHU, Scoville Heat Unit): 매운맛을 내는 성분인 '캡사이신' 농도를 계량화한 국제 기준

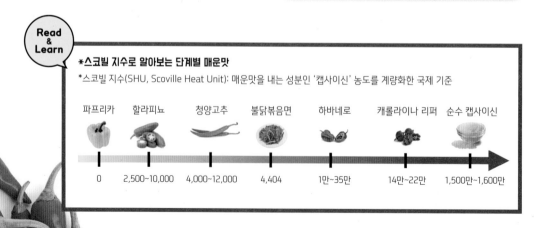

파프리카	할라피뇨	청양고추	불닭볶음면	하바네로	캐롤라이나 리퍼	순수 캡사이신
0	2,500~10,000	4,000~12,000	4,404	1만~35만	14만~22만	1,500만~1,600만

1 이 글의 주제로 가장 적절한 것은?

① how your body feels pain

② the dangers of spicy food

③ the main causes of stress

④ why you can't eat spicy food well

⑤ the relationship between stress and spicy food

2 이 글의 문장 (A)~(C)를 순서에 맞게 배열한 것으로 가장 적절한 것은?

① (A) – (B) – (C)　　　　　② (B) – (A) – (C)

③ (B) – (C) – (A)　　　　　④ (C) – (A) – (B)

⑤ (C) – (B) – (A)

(서술형)

3 엔도르핀의 두 가지 역할을 우리말로 쓰시오.

(1) _____

(2) _____

4 이 글의 내용으로 보아, 다음 빈칸에 들어갈 말을 글에서 찾아 쓰시오.

> People who are stressed look for _____ food to eat. It causes _____ at first, but later it makes people feel better.

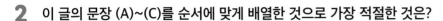

Words

look for ~을 찾다　**spicy** 휑 매운, 양념 맛이 강한　**actually** 뷔 사실은, 실제로　**pain** 몡 고통　**cause** 튕 야기하다, 불러일으키다 몡 원인
tongue 몡 혀　**signal** 몡 신호　**brain** 몡 뇌　**reduce** 튕 줄이다　**positive** 휑 긍정적인　**release** 튕 내보내다, 풀어주다　**hormone** 몡 호르몬
as a result 결과적으로　**lower** 튕 낮추다　<문제> **danger** 몡 위험(성)　**relationship** 몡 관계　**at first** 처음에는　**later** 뷔 나중에

Imagine a scene from a movie. A bomb is going to explode in 10 seconds. To stop it, a man must cut one of the wires. 9, 8, 7, 6 ... What will happen next? He cuts the right wire, ₃ and the bomb stops at one second!

This is a common cliché. Clichés are phrases or actions that often appear in ₆ novels and movies. They are not fresh or unique. _____(A)_____, this doesn't mean they are always bad. We understand ₉ stories that have clichés more quickly and easily because we are already familiar with them. Moreover, some clichés are simply loved by a wide audience. _____(B)_____, the "love ₁₂ triangle" is a very popular cliché. We have seen this situation in many stories, but we still love seeing it.

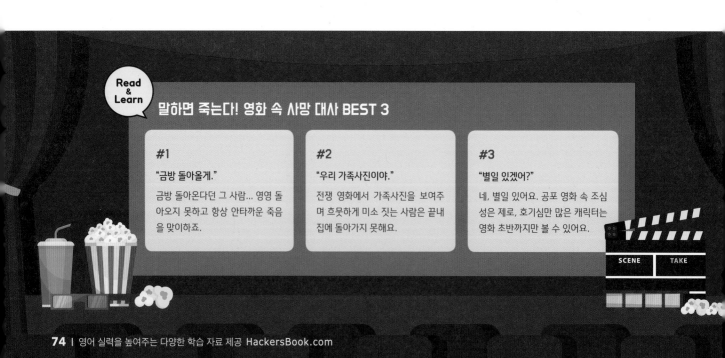

Read & Learn

말하면 죽는다! 영화 속 사망 대사 BEST 3

#1
"금방 돌아올게."
금방 돌아온다던 그 사람... 영영 돌아오지 못하고 항상 안타까운 죽음을 맞이하죠.

#2
"우리 가족사진이야."
전쟁 영화에서 가족사진을 보여주며 흐뭇하게 미소 짓는 사람은 끝내 집에 돌아가지 못해요.

#3
"별일 있겠어?"
네, 별일 있어요. 공포 영화 속 조심성은 제로, 호기심만 많은 캐릭터는 영화 초반까지만 볼 수 있어요.

SCENE   TAKE

1 이 글의 제목으로 가장 적절한 것은?

① Too Many Clichés Are Boring

② Clichés: The Main Part of Movies

③ How Some Stories Became Clichés

④ Clichés: Not New But Still Enjoyable

⑤ Common Clichés That People Try to Avoid

2 이 글의 빈칸 (A)와 (B)에 들어갈 말로 가장 적절한 것은?

	(A)		(B)
①	So	......	However
②	However	......	For example
③	Therefore	......	In short
④	For example	......	In addition
⑤	In addition	......	However

3 다음 영영 풀이에 해당하는 단어를 글에서 찾아 쓰시오.

a group of people who watch or listen to a performance

_____

4 이 글의 내용으로 보아, 다음 빈칸에 들어갈 말을 보기 에서 골라 쓰시오.

보기   fresh   right   understand   familiar   create

Clichés used in novels and movies are so _____ to us that they aren't _____. But they help us _____ stories better. In addition, some of them are just popular.

Words

scene 몡 장면; 현장 bomb 몡 폭탄 explode 통 터지다, 폭발하다 wire 몡 (전)선, 철사 cliché 몡 클리셰, 상투적인 문구 phrase 몡 관용구, 구
action 몡 행위 appear 통 나오다; ~인 것 같다 fresh 혱 신선한 be familiar with ~에 익숙하다, 친숙하다 moreover 틘 게다가
simply 틘 그냥; 간단히 audience 몡 청중 love triangle 삼각관계 situation 몡 상황 <문제> boring 혱 지루한
enjoyable 혱 재미있는, 즐거운

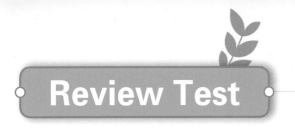

Review Test

정답 및 해설 p.87

1 다음 빈칸에 공통으로 들어갈 단어로 가장 적절한 것은?

> • Chickens start to _____ eggs when they are six months old.
> • Please _____ the mail on my desk.

① open   ② lay   ③ mix   ④ pull   ⑤ hang

[2-4] 다음 밑줄 친 단어와 가장 비슷한 의미의 단어를 알맞게 연결하시오.

2 Taking the subway is a good way to <u>reduce</u> air pollution.   •   • ⓐ small

3 If you don't take the <u>correct</u> medicine, it can be harmful.   •   • ⓑ right

4 The shoes that I wore to the party were too <u>tight</u>.   •   • ⓒ decrease

[5-6] 우리말 해석에 맞게 빈칸에 들어갈 단어를 주어진 철자로 시작하여 쓰시오.

5 길을 따라 운전하다 → drive a_____ the road

6 그 식당은 고객으로부터 긍정적인 평가를 받았다.
    → The restaurant received a p_____ review from a customer.

[7-8] 자연스러운 대화가 되도록 빈칸에 들어갈 단어를 보기 에서 골라 쓰시오.

> 보기   huge   creative   modern   spicy

7 A: How does this soup taste?
    B: It's a bit _____. I need some water.

8 A: This museum is _____.
    B: Yes. It's hard to see everything in one day.

[9-10] 다음 밑줄 친 단어나 표현에 유의하여 각 문장의 해석을 쓰시오.

9 One day, <u>a number of</u> divers discovered something strange on the seafloor near Japan.
    → _____

10 We understand stories that have clichés more quickly and easily because we <u>are already familiar with</u> them.
    → _____

LET'S COLOR!

당신을 기다리는 귀여운 고양이 군단에 색깔을 칠해주세요!

HackersBook.com

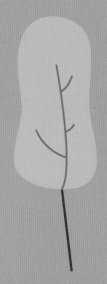

UNIT 07

Oliver loved watching movies. One day, ⓐ he went to see a new film. The theater was empty when he walked in. "How lucky ⓑ I am!", he said. He could enjoy the movie in a quiet environment. However, as soon as the film started, a couple entered. They sat down right behind him. Then, they started to talk to each other. ⓒ He tried to pay attention to the movie, but they kept talking loudly. Finally, Oliver turned around. "Excuse me, but I can't hear," ⓓ he whispered. The couple stared at him. "I hope not, sir," ⓔ the man responded angrily. "This is a private conversation!"

1 이 글에 드러난 Oliver의 심경 변화로 가장 적절한 것은?

① 두려운 → 무관심한　　　　　② 만족스러운 → 짜증이 난

③ 희망적인 → 고마운　　　　　④ 행복한 → 안도한

⑤ 외로운 → 기쁜

2 이 글의 밑줄 친 @~ⓔ 중, 가리키는 대상이 나머지 넷과 다른 것은?

① ⓐ　　　　② ⓑ　　　　③ ⓒ　　　　④ ⓓ　　　　⑤ ⓔ

3 이 글의 내용과 일치하면 T, 그렇지 않으면 F를 쓰시오.

(1) 영화가 시작하자마자 연인 한 쌍이 영화관에 들어왔다.　　＿＿＿＿＿

(2) 연인은 큰 소리로 얘기한 것에 대해 Oliver에게 사과했다.　　＿＿＿＿＿

○ 심화형

4 이 글에서 Oliver가 밑줄 친 I can't hear를 말한 의도와 남자가 이를 이해한 의도로 가장 적절한 것은?

＜Oliver가 말한 의도＞		＜남자가 이해한 의도＞
① 영화의 내용을 이해하지 못함	……	귀가 좋지 않음
② 연인의 대화를 듣고 싶음	……	영화의 소리를 더 크게 듣고 싶음
③ 귀가 좋지 않음	……	연인이 대화를 멈췄으면 좋겠음
④ 연인이 대화를 멈췄으면 좋겠음	……	연인의 대화를 듣고 싶음
⑤ 영화의 소리를 더 크게 듣고 싶음	……	영화의 내용을 이해하지 못함

5 다음 영영 풀이에 해당하는 단어를 글에서 찾아 쓰시오.

> not for other people and only for a particular person or group

＿＿＿＿＿＿＿＿＿

Words

film ⑲영화　theater ⑲극장　lucky ⑲운이 좋은　environment ⑲환경　couple ⑲연인; 두 사람[개]　enter ⑧입장하다, 들어가다
right ⑨바로 ⑲옳은　each other 서로　pay attention to ~에 집중하다, ~에 관심을 두다　loudly ⑨크게, 큰 소리로　turn around 뒤돌아보다
whisper ⑧속삭이다　stare at ~를 쳐다보다　respond ⑧대답하다　private ⑲사적인, 개인 소유의　conversation ⑲대화
＜문제＞ particular ⑲특정한

Dozens of people are riding on an elephant. Others are watching an eight-meter-long spider move around. This place is a zoo called Machines of the Isle of Nantes. The most popular animal here is the Great Elephant. It stands 12 meters tall and is made of 48 tons of steel and wood. (①) It even has an indoor lounge and a terrace! (②) Fifty passengers can take a ride on it for 30 minutes. (③) Just like a real elephant, it sprays water with its trunk. (④) They are all machines, and you can see the moving parts inside them. (⑤) You can control some of them, too. Would you like to visit this place?

Read & Learn

낭트의 기계섬(Machines of the Isle of Nantes)이 탄생한 썰.txt

낭트의 기계섬은 프랑스의 항구도시 낭트(Nantes)에 있어요. 낭트시에는 많은 조선소와 공장들이 있었는데, 조선업이 어려워지면서 모두 폐허가 된 채 방치되었죠. 그러다 낭트시는 2004년부터 도시 건축가 및 디자이너들과 함께 도시 재생 프로젝트를 시작했고, 폐건물을 재활용해서 놀이 시설을 만들었어요. 그렇게 버려진 공장 섬 낭트시는 오늘날의 멋진 테마 파크로 재탄생하게 되었답니다!

1   이 글의 제목으로 가장 적절한 것은?

① How Animals Live in a Zoo

② The Largest Zoo in the World

③ How to Make Moving Robots

④ A New Lounge at an Amusement Park

⑤ A Special Place with Mechanical Animals

2   이 글의 흐름으로 보아, 다음 문장이 들어가기에 가장 적절한 곳은?

> There are also other animals in the zoo, such as a giant hummingbird, an ant, and a pair of wild geese.

①   ②   ③   ④   ⑤

3   이 글에서 Great Elephant에 관해 언급되지 <u>않은</u> 것은?

① 높이   ② 사용된 재료   ③ 제작 기간

④ 내부 구조   ⑤ 탑승 가능한 시간

4   이 글의 내용으로 보아, 다음 빈칸에 들어갈 말을 글에서 찾아 쓰시오.

> All of the animals in the Machines of the Isle of Nantes are _____.
> The Great Elephant is the most _____ animal there, and visitors can ride on it.

Words

dozens of 수십의, 많은   **ride** 图 (올라)타다 图 타기   **move around** 돌아다니다   **isle** 图 섬   **stand** 图 (높이가) ~이다; 서다   **steel** 图 강철
indoor 图 실내의   **lounge** 图 휴게실, 라운지   **terrace** 图 테라스   **passenger** 图 승객   **spray** 图 뿜다, 뿌리다   **trunk** 图 (코끼리의) 코; 나무의 몸통
part 图 부품, 부분, 일부   **control** 图 조종하다 图 지배   <문제> **amusement park** 놀이공원   **mechanical** 图 기계의, 기계로 작동되는
giant 图 거대한   **hummingbird** 图 벌새   **wild goose** 기러기 (복수형: **wild geese**)   **visitor** 图 방문객

3

★★☆
130 words

▲ 지문 음성 바로 듣기

To protect the environment, a new kind of a war is going on. The enemy is plastic straws. To fight them, we use some special weapons! 3

One of them is the bamboo straw. Unlike most trees, bamboo grows very fast—up to a meter a day. We can cut it down to make straws, and it will quickly grow back. 6 Moreover, drinking straws made of bamboo are _____. They don't become soft easily like paper straws, and each one can be used more than 50 times. 9

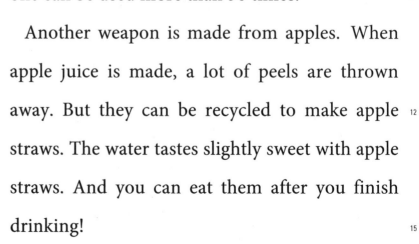

Another weapon is made from apples. When apple juice is made, a lot of peels are thrown away. But they can be recycled to make apple 12 straws. The water tastes slightly sweet with apple straws. And you can eat them after you finish drinking! 15

1 이 글의 제목으로 가장 적절한 것은?

① The Process of Making Straws

② Straws to Replace Plastic Ones

③ How to Recycle Plastic Straws

④ Plastic Straws: The Cause of Pollution

⑤ Smart Methods to Reduce Food Waste

2 이 글의 빈칸에 들어갈 말로 가장 적절한 것은?

① strong ② slim ③ clean

④ light ⑤ typical

3 다음 중, 대나무 빨대와 사과 빨대 각각에 해당하는 특징을 <u>모두</u> 골라 쓰시오.

> (A) 원재료가 빠르게 자란다.
> (B) 식용이 가능하다.
> (C) 버려지는 재료로 만들어진다.
> (D) 쉽게 물러지지 않는다.

(1) 대나무 빨대: _____

(2) 사과 빨대: _____

4 이 글의 내용으로 보아, 다음 빈칸에 들어갈 말을 보기 에서 골라 쓰시오.

> 보기   environmentally   wasted   sweet   reused   nationally

> There are two kinds of straws that are _____ good. The first is a bamboo straw that can be _____ many times. The second is made from apples. It makes the drink taste _____.

Words

go on 벌어지다, 일어나다 enemy 몡적 plastic 휑플라스틱으로 된 몡플라스틱 straw 몡빨대; (밀)짚 weapon 몡무기 bamboo 몡대나무
unlike 젠~과 달리 cut down 베어내다 peel 몡껍질 통껍질을 벗기다 throw away 버리다 recycle 통재활용하다 taste 통맛이 나다
<문제> replace 통대체하다 waste 몡쓰레기, 낭비 통낭비하다 slim 휑얇은, 날씬한 light 휑가벼운 몡빛 typical 휑일반적인
environmentally 믄환경적으로 reuse 통재사용하다 nationally 믄전국적으로, 국내에서

In Spain, children receive Christmas gifts from something special. Its name is Caga Tió. Caga Tió means "poo log" in Spanish. It is a small log with a smiling face. On ³ December 8, ⓐ <u>children</u> get their own Caga Tió. They believe if they _____ until Christmas Eve, it will give them presents! So, ⓑ <u>they</u> offer their log food and ⁶ put a blanket over it to keep it warm. Then, on Christmas Day, children tap their Caga Tió with a stick and sing a song to ask it for presents. When ⓒ <u>they</u> finish singing the song, ⁹ they remove the blanket from the log. There, ⓓ <u>they</u> will find the gifts that are pooped out by the well-fed Caga Tió. Fortunately, ⓔ <u>they</u> don't smell bad! ¹²

1 이 글의 제목으로 가장 적절한 것은?

① A Song for Children in Spain

② Food That Looks like Caga Tió

③ Christmas Presents around the World

④ Caga Tió Gives Children Christmas Gifts

⑤ Why Spanish People Call a Log Caga Tió

2 이 글의 빈칸에 들어갈 말로 가장 적절한 것은?

① sleep with it

② put it outside

③ sing songs to it

④ hide it from others

⑤ take good care of it

3 이 글의 밑줄 친 ⓐ~ⓔ 중, 가리키는 대상이 나머지 넷과 <u>다른</u> 것은?

① ⓐ   ② ⓑ   ③ ⓒ   ④ ⓓ   ⑤ ⓔ

4 이 글의 내용으로 보아, 다음 빈칸에 들어갈 말을 보기에서 골라 쓰시오.

보기	offer	blanket	tap	remove	log

How Children Get Christmas Gifts in Spain

On December 8	They receive a smiling (1) _____ called Caga Tió.
Until Christmas Eve	They (2) _____ food and keep Caga Tió warm.
On Christmas Day	They sing a song and (3) _____ Caga Tió with a stick.

Words

receive 통 받다   gift 명 선물   poo 명 (어린 아이의 말로) 응가, 똥 (poop 통 배설하다)   log 명 통나무   Spanish 명 스페인어 형 스페인의

present 명 선물 형 현재의   offer 통 제공하다   blanket 명 담요   warm 형 따뜻한   tap 통 (톡톡) 두드리다   stick 명 막대기 통 찌르다

remove 통 치우다   well-fed 형 잘 먹은, 영양이 충분한   fortunately 분 다행스럽게도   smell 통 냄새가 나다   <문제> take care of ~을 돌보다

Review Test

정답 및 해설 p.88

1 다음 중, 밑줄 친 단어의 뜻이 올바른 것은?

① We should recycle waste to help the planet. (대체하다)
② Jesse is good at having a conversation with new people. (대화)
③ I want to learn how to control the drone. (수리하다)
④ The hotel has an indoor swimming pool. (야외의)
⑤ The army attacked its enemy at night. (친구)

2 단어의 성격이 나머지와 다른 것은?

① audience   ② phrase   ③ tongue   ④ replace   ⑤ fence

3 다음 영영 풀이에 해당하는 단어는?

to say something quietly and softly so that others cannot hear it

① describe   ② whisper   ③ smell   ④ laugh   ⑤ find

4 다음 밑줄 친 단어와 가장 비슷한 의미의 단어는?

I receive a Christmas card from my aunt every year.

① send   ② reuse   ③ make   ④ remove   ⑤ get

[5-8] 다음 빈칸에 들어갈 단어나 표현을 보기에서 골라 쓰시오.

보기	turn around cut down taste present stare at

5 I cannot eat all of these potato chips because they _____ very salty.

6 You have to _____ so that the doctor can check your back.

7 The worker will _____ the trees with an ax.

8 Jane got a special _____ from her family on her birthday.

[9-10] 다음 밑줄 친 단어나 표현에 유의하여 각 문장의 해석을 쓰시오.

9 He tried to pay attention to the movie, but they kept talking loudly.

→ _____

10 To protect the environment, a new kind of a war is going on.

→ _____

겨울을 즐기는 독일인들의 특별한 방법

크리스마스 마켓

시린 겨울바람이 불어오면 크리스마스가 기다려지기 시작하죠!
독일에는 크리스마스에만 열리는 아주 특별한 시장이 있어요. 바로 크리스마스 마켓인데요.
크리스마스 분위기를 물씬 느낄 수 있는 크리스마스 마켓에 대해 함께 살펴볼까요?

🌿 크리스마스 마켓이란?

크리스마스 마켓은 11월 말부터 크리스마스 직전까지 독일 각 도시의 광장에서 열리는 시장이에요. 독일어로는 바이나흐트마르크트(Weihnachtsmarkt)라고 하는데요. 광장 중앙에 세운 큰 트리를 중심으로 형형색색의 불빛과 즐거운 캐럴 소리가 도시 전체를 축제 분위기로 만들어줘요. 독일에서 시작되어 지금은 스위스, 오스트리아, 프랑스 등 다른 유럽 국가에서도 크리스마스 마켓을 열고 있답니다.

🌿 크리스마스 마켓의 유래는?

크리스마스 마켓은 약 600년 넘게 이어진 행사인데요, 이곳에서 크리스마스 먹거리나 겨울용품 등을 구매하던 것에서 유래되었다고 해요. 지금까지도 크리스마스 마켓은 서로를 위한 선물을 사고, 온 마을 사람들과 여행객들이 어우러져서 하나가 되는 만남의 장 역할을 한답니다. 추운 날씨를 잊게 해주는 다양한 먹거리와 더불어 캐럴 공연 등의 볼거리 또한 풍성해서 축제 분위기를 제대로 느낄 수 있어요.

HackersBook.com

UNIT 08

Do you eat cereal for breakfast? Then, you are probably _____! In fact, many kinds of cereal contain iron powder, even yours. You can check this with a simple test.

First, crush up some cereal into small pieces. Put them ₆ inside a plastic bottle and fill it halfway with water. Next, get a magnet. Hold it close to the cereal pieces that are inside the bottle. When you move the magnet slowly, you ₉ will see small iron pieces from the cereal follow it!

Now, you may worry about eating iron, but you don't have to. The iron in cereal is clean and safe to eat. It's ₁₂ actually necessary for your body because it helps produce energy. You can feel weak or dizzy without enough of it.

Read & Learn

아이언 맨 대신 아이언 피쉬!

철분을 보충하는 데 시리얼로 부족하다면, 철 물고기는 어떤가요? 요리를 할 때 Lucky Iron Fish를 넣고 10분 정도 끓이면 음식에 철분이 녹아들어 음식과 함께 철분을 섭취할 수 있어요. 실제로 캄보디아에서는 제대로 끼니를 해결하지 못해 철분이 부족한 사람들이 많은데, Lucky Iron Fish를 통해 이를 해결하고 있답니다. 수많은 캄보디아 사람들의 영양 상태를 책임지는 Lucky Iron Fish야말로 진짜 히어로가 아닐까요?

1 이 글의 빈칸에 들어갈 말로 가장 적절한 것은?

① eating iron every time

② looking for a healthier meal

③ getting too many nutrients

④ not producing enough energy

⑤ losing some weight

2 이 글의 밑줄 친 a simple test의 과정과 일치하지 <u>않는</u> 것은?

① 시리얼을 작은 조각으로 부순다.

↓

② 플라스틱병 안에 시리얼 조각들을 넣는다.

↓

③ 병에 물을 반쯤 채운다.

↓

④ 병 안에 자석을 넣고 병을 흔든다.

↓

⑤ 철 조각들이 자석을 따라다니는 것을 관찰한다.

3 다음 영영 풀이에 해당하는 단어를 글에서 찾아 쓰시오.

> a piece of metal that attracts objects made of iron

_____

4 이 글의 내용으로 보아, 다음 빈칸에 들어갈 말을 글에서 찾아 쓰시오.

> Cereal contains _____ powder. It is _____ to eat,
> clean, and even necessary for our bodies to produce _____.

Words

cereal 몡 시리얼, 곡식이 되는 작물 **breakfast** 몡 아침 식사 **in fact** 사실 **contain** 동 함유하다, 포함하다 **iron** 몡 철(분)
powder 몡 가루 **check** 동 확인하다, 점검하다 **crush up** 부수다, 분쇄하다 **piece** 몡 조각 **bottle** 몡 병 **halfway** 뷔 반 정도, 중간에
magnet 몡 자석 **follow** 동 따라다니다, 뒤에 오다 **energy** 몡 에너지, 기운 **dizzy** 혱 어지러운 <문제> **meal** 몡 식사 **nutrient** 몡 영양분
lose weight 체중이 줄다, 체중을 줄이다 **metal** 몡 금속 **attract** 동 끌어당기다, 마음을 끌다 **object** 몡 물체

Are you good at Rock, Paper, Scissors? How about trying Ant, Person, and Elephant? (A) This is another version of the game from Indonesia. (B) You stick out your little finger for "ant." (C) However, the gestures are different. For "person," you stick out your pointer finger. Finally, you show "elephant" by sticking out your thumb.

Here is how to play the game. The person beats the ant because they step on it. An elephant can step on a human, so it beats the person. However, when an elephant and an ant fight, the ant wins! This is because the ant can go in the elephant's ear and annoy it. Now, try playing the game with your friends. Ready, set, go!

 Read & Learn

가위바위보 게임의 최선의 수는?

수학적으로 가위, 바위, 보를 낼 확률은 각각 약 33%이지만, 실제로는 그 비율에 차이가 있어요. 세계 가위바위보 협회에서 사람들의 가위바위보 패턴을 분석하였는데, 가위를 내는 사람들의 비율은 29.6%로, 가장 낮았어요. 이 말은 즉, 사람들이 보나 바위를 낼 확률이 높다는 뜻이니, 보를 내는 것이 가장 유리하겠죠?

1 이 글의 주제로 가장 적절한 것은?

① 개미, 사람, 코끼리 놀이의 유래

② 개미, 사람, 코끼리 놀이의 규칙

③ 개미, 사람, 코끼리 놀이를 하는 나라들

④ 개미, 사람, 코끼리 놀이가 인기 있는 이유

⑤ 개미, 사람, 코끼리 놀이와 가위바위보의 공통점

2 이 글의 문장 (A)~(C)를 순서에 맞게 배열한 것으로 가장 적절한 것은?

① (A) – (B) – (C)　　　　② (A) – (C) – (B)

③ (B) – (A) – (C)　　　　④ (C) – (A) – (B)

⑤ (C) – (B) – (A)

3 개미, 사람, 코끼리 놀이에서 각 손동작이 의미하는 대상을 우리말로 쓰시오.

(1) ＿＿＿＿＿＿　　(2) ＿＿＿＿＿＿　　(3) ＿＿＿＿＿＿

(서술형)

4 개미, 사람, 코끼리 놀이에서 개미가 이길 수 있는 대상과 그 이유를 우리말로 쓰시오.

(1) 이길 수 있는 대상: ＿＿＿＿＿＿＿＿

(2) 이유: ＿＿＿＿＿＿＿＿＿＿＿＿＿＿＿＿＿＿＿＿＿＿＿＿＿＿＿＿

Words

be good at ~을 잘하다　**scissors** 몡가위　**version** 몡버전, 형태　**stick out** ~을 내밀다　**little finger** 새끼손가락　**gesture** 몡동작, 몸짓
pointer finger 검지, 집게손가락　**finally** 뷘마지막으로, 마침내　**thumb** 몡엄지(손가락)　**beat** 통이기다　**step** 통밟다, 걷다 몡걸음
annoy 통약 오르게 하다

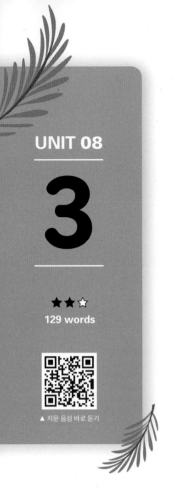
At 8:30 p.m. on the last Saturday of March, the Eiffel Tower in Paris turns off its lights. The Opera House in Sydney and N Seoul Tower in Seoul switch off their lights as well. Once a year, places all over the world go _____ for Earth Hour.

Most cities around the world stay bright all night long. <u>This</u> consumes a lot of electricity and causes light pollution. Earth Hour was started to draw people's attention to these problems. Each year, people in more than 180 nations turn off their lights for an hour.

What happens when they all do this then? In countries that participate in Earth Hour, electricity usage decreases by 4% on average. But more importantly, it reminds everyone that saving electricity can save our planet.

1 이 글의 제목으로 가장 적절한 것은?

① One Hour to Protect Our Planet

② Important Uses of Electric Energy

③ Time Differences among Countries

④ Serious Light Pollution in Some Cities

⑤ Earth Hour: Sharing Electricity with the World

2 이 글의 빈칸에 들어갈 말로 가장 적절한 것은?

① busy   ② dark   ③ slow

④ silent   ⑤ clear

(서술형)

3 이 글의 밑줄 친 This가 의미하는 내용을 우리말로 쓰시오.

_____

(서술형)

4 Earth Hour를 통해 얻을 수 있는 두 가지 효과를 우리말로 쓰시오.

(1) _____

(2) _____

5 이 글의 내용으로 보아, 다음 빈칸에 공통으로 들어갈 말을 글에서 찾아 쓰시오.

> Earth Hour helps people pay attention to the problems of _____
> usage and light pollution. Participating countries actually consume
> less _____ during Earth Hour.

Words

Eiffel Tower 에펠탑   turn off (전기·가스 등을) 끄다   switch off (전등·동력 등을) 끄다   as well 또한, 역시   bright 혱밝은
consume 동소비하다   electricity 몡전력, 전기   light pollution 빛 공해   draw 동끌다; 그리다   attention 몡관심, 주의   nation 몡국가
participate in ~에 참여하다   usage 몡사용(량)   decrease 동감소하다   on average 평균적으로   remind 동상기시키다
save 동아끼다; 구하다   planet 몡행성   <문제> time difference 시차   silent 혱조용한, 침묵하는

▲ 지문 음성 바로 듣기

Jessica and Amber are best friends. Jessica talks very fast, and Amber does too. They both cover their mouths when they laugh. In fact, they share many other similar habits. (①) ₃

Like Jessica and Amber, we sometimes act like the people around us. It happens more often if we are close to them. (②) And interestingly, we usually don't even notice it. ₆ (③) Psychologists call this phenomenon the Chameleon Effect. (④) In the same way, we often change our behavior to match our social environments. (⑤) ₉

By nature, people are attracted to someone _____. This is why we naturally follow what others do, because it can cause them to like us more! Just think how you act when ₁₂ your crush or friends are around. Do you act like yourself?

Read & Learn

닮은꼴 커플의 이유?
10명의 남녀가 자신의 이상형을 찾는 실험에 참가했습니다. 참가자들은 5명의 이성 사진을 보고, 가장 호감이 가는 사람을 골랐어요. 그런데 놀랍게도 참가자 10명 모두 자신의 얼굴을 합성하여 만든 사진을 골랐답니다. 즉, 사람은 행동뿐만 아니라 생김새도 닮은 사람에게 호감을 더 느끼는 셈인 거죠.

1 이 글의 요지로 가장 적절한 것은?

① 가까운 사이일수록 서로 존중해야 한다.

② 사람들은 자신과 반대되는 사람을 좋아한다.

③ 사람들은 주변 사람들과 비슷하게 행동한다.

④ 다른 사람의 시선을 너무 의식하는 것은 좋지 않다.

⑤ 주변 사람들과 원만한 관계를 유지하는 것이 중요하다.

2 이 글의 흐름으로 보아, 다음 문장이 들어가기에 가장 적절한 곳은?

> Chameleons change their colors to match their surroundings.

①   ②   ③   ④   ⑤

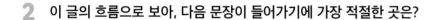

●심화형

3 이 글의 빈칸에 들어갈 말로 가장 적절한 것은?

① who is good-looking   ② who is kind to everyone

③ who has many friends   ④ who is similar to them

⑤ who makes them feel good

4 다음 중, 카멜레온 효과를 바르게 이해한 사람을 <u>모두</u> 고른 것은?

> 민우: 사람들에게 주목을 받기 위해 필요한 거야.
> 다영: 우리는 보통 이것을 의식하지 못해.
> 현수: 다른 사람들이 내 생각에 동의하도록 만드는 방법이지.
> 은지: 친한 친구와 있을 때 더 많이 발생할 수 있어.

① 민우, 다영   ② 민우, 현수   ③ 다영, 현수

④ 다영, 은지   ⑤ 현수, 은지

Words

cover 동 가리다   **share** 동 공유하다   **habit** 명 습관, 버릇   **close** 형 가까운 동 닫다   **notice** 동 의식하다 명 주목, 알아챔   **psychologist** 명 심리학자
phenomenon 명 현상   **chameleon** 명 카멜레온   **behavior** 명 행동   **match** 동 맞추다   **social** 형 사회적인   **environment** 명 환경
by nature 본래   **naturally** 부 자연스럽게   **crush** 명 짝사랑 상대 동 부수다   <문제> **surroundings** 명 환경, 주변; (단수형) 포위, 둘러싸기
good-looking 형 잘생긴, 보기 좋은

1 나머지 단어를 포함할 수 있는 것은?

① pot   ② object   ③ pillow   ④ stick   ⑤ bottle

[2-4] 다음 밑줄 친 단어와 가장 비슷한 의미의 단어를 알맞게 연결하시오.

2 I don't like drinks that <u>contain</u> artificial flavor.   •   • ⓐ include

3 Russia is the largest <u>nation</u> in the world.   •   • ⓑ quiet

4 My grandfather was a <u>silent</u> man who did not talk much.   •   • ⓒ country

[5-6] 다음 영영 풀이에 해당하는 단어를 [보기]에서 골라 뜻과 함께 쓰시오.

[보기]	annoy	attention	remind	habit

	단어	뜻
5 something that you do often without noticing it		
6 to make someone feel a little bit angry and unhappy		

[7-8] 자연스러운 대화가 되도록 빈칸에 들어갈 단어나 표현을 [보기]에서 골라 쓰시오.

[보기]	good at	check	lose weight	save

7 A: Ryan is very _____ math.

    B: Yes. He did well on the math test.

8 A: What time does the flight arrive?

    B: I'm going to _____ on the Internet now.

[9-10] 다음 밑줄 친 단어나 표현에 유의하여 각 문장의 해석을 쓰시오.

9 The Opera House in Sydney and N Seoul Tower in Seoul <u>switch off</u> their lights as well.

    → _____

10 <u>By nature</u>, people are attracted to someone who is similar to them.

    → _____

Zigzag Word Puzzle

아래 퍼즐에 **숨어있는 단어**를 찾아보세요. 눈을 크게 뜨고 **도전해봐요!**

Directions
- 단어는 올라갈 수도, 내려갈 수도 있고, 오른쪽으로도 왼쪽으로도 꺾여있을 수 있어요.
- 단어 사이에 띄어쓰기가 있다면, 퍼즐을 풀 때는 무시하세요.

Earth Day

- **climate :** 기후
- **environment :** 환경
- **efficiency :** 효율
- **care for :** ~를 돌보다, 보살피다
- **clean up :** ~을 청소하다
- **fresh water :** 민물, 담수

- **global warming :** 지구 온난화
- **recycle :** 재활용하다
- **solar panel :** 태양 전지판
- **organic :** 유기농의
- **reduce :** 줄이다
- **reuse :** 재사용하다

ANSWER:

F	R	E	C	L	I	M	C	Y	E
R	E	F	R	E	T	A	E	C	N
E	S	F	E	O	R	G	R	L	V
T	H	I	U	S	E	A	L	E	I
A	W	C	S	C	I	N	E	C	R
N	E	I	O	R	P	A	N	A	O
C	D	U	L	A	C	L	E	R	N
Y	E	C	I	N	G	N	A	E	M
G	R	E	M	R	A	U	O	F	E
L	O	B	A	L	W	P	R	T	N

HackersBook.com

UNIT 09

Have you heard of the Academy Awards or the Oscars? How are they different? Actually, they are the same film awards! The Oscars is a nickname for the Academy Awards. This is because the trophy that the winners get is known as an Oscar. And here is the funny story behind the name of the Oscar.

Margaret Herrick was a librarian at the organization that presents the Academy Awards. One day in 1931, she saw the Academy Award trophy on a library desk. She said, "ⓐ It looks like my uncle Oscar!" At that time, a reporter was standing beside her. ⓑ She heard this and wrote about it in an article. Since then, that has been the trophy's nickname, and people have called the Academy Awards the Oscars.

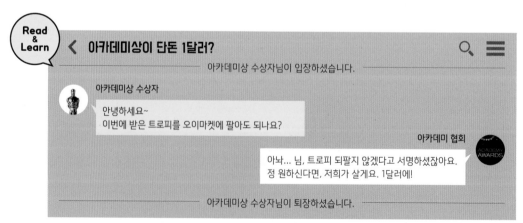

Read & Learn

< 아카데미상이 단돈 1달러?

아카데미상 수상자님이 입장하셨습니다.

아카데미상 수상자
안녕하세요~
이번에 받은 트로피를 오이마켓에 팔아도 되나요?

아카데미 협회
아뇨... 님, 트로피 되팔지 않겠다고 서명하셨잖아요.
정 원하신다면, 저희가 살게요. 1달러에!

아카데미상 수상자님이 퇴장하셨습니다.

아카데미상 수상자들은 트로피를 받기 전에 트로피를 되팔지 않겠다는 계약서에 서명해야 해요. 그래도 트로피를 판매하고 싶다면 아카데미 측에 구매를 제안해야 하는데, 이때 판매할 수 있는 가격은 단돈 1달러(한화 약 1,200원)랍니다.

1 이 글의 주제로 가장 적절한 것은?

① 다양한 종류의 영화상 　　② 오스카상이 지니는 가치

③ 아카데미상을 시상하는 기준 　④ 아카데미상의 별칭에 대한 배경

⑤ 아카데미상이 만들어지게 된 이유

(서술형)

2 이 글의 밑줄 친 문장의 이유를 우리말로 쓰시오.

_____

3 이 글의 밑줄 친 ⓐ와 ⓑ가 가리키는 것을 글에서 찾아 쓰시오.

ⓐ: _____　　ⓑ: _____

4 다음 영영 풀이에 해당하는 단어를 글에서 찾아 쓰시오.

a funny or cute name that is not the real name of someone or something

_____

5 이 글의 내용과 일치하는 것은?

① 오스카상은 아카데미상과 다르다.

② Margaret은 1931년에 아카데미상을 수상했다.

③ Oscar는 도서관 책상에 놓인 책을 발견했다.

④ Margaret은 자신이 삼촌과 닮았다고 말했다.

⑤ 한 기자가 Margaret이 한 말을 기사에 썼다.

In a mountain village in Ethiopia, people had to walk for four hours every day to get water. Most times, the water was not even clean. (A) The tower consisted of a mesh net and an empty water tank at the bottom. (B) Arturo Vittori, an architect, wanted to help the villagers. (C) He built a nine-meter-high tower to collect water. He called it the Warka Tower. It was named after a native tree in Ethiopia.

Usually, nights in Ethiopia are cool. The temperature at night is lower than during the daytime by 10 to 15 degrees *Celsius. When the temperature drops, the **water vapor in the air turns into water drops. The Warka Tower was designed so that the water drops could form on its net and then fall into the tank. This way, it can collect 50 to 100 liters of clean water per day!

*Celsius 섭씨 (온도를 ℃로 표현한 단위) **water vapor 수증기

Read & Learn

음료수병과 와카 타워의 상관관계

차가운 음료수병을 실내에 두었을 때 병에 물방울이 맺히는 걸 본 적이 있죠? 이 현상은 와카 타워가 물을 모으는 원리와 같아요. 공기 중에 있는 수증기가 차가워지면 액체인 물이 되는 현상을 '응결'이라고 하는데요. 공기 중의 수증기가 차가운 음료수병에 닿아서 물방울로 응결이 되는 겁니다.

1 이 글의 제목으로 가장 적절한 것은?

① A Local Tree That Provides Water

② A New Way to Get Water for Villagers

③ The Architect Who Built a Village in Ethiopia

④ Warka Tower: An Effort to Keep the Air Clean

⑤ Countries Solving the Water Pollution Problem

2 이 글의 문장 (A)~(C)를 순서에 맞게 배열한 것으로 가장 적절한 것은?

① (A) – (B) – (C)   ② (A) – (C) – (B)

③ (B) – (A) – (C)   ④ (B) – (C) – (A)

⑤ (C) – (A) – (B)

● 서술형 ● 심화형

3 와카 타워의 원리를 다음과 같이 나타낼 때, 빈칸에 알맞은 내용을 우리말로 쓰시오.

> 밤이 되어 기온이 크게 떨어진다.
>
> ⩔
>
> _____
>
> ⩔
>
> 와카 타워의 그물망에 물방울이 맺혀 물탱크 안으로 떨어진다.

4 이 글의 내용과 일치하면 T, 그렇지 않으면 F를 쓰시오.

(1) 와카 타워라는 명칭은 에티오피아에서 자라는 나무의 이름에서 유래했다. _____

(2) 에티오피아의 밤 평균 기온은 10도에서 15도 사이이다. _____

(3) 와카 타워는 하루에 50리터 이상의 물을 사용한다. _____

Words

village 몡 마을 (villager 몡 마을 사람) **Ethiopia** 몡 에티오피아 **consist of** ~으로 이루어지다[구성되다] **mesh** 몡 그물(망) **net** 몡 망, 망사
bottom 몡 바닥 **architect** 몡 건축가 **collect** 통 모으다, 수집하다 **be named after** ~의 이름을 따서 이름 지어지다
native 혱 자생하는, 토착의, 출생지의 **temperature** 몡 기온 **daytime** 몡 낮 (시간) **degree** 몡 (온도의 단위인) 도 **drop** 통 떨어지다 몡 방울
turn into ~으로 변하다 **design** 통 설계하다 몡 설계, 디자인 **form** 통 형성되다 **per day** 하루에 <문제> **local** 혱 현지의 **effort** 몡 노력, 수고
solve 통 해결하다 **pollution** 몡 오염

Wembley Stadium is a famous football stadium in London. It is the home of English football. When you visit the place, the first thing you notice is the 315-meter arch. When a goal is scored, colored LED lights in the arch flash. Also, the stadium is the second largest in all of Europe. It is _____(A)_____ enough to have 90,000 seats and standing space for 25,000 people. It even has 2,618 toilets!

Wembley Stadium is also _____(B)_____ among fans of pop music. It has hosted the world's biggest music concerts. Singers such as Ed Sheeran and Taylor Swift have performed there. In 2019, the Korean group BTS was on the stage!

Read & Learn

BTS, 웸블리를 매진시킨 12번째 가수가 되다

2019년 6월 1일, BTS(방탄소년단)가 한국 가수 중 최초로 웸블리 스타디움에서 공연을 했어요. 이틀간 열린 공연의 좌석은 전석 매진되었고, 이로써 BTS는 마이클 잭슨, 마돈나, 비욘세 등에 이어 역대 12번째로 웸블리 스타디움을 매진시킨 가수가 되었답니다.

1 이 글의 제목으로 가장 적절한 것은?

① The History of English Football

② Wembley: England's First Concert Hall

③ A Large Stadium for Sports and Music

④ Famous Football Events Held in Europe

⑤ A Great Goal Scored at Wembley Stadium

2 이 글의 빈칸 (A)와 (B)에 들어갈 말로 가장 적절한 것은?

(A)	(B)
① heavy	new
② bright	common
③ big	popular
④ safe	different
⑤ huge	comfortable

3 이 글에서 웸블리 스타디움에 관해 언급된 것을 모두 고르시오.

① 완공 시기 　② 좌석 수 　③ LED 조명의 크기

④ 공연을 한 가수 　⑤ 최초로 개최한 경기

4 이 글의 내용으로 보아, 다음 빈칸에 들어갈 말을 글에서 찾아 쓰시오.

Wembley Stadium is the second _____ stadium in Europe. It is the home of English _____, but it is also used for concerts by some _____.

Words

stadium 명 스타디움, 경기장　football 명 축구　arch 명 아치, 아치형 구조물　goal 명 골, 득점; 목표　score 동 득점하다 명 득점　flash 동 번쩍이다
space 명 자리, 공간　toilet 명 변기, 화장실　pop music 대중음악　host 동 주최하다 명 주인　perform 동 공연하다; 행하다
be on the stage 무대에 오르다, 공연하다　<문제> history 명 역사　hall 명 홀, 회관; 현관　common 형 흔한; 공통의　comfortable 형 편안한

The snowman Olaf stays frozen thanks to the snow queen. But we can also save a snowman without magical powers. Just cover him with a blanket! 3

Let's say there are two snowmen. (①) One is covered with a blanket. (②) The other is wearing nothing. (③) After about an hour, one of them melts and falls apart. (④) 6 How come? (⑤) Heat always flows from a hot area to a colder one. If there is no blanket, the warm air reaches the snowman and melts it. However, the blanket prevents the 9 warm air from reaching it. Therefore, the snowman with the blanket stays (A) cold / warm longer and melts more (B) quickly / slowly. 12

1 이 글의 흐름으로 보아, 다음 문장이 들어가기에 가장 적절한 곳은?

Surprisingly, it is the snowman without the blanket.

①   ②   ③   ④   ⑤

2 다음 빈칸에 공통으로 들어갈 단어를 글에서 찾아 쓰시오.

- The sunlight did not _____ the other side of the wall.
- He tried to _____ his hand over the table to get a spoon.

3 (A), (B)의 각 네모 안에서 문맥에 알맞은 말을 골라 쓰시오.

(A): _____   (B): _____

심화형

4 이 글에서 설명하는 원리와 동일하면 T, 그렇지 않으면 F를 쓰시오.

(1) 보온병은 외부 공기가 내부로 들어오는 것을 막아 음식의
온도를 유지시킨다.   _____

(2) 다리미 내부에 있는 장치는 일정 온도가 되면 자동으로
전기를 끊어 다리미가 계속해서 뜨거워지지 않도록 한다.   _____

5 이 글의 내용으로 보아, 다음 빈칸에 들어갈 말을 글에서 찾아 쓰시오.

_____ moves from warm areas to colder ones. This causes snowmen to melt. However, a blanket _____ this.

Words

snowman 몡 눈사람   frozen 톙 언, 얼어있는, 냉동된   thanks to ~ 덕분에   without 젠 ~ 없이   power 몡 힘   blanket 몡 담요
be covered with ~으로 덮여 있다   melt 통 녹다, 녹이다   fall apart 허물어지다   heat 몡 열(기)   flow 통 흐르다   area 몡 부분, 지역
reach 통 ~에 닿다; (손을) 뻗다   prevent 통 막다, 예방하다

1 다음 영영 풀이에 해당하는 단어는?

> a trophy or prize given to the winner of a competition or event

① arch   ② power   ③ technique   ④ award   ⑤ effort

[2-3] 다음 빈칸에 들어갈 단어로 가장 적절한 것은?

2   The company used an architect to _____ its new offices.

① follow   ② host   ③ design   ④ perform   ⑤ share

3   The water _____ in the river damaged many plants around it.

① behavior   ② planet   ③ bottom   ④ history   ⑤ pollution

[4-6] 다음 밑줄 친 단어와 가장 비슷한 의미의 단어를 알맞게 연결하시오.

4   A new factory will be built in this space.   •   • ⓐ give

5   These curtains can prevent cold air from entering the room.   •   • ⓑ block

6   The government will present the medals to the soldiers.   •   • ⓒ place

[7-8] 우리말 해석에 맞게 빈칸에 들어갈 단어를 주어진 철자로 시작하여 쓰시오.

7   신문 기사 → a newspaper a_____

8   Shelly는 오래된 동전들을 모으기를 좋아한다. → Shelly likes to c_____ old coins.

[9-10] 다음 밑줄 친 단어나 표현에 유의하여 각 문장의 해석을 쓰시오.

9   This is because the trophy that the winners get is known as an Oscar.

→ _____

10 When the temperature drops, the water vapor in the air turns into water drops.

→ _____

틀린그림찾기

첫 번째 그림과 두 번째 그림을 비교해보고, 숨어 있는 틀린 그림을 찾아보세요!
총 10개의 틀린 그림이 숨어있어요.
자, 이제 모두 집중!

정답:

HackersBook.com

UNIT 10

If you go to Korea Town in Los Angeles, you can see one man's name throughout the town. An interchange sign includes his name. A post office and square are also named after him. Who is this man? He is Dosan Ahn Chang-ho, the Korean independence activist.

In 1902, Ahn went to the United States to study. There, he found that Korean students and workers were living under poor conditions. They didn't have many opportunities to become successful. Therefore, Ahn created a Korean

community and tried to educate them and find them jobs.

Ahn also fought for Korea's independence when Japan took over Korea. The people in Korea Town joined and fought with him. To this day, the people in Korea Town still remember and celebrate Ahn's achievements.

Read & Learn

LA가 너무 멀다면? 국내에서 만날 수 있는 도산의 발자취

서울에도 안창호 선생의 호(본명 외에 쓰는 이름)를 따서 이름이 지어진 '도산(島山)공원'이 있어요. 공원 안에는 도산안창호기념관이 있는데, 선생의 생애를 살펴볼 수 있는 다양한 사진 및 문서, 도산일기 등을 무료로 관람할 수 있어요. 날씨 좋은 날 도산공원 한 바퀴를 돌아본 후, 도산안창호기념관을 방문해 보는 건 어떨까요?

(주소: 서울 강남구 도산대로45길 20 도산안창호기념관)

1 이 글의 제목으로 가장 적절한 것은?

① How Korea Gained Its Independence

② Why Ahn Chang-ho Was Called Dosan

③ A Korean Activist Remembered in America

④ Korea Town: The Best Place to Visit in Los Angeles

⑤ The Difficulties of Ahn Chang-ho's Life as an Activist

2 이 글의 내용과 일치하면 T, 그렇지 않으면 F를 쓰시오.

(1) 로스앤젤레스의 한인타운에는 안창호 선생의 이름을 딴 병원이 있다. _____

(2) 1900년대 초 미국에는 열악한 환경에 처한 한인들이 있었다. _____

(3) 안창호 선생은 독립운동을 위해 한인 공동체를 설립했다. _____

3 다음 영영 풀이에 해당하는 단어를 글에서 찾아 쓰시오.

to help someone learn about something by giving them information

_____

4 이 글의 내용으로 보아, 빈칸 (A)와 (B)에 들어갈 말로 가장 적절한 것은?

Dosan Ahn Chang-ho ___(A)___ a community for people from Korea. He also fought for the ___(B)___ of Korea with people in the community.

	(A)		(B)		(A)		(B)
①	created	……	independence	②	created	……	wealth
③	named	……	town	④	celebrated	……	activists
⑤	celebrated	……	education				

Words

throughout 전 ~의 도처에 interchange 명 교차로; 교환 sign 명 표지판; 징후 include 동 포함하다 post office 우체국
square 명 광장; 정사각형 be named after ~의 이름을 따서 이름 지어지다 independence 명 독립 activist 명 운동가
poor 형 열악한, 가난한 conditions 명 환경; (단수형) 상태 opportunity 명 기회 successful 형 성공한 community 명 공동체
educate 동 교육하다 (education 명 교육) fight for ~을 (얻기) 위해 투쟁하다[싸우다] take over 점령하다 celebrate 동 기념하다
achievement 명 업적 <문제> gain 동 얻게 되다 difficulty 명 고난, 어려움 information 명 정보 wealth 명 부, 재산

Dr. Helper,

I had a fight with my sister yesterday. I was very angry and even threw my phone. Now I feel bad for losing my temper. What's wrong with me?

Don't worry. Nothing is wrong with you! Many people become angry quickly and regret it later. When you get upset, your body produces a greater amount of *cortisol, the anger hormone. Usually, it goes back to a normal level after only 90 seconds. This means the physical reaction to anger doesn't actually last long. However, if you keep thinking about the fight, you'll keep making yourself angry. And your cortisol level won't go down! The best thing to do is to just leave the area and clear your mind. Count to 90 while you do this. Soon, you should feel better.

*cortisol 코르티솔 (콩팥의 부신 피질에서 분비되는 호르몬)

Read & Learn

두 얼굴의 코르티솔

 나는야 두 얼굴을 지닌 코르티솔. 나는 천사가 될 수도, 악마가 될 수도 있어!

천사 코르티솔
여러분이 아침에 활발하게 움직일 수 있는 것도 나 코르티솔이 아침에 많이 분비되기 때문이야. 내가 부족하면 항상 피로하고 우울할 것이라고!

악마 코르티솔
여러분이 지나치게 많은 스트레스를 계속 받게 되면 내가 과다하게 분비돼서 불안하고 긴장한 상태가 지속될 수 있어. 그럼 집중력이 떨어지고 신경도 예민해지니, 조심해!

1 이 글의 밑줄 친 I가 걱정하는 것은?

① 동생과 자주 다투는 것　　　　② 화가 났을 때 참지 못하는 것

③ 지난 일을 계속해서 후회하는 것　④ 급하게 서두르다가 일을 망치는 것

⑤ 동생에게 잘못을 사과하지 못하는 것

● 서술형 ● 심화형

2 코르티솔이 분비되는 과정을 다음과 같이 나타낼 때, 빈칸에 들어갈 말을 우리말로 쓰시오.

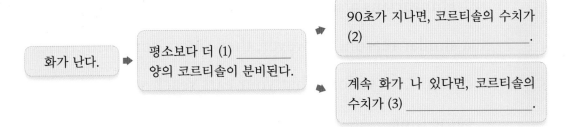

화가 난다. ➡ 평소보다 더 (1) ＿＿＿＿ 양의 코르티솔이 분비된다. ➡ 90초가 지나면, 코르티솔의 수치가 (2) ＿＿＿＿＿＿＿＿＿.

➡ 계속 화가 나 있다면, 코르티솔의 수치가 (3) ＿＿＿＿＿＿＿＿.

3 이 글의 밑줄 친 leave와 의미가 가장 비슷한 것은?

① set　　　　② block　　　　③ exit

④ remove　　　⑤ forget

4 이 글에 따르면, Helper 박사가 화가 났을 때 대처하는 방법으로 제안하는 것은?

① 지나간 일을 문제 삼지 말아라.

② 화가 난 원인을 빠르게 파악하고 해결책을 찾아라.

③ 자신의 솔직한 감정을 상대방에게 전하라.

④ 상대방의 입장에서 다시 한번 생각해 보아라.

⑤ 잠시 다른 장소로 가서 마음을 비워라.

Words

throw 图 던지다 (throw-threw-thrown)　feel bad for ~을 후회하다　lose one's temper 화를 내다　regret 图 후회하다　later 图 나중에
anger 图 분노, 화　hormone 图 호르몬　normal 图 정상의, 보통의　level 图 수준, 수치　physical 图 신체의　reaction 图 반응
last 图 지속되다 图 마지막의　clear 图 비우다, 치우다 图 분명한　count 图 세다 <문제> set 图 설정하다　block 图 막다 图 (사각형) 덩어리
exit 图 떠나다 图 출구　forget 图 잊다

If someone pulls on your ear, you might get upset. But in Brazil, people do this ____(A)____ you. They pull on a birthday person's ear as many times as his or her age. So if you are 14 years old, friends and family will pull on your ears 14 times. As they do so, they hope you will have a long life.

Hungarians also pull on the birthday person's earlobes for a similar reason. However, they sing a song with lyrics that mean "Live so long that your ears reach your ankles" at the same time.

Recently, scientists have found that ear-pulling has similar benefits to massage. It helps to relieve stress and relax the body. ____(B)____, ear-pulling is actually good for your health!

Read & Learn

궁금한 생일 이야기 Y 왜 생일날을 '귀빠진 날'이라고 할까?

아기가 태어날 때를 잘 생각해보세요. 산모와 아기에게 가장 힘든 시간은 언제일까요? 바로 아기의 몸에서 가장 큰 머리가 빠져나올 때예요. 이때 머리와 함께 가장 힘들게 빠지는 곳은 바로 '귀'! 귀까지 모두 빠져나오면 몸은 비교적 쉽게 나온답니다. 그래서 아기가 태어난 날을 '귀빠진 날'이라고 부르는 것이지요.

1 이 글의 빈칸 (A)에 들어갈 말로 가장 적절한 것은?

① to scare
② to bother
③ to thank
④ to wake
⑤ to congratulate

2 이 글의 내용과 일치하면 T, 그렇지 않으면 F를 쓰시오.

(1) 브라질과 헝가리에서는 서로 다른 이유로 귀를 잡아당긴다. _____

(2) 브라질에서는 귀를 잡아당길 때 노래를 부른다. _____

3 이 글의 빈칸 (B)에 들어갈 말로 가장 적절한 것은?

① Instead
② Therefore
③ However
④ Otherwise
⑤ On the other hand

4 이 글의 내용으로 보아, 다음 빈칸에 들어갈 말을 글에서 찾아 쓰시오.

In Brazil and Hungary, people _____ _____ a birthday person's ear to wish him or her a _____ life. Interestingly, this has actual _____ for health.

Words

pull on 잡아당기다   **upset** 휑 화가 난   **hope** 통 바라다   **Hungarian** 명 헝가리 사람   **earlobe** 명 귓불   **lyrics** 명 (노래의) 가사; (단수형) 서정시
mean 통 의미하다   **ankle** 명 발목   **at the same time** 동시에   **recently** 부 최근에   **scientist** 명 과학자   **benefit** 명 이점, 이로움, 혜택
massage 명 마사지, 안마   **relieve** 통 완화하다, 없애주다   **health** 명 건강   <문제> **scare** 통 겁주다   **bother** 통 귀찮게 하다
congratulate 통 축하하다   **otherwise** 부 그렇지 않으면   **wish** 통 기원하다, 바라다   **actual** 휑 실제의

It was finally summer vacation, and Tom couldn't wait to visit his aunt Jane. Jane always prepares a fun riddle for Tom when he visits. On the first day of vacation, Tom arrived at ₃ his aunt's house, but no one was there. Instead, he found a note on the drawer:

> **I** we**N**t to the **S**tore to buy some r**I**ce an**D E**ggs. ₆
>
> ⓐ snacks are hidden, so have **T**hem w**H**ile you wait for m**E**.
>
> where **C**ould the de**L**ici**O**us snacks be? **SE**e you soon, **T**om!

He looked around but couldn't see ⓑ the treats. Then, he ₉ noticed some of the letters in the note were bold and capital. He looked at ⓒ them carefully, and he shouted, "I know where ⓓ they are!" ₁₂

When his aunt came back home, she saw Tom happily eating ⓔ chocolate-chip cookies on the bed.

1 이 글의 밑줄 친 ⓐ~ⓔ 중, 가리키는 대상이 나머지 넷과 <u>다른</u> 것은?

① ⓐ   ② ⓑ   ③ ⓒ   ④ ⓓ   ⑤ ⓔ

2 이 글을 읽고 답할 수 <u>없는</u> 질문은?

① Tom은 여름 방학에 어디에 갔는가?

② Tom은 어디에서 쪽지를 발견했는가?

③ Jane은 언제 집으로 돌아왔는가?

④ Jane은 무엇을 사러 가게에 갔는가?

⑤ Jane은 어떤 간식을 숨겨두었는가?

3 다음 영영 풀이에 해당하는 단어를 글에서 찾아 쓰시오.

a period of time when schools are closed

_____

4 이 글의 내용에 따라 다음 질문에 답하시오.

(1) Jane이 남긴 쪽지에 숨겨진 메시지를 찾아 쓰시오.

_____

(2) 다음 중, Jane이 간식을 숨겨둔 장소로 가장 적절한 곳은?

① A   ② B   ③ C   ④ D   ⑤ E

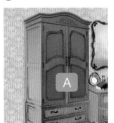    

Words

vacation 명 방학   **prepare** 동 준비하다   **riddle** 명 수수께끼   **drawer** 명 서랍   **snack** 명 간식   **delicious** 형 맛있는
look around (주위를) 둘러보다   **treat** 명 (특별한) 간식 동 대우하다   **notice** 동 알아차리다, 의식하다 명 주의; 공지   **letter** 명 글자; 편지
bold 형 (글자의 획이) 굵은; 대담한   **capital** 형 (글자가) 대문자인 명 수도   **carefully** 부 신중히, 주의 깊게   **shout** 동 소리치다, 외치다
<문제> **period** 명 기간, 시기

Review Test

정답 및 해설 p.91

1 다음 중, 밑줄 친 단어의 뜻이 올바르지 <u>않은</u> 것은?

① I <u>carefully</u> thought about what you said yesterday. (신중히)

② Coach Tinsley <u>shouted</u> at the players on the field. (소리치다)

③ The student had a great <u>opportunity</u> to travel abroad. (기회)

④ John <u>threw</u> an empty bottle into the trash can. (받다)

⑤ Let's have a party to <u>celebrate</u> the new year. (기념하다)

2 짝지어진 단어의 관계가 나머지와 다른 것은?

① anger – angry   ② benefit – beneficial   ③ recent – recently

④ difficulty – difficult   ⑤ success – successful

3 다음 밑줄 친 단어와 가장 비슷한 의미의 단어는?

> I <u>wish</u> you have a good vacation.

① thank   ② hope   ③ congratulate   ④ regret   ⑤ forget

[4-5] 다음 괄호 안에서 알맞은 단어를 골라 표시하시오.

4 I recommend that you get a (message / massage) for your neck pain.

5 Can you help me (prepare / scare) for the exam?

[6-8] 다음 빈칸에 들어갈 단어를 보기 에서 골라 쓰시오.

> 보기   letter   wealth   square   lyrics   treat

6 There are a lot of people in the _____ .

7 Jake remembers all of the _____ from his favorite song.

8 This jacket has a large _____ "V" on the back.

[9-10] 다음 밑줄 친 단어나 표현에 유의하여 각 문장의 해석을 쓰시오.

9 A post office and square are also <u>named after</u> him.

→ _____

10 Now I feel bad for <u>losing my temper</u>.

→ _____

| 재미로 보는 심리테스트 |

휴대폰 속 사진으로 알아보는
내 성격

STEP 1 사진첩 속 사진 중 가장 마음에 드는 것을 선택하세요.
STEP 2 아래 항목에서 내가 고른 사진의 유형을 찾아요.
STEP 3 나의 성격은? 두근두근~ 지금 바로 결과 확인!

📷 셀카 사진
당신은 재미있는 일이라면 약간의 위험을 감수하더라도 쭉! 직진하는 타입이에요. 무슨 일이든지 주도적으로 하길 좋아하는 리더형이지만, 때로는 자기중심적인 사람으로 보이기도 하죠. 가끔은 주변 사람들을 챙기는 것도 좋겠어요!

📷 여럿이서 찍은 사진
당신은 주변 환경에 대해 빨리 파악하고 적응도 잘하는 편이에요. 사람들을 처음 만났을 때는 낯을 가리는 편이지만, 한 번 친해지면 시간 가는 줄 모르고 수다를 떨죠. 숨겨둔 매력이 무궁무진한 타입이에요!

📷 풍경 사진
당신은 자신만의 독특한 라이프 스타일을 즐기는 타입이에요. 유행을 따르기보다는 자신의 가치관을 믿고 개성을 고수하죠. 당신에게 가장 중요한 것은 자유! 그래서 누군가에게 속박되는 것을 못 견디는 편이에요.

📷 역동적인 포즈 사진
당신은 자주적인 스타일이에요. 하나뿐인 인생을 온전히 당신의 것으로 만들고 싶어 하죠. 평범한 일상 속에서도 웃음거리를 찾을 줄 아는 사람이라서 당신의 주위에는 언제나 재미있는 일들로 가득하답니다.

📷 음식 사진
당신은 현실적인 사람이에요. 어려운 일이 있어도 이성적으로 대처하는 능력을 지녔죠. 하지만 가끔은 감정이 이끄는 대로, 즉흥적으로 행동해보세요! 뜻밖에 좋은 일이 생길지도 몰라요!

📷 하늘 사진
"나는 나를 너무 사랑해!" 당신은 스스로를 아낄 줄 아는 사람이에요. 항상 주변에 친구들이 많으며, 처음 만난 사람과도 금방 친해져서 속 깊은 이야기까지 나눌 수 있죠. 바쁜 일상 속, 때로는 혼자만의 시간을 가지는 것도 추천해요!

Photo Credits

MEMO

MEMO

Smart, Skillful, and Fun Reading

HACKERS

READING
SMART

1

LEVEL

초판 4쇄 발행 2024년 7월 8일
초판 1쇄 발행 2021년 10월 1일

지은이	해커스 어학연구소
펴낸곳	㈜해커스 어학연구소
펴낸이	해커스 어학연구소 출판팀

주소	서울특별시 서초구 강남대로61길 23 ㈜해커스 어학연구소
고객센터	02-537-5000
교재 관련 문의	publishing@hackers.com
	해커스북 사이트(HackersBook.com) 고객센터 Q&A 게시판
동영상강의	star.Hackers.com

ISBN	978-89-6542-431-4 (53740)
Serial Number	01-04-01

중고등영어 1위,
해커스북 HackersBook.com

· 지문 전체를 담았다! 생생한 음성으로 리스닝도 연습할 수 있는 **지문 MP3**
· 교재 어휘를 언제 어디서나 들으면서 외우는 **미니 암기장 MP3**

HACKERS
READING SMART 1

LEVEL 1

해설집

HACKERS
READING
SMART 1
LEVEL

해설집

HACKERS

1

본문 해석

❶ 영국 왕실은 1973년에 중요한 행사를 가졌다. ❷ 그것은 Anne 공주의 결혼식이었다. ❸ 왕실은 축하 행사를 위한 최고의 디저트를 제공하기를 원해서, 대회를 열었다. ❹ 이 대회에는, Marilyn Ricketts라는 한 젊은 학생이 참가했다. ❺ 그녀는 South Devon 대학에서 요리를 공부하고 있었다. ❻ Marilyn은 디저트에 대해 무언가 새로운 것을 떠올리기 위해 노력했다. ❼ 그래서 그녀는 Mint Royale이라고 불리는 아이스크림을 만들어 냈다. ❽ 그것은 민트와 초콜릿의 혼합물로 된 최초의 아이스크림이었다. ❾ Marilyn은 마침내 Mint Royale로 대회에서 우승했고, 그것은 결혼식의 주요 디저트가 되었다. ❿ 오늘날, 민트 초콜릿은 가장 인기 있는 맛 중 하나이다. ⓫ 당신은 이 맛을 좋아하는가?

❶ The royal family / of England / had an important event / in 1973. /
왕실은 　　　　　영국의 　　　　중요한 행사를 가졌다 　　　　　　1973년에
❷ It was Princess Anne's wedding. / ❸ The family / wanted to provide /
그것은 Anne 공주의 결혼식이었다 　　　　　　왕실은 　　　제공하기를 원했다
the best dessert / for the celebration, / so they held a competition. / ❹ In
최고의 디저트를 　　　축하 행사를 위한 　　　　그래서 그들은 대회를 열었다
this contest, / a young student / named Marilyn Ricketts / participated. /
이 대회에는 　　　한 젊은 학생이 　　　Marilyn Ricketts라는 이름의 　　　참가했다
❺ She was studying cooking / at South Devon College. / ❻ Marilyn tried /
그녀는 요리를 공부하고 있었다 　　　South Devon 대학에서 　　　　Marilyn은 노력했다
to think of / something new / for the dessert. / ❼ So she created an ice
떠올리기 위해 　무언가 새로운 것을 　디저트에 대해 　그래서 그녀는 아이스크림을 만들어 냈다
cream / called Mint Royale. / ❽ It was the first ice cream / with a mix / of
　　Mint Royale이라고 불리는 　　그것은 최초의 아이스크림이었다 　　혼합물로 된
mint and chocolate. / ❾ Marilyn eventually won the contest / with Mint
민트와 초콜릿의 　　　　Marilyn은 마침내 그 대회에서 우승했다 　　　Mint Royale로
Royale, / and it became the main dessert / for the wedding. / ❿ Now, /
　　그리고 그것은 주요 디저트가 되었다 　　　결혼식의 　　　　오늘날
mint chocolate is one of the most popular flavors. / ⓫ Do you like this
민트 초콜릿은 가장 인기 있는 맛 중 하나이다 　　　　　　당신은 이 맛을 좋아하는가
flavor? /

구문 해설

❸ 「want + to-v」는 '~하기를 원하다'라는 의미이다. want는 목적어로 to부정사를 쓴다.

❹ In this contest, a young student [named Marilyn Ricketts] participated.
→ [ ]는 앞에 온 a young student를 수식하는 과거분사구이다. 이때 named는 '~이라는 이름의, ~이라고 이름 지어진'이라고 해석한다.

❺ was studying은 「be동사의 과거형 + v-ing」의 과거진행 시제이다. 과거진행 시제는 '~하고 있었다, ~하는 중이었다'라고 해석한다.

❻ Marilyn **tried to think** of *something new* for the dessert.
→ 「try + to-v」는 '~하기 위해 노력하다'라는 의미이다.
   cf. 「try + v-ing」: (시험 삼아) ~해보다　*ex.* She **tried lifting** the box. (그녀는 그 박스를 들어올려 보았다.)
→ something과 같이 -thing으로 끝나는 대명사는 형용사가 뒤에서 수식한다. 이 문장에서는 형용사 new가 대명사 something을 뒤에서 수식하여, '무언가 새로운 것'이라고 해석한다.

1 이 글의 주제로 가장 적절한 것은?

① 영국 최초의 디저트 대회
② 민트 초콜릿 아이스크림의 유래 ✓
③ 아이스크림을 즐기는 새로운 방법
④ 영국에서 민트가 사랑받게 된 이유
⑤ 민트와 초콜릿을 활용한 디저트의 종류

2 이 글의 빈칸에 들어갈 말로 가장 적절한 것은?

① ordered 주문했다   ② created 만들어 냈다 ✓   ③ delivered 배달했다
④ enjoyed 즐겼다   ⑤ changed 바꿨다

3 이 글을 읽고 답할 수 없는 질문은?

① 누가 디저트 대회를 열었는가?
② Marilyn은 대학에서 무엇을 공부했는가?
③ Marilyn이 디저트 대회에서 사용한 재료는 무엇이었는가?
④ Marilyn의 디저트를 심사한 사람은 누구였는가? ✓
⑤ Anne 공주의 결혼식의 주요 디저트는 무엇이었는가?

4 이 글의 내용으로 보아, 다음 빈칸에 들어갈 말을 보기 에서 골라 쓰시오.

보기	winner	cooking	wedding	flavor
	당선작	요리	결혼식	맛

A competition was held to find the best dessert for Princess Anne's ___wedding___ in 1973. Marilyn Ricketts' mint and chocolate ice cream was the ___winner___ and is still popular.

1973년에 Anne 공주의 결혼식을 위한 최고의 디저트를 찾기 위해 대회가 열렸다. Marilyn Rickctts의 민트 초콜릿 아이스크림이 당선작이었고 이것은 아직도 인기 있다.

정답 1② 2② 3④ 4 wedding, winner

1   한 디저트 대회를 통해 최초의 민트 초콜릿 아이스크림이 탄생하게 된 일화를 소개하는 글이므로, 주제로 ②가 가장 적절하다.

2   빈칸 앞에서 Marilyn이 새로운 디저트를 떠올리기 위해 노력했다고 했고, 빈칸 뒤에서 Mint Royale이 최초의 민트 초콜릿 아이스크림이라고 했다. 따라서 빈칸에는 ② '만들어 냈다'가 가장 적절하다.

3   ④: 디저트를 심사한 사람에 대한 언급은 없다.
①: 문장 ❸에서 영국 왕실이 디저트 대회를 열었다고 했다.
②: 문장 ❺에서 Marilyn은 South Devon 대학에서 요리를 공부하고 있었다고 했다.
③: 문장 ❽에서 Mint Royale이 민트와 초콜릿의 혼합물로 된 아이스크림이라고 했다.
⑤: 문장 ❾에서 Mint Royale이 결혼식의 주요 디저트가 되었다고 했다.

4   문제 해석 참고

❼   So she created an ice cream [**called** Mint Royale].
→ [ ]는 앞에 온 an ice cream을 수식하는 과거분사구이다. 이때 called는 '~이라고 불리는'이라고 해석한다.

❿   Now, mint chocolate is **one of the most popular flavors**.
→ 「one of the + 최상급 + 복수명사」는 '가장 ~한 … 중 하나'라는 의미이다.
ex. Kyle is **one of the funniest students** in the class. (Kyle은 반에서 가장 웃긴 학생들 중 하나이다.)

본문 해석

❶ 만약 당신이 속상하거나 스트레스를 받는다고 느끼고 있다면, 버터플라이 허그를 시도해 봐라. ❷ 그것은 당신의 불안감에 도움이 될 수 있는 쉽고 효과적인 기법이다. ❸ 그것을 하기 위해, 당신은 손을 나비의 날개처럼 움직인다. ❹ 이것이 버터플라이 허그라고 이름이 지어진 이유이다.

❺ 먼저, 당신의 손을 교차시켜서 흉부에 두어라. ❻ 당신이 원한다면 손을 각 어깨에 둘 수도 있다. ❼ 그 다음, (흉부나 어깨의) 왼편과 오른편을 부드럽게 두드려라. ❽ 이 동작을 반복해라. ❾ 이것을 하고 있는 동안, 심호흡을 해라. ❿ 당신이 안도감을 느끼기 시작할 때 멈추고 휴식을 취하면 된다. ⓫ 이 간단한 셀프 허그는 단 몇 분 만에 당신의 스트레스가 사라지도록 만들 것이다.

❶ If you are feeling / upset or stressed, / try the Butterfly Hug. /
만약 당신이 느끼고 있다면　속상하거나 스트레스를 받는다고　버터플라이 허그를 시도해 봐라

❷ It is an easy and effective technique / which can help with your
그것은 쉽고 효과적인 기법이다　　　　　당신의 불안감에 도움이 될 수 있는

anxiety. / ❸ To do it, / you move your hands / like the wings of a
　　　　　그것을 하기 위해　당신은 당신의 손들을 움직인다　나비의 날개들처럼

butterfly. / ❹ This is why / it is named / the Butterfly Hug. /
　　　　　이것이 ~한 이유이다 그것이 이름 지어진 버터플라이 허그라고

❺ First, / cross your hands / and place them / on your chest. / ❻ You
먼저　　당신의 손들을 교차시켜라 그리고 그것들을 두어라 당신의 흉부에　　　당신은

can also place them / on each shoulder / if you want. / ❼ Then, / gently
또한 그것들(손)을 둘 수 있다　각 어깨에　　　만약 당신이 원한다면　그 다음　부드럽게

tap / the left side and then the right. / ❽ Repeat this movement. / ❾ While
두드려라　왼편과 그 다음으로 오른편을　　이 동작을 반복해라　　　당신이

you are doing this, / take some deep breaths. / ❿ You can stop and
이것을 하고 있는 동안　　심호흡을 해라　　　　당신은 멈추고 휴식을 취하면

relax / when you start / to feel some relief. / ⓫ This simple self-hug /
된다　당신이 시작할 때　안도감을 느끼기　　　이 간단한 셀프 허그는

will make / your stress / go away / in just a few minutes. /
만들 것이다　당신의 스트레스가　사라지도록　단 몇 분 만에

구문 해설

❶ 「feel + 형용사」는 '~하다고 느끼다'라는 의미이다. 이 문장에서는 feel 뒤에 형용사 upset과 stressed가 접속사 or로 연결되어 쓰였다.

❷ It is an easy and effective technique [**which** can help with your anxiety].
　　→ [ ]는 앞에 온 선행사 an easy and effective technique을 수식하는 주격 관계대명사절이다. 주격 관계대명사 which는 관계대명사절 안에서 주어 역할을 하며, 사물이나 동물을 선행사로 가진다.

❸ To do it은 '그것을 하기 위해'라는 의미로, [목적]을 나타내는 to부정사의 부사적 용법으로 쓰였다.

❹ **This is why** it *is named* the Butterfly Hug.
　　→ This is why는 '이것이 ~한 이유이다'라는 의미로, why 뒤에 오는 내용이 앞 문장에 대한 결과가 된다.
　　→ 「A be named B」는 'A가 B라고 이름 지어지다'라는 의미로, 「name A B(A를 B라고 이름 짓다)」의 수동태 표현이다.

❺ 동사원형으로 시작하는 명령문으로, 동사원형 cross와 place가 접속사 and로 연결되어 쓰였다.

1 이 글의 제목으로 가장 적절한 것은?

① Good Stress and Bad Stress 좋은 스트레스와 나쁜 스트레스
② The Secret of Butterfly Wings 나비 날개의 비밀
③ Butterfly Hug: The Oldest Therapy 버터플라이 허그: 가장 오래된 치료법
④ How to Find Peace with the Butterfly Hug 버터플라이 허그로 평온을 찾는 방법
⑤ Don't Hide Your Emotions When You Feel Bad 기분이 나쁠 때 감정을 숨기지 말아라

2 버터플라이 허그에 관한 이 글의 내용과 일치하지 <u>않는</u> 것은?

① 불안을 느낄 때 시도할 수 있는 기법이다.
② 손동작의 모습을 본떠서 이름이 지어졌다.
③ 손은 흉부나 양쪽 어깨에 둔다.
④ 동작을 하는 동안 심호흡을 한다.
⑤ 두 사람이 함께 해야 한다.

3 이 글의 밑줄 친 this movement가 의미하는 내용을 우리말로 쓰시오.

흉부나 어깨의 왼편과 오른편을 부드럽게 두드리는 것

4 다음 영영 풀이에 해당하는 단어를 글에서 찾아 쓰시오. (단, 주어진 철자로 시작하여 쓰시오.)

to do something again or to make something happen again
어떤 것을 다시 하거나 어떤 일이 다시 일어나도록 만들다

repeat
반복하다

1 스트레스를 사라지게 하는 버터플라이 허그와 그 동작을 소개하는 글이므로, 주제로 ④ '버터플라이 허그로 평온을 찾는 방법'이 가장 적절하다.

2 ⑤: 두 번째 단락에서 혼자서 하는 동작들을 설명했으며, 문장 ⑪에서 셀프 허그라고 했으므로, 버터플라이 허그가 혼자 하는 것임을 알 수 있다.
①은 문장 ❷에, ②는 문장 ❸-❹에, ③은 문장 ❺-❻에, ④는 문장 ❾에 언급되어 있다.

3 문장 ❼에 언급된 내용을 의미한다. 흉부나 어깨의 왼편과 오른편을 부드럽게 두드리는 것(= this movement)을 반복하라는 의미이다.

4 '어떤 것을 다시 하거나 어떤 일이 다시 일어나도록 만들다'라는 뜻에 해당하는 단어는 repeat(반복하다)이다.

❾ **While** you *are doing* this, take some deep breaths.
→ While은 부사절을 이끄는 접속사로, '~하는 동안'이라는 의미이다. 주로 진행 시제와 함께 쓰인다.
→ 「be동사의 현재형 + v-ing」는 현재진행 시제로, '~하고 있다, ~하는 중이다'라고 해석한다.

❿ start to feel은 '느끼기 시작한다'라고 해석한다. start는 목적어로 to부정사와 동명사 모두 쓸 수 있다.
ex. I **started feeling** anxious about the contest. (나는 대회에 대해 불안하다고 느끼기 시작했다.)

⓫ This simple self-hug **will** *make your stress go away* in just a few minutes.
→ 조동사 will은 '~할 것이다'라는 의미로 미래 시제를 나타낸다. 여기서는 will 뒤에 동사원형 make가 쓰여 '만들 것이다'라고 해석한다.
→ 「make + 목적어 + 동사원형」은 '~가 …하도록 만들다'라는 의미이다.

본문 해석

❶ 펭귄에 대해서 생각해 보아라. ❷ 가장 먼저 무슨 생각이 떠오르는가? ❸ 당신은 짧은 다리로 걸어 다니는 그것을 떠올릴지도 모른다.

❹ 하지만, 펭귄은 꽤 긴 다리를 가지고 있다. ❺ 사실, 그것들의 다리는 몸길이의 약 절반이다! ❻ 그것들의 다리는 다리뼈가 90도로 접혀 있기 때문에 짧아 보인다. (❼ 튼튼한 다리는 펭귄이 먹이를 얻기 위해 오랜 시간 수영하도록 돕는다.) ❽ 그것들의 다리는 주로 몸 안에 숨겨져 있다. ❾ 따라서, 우리는 다리의 아랫부분만 볼 수 있다.

❿ 펭귄은 구부러진 다리로 걸을 때, 걸음마다 조금씩만 움직일 수 있다. ⓫ 하지만 얼음 위에서, 이것은 사실 균형을 유지하는 데 도움이 된다. ⓬ 그것이 펭귄이 얼음 위에서 쉽게 미끄러지지 않는 이유이다.

❶ Think about a penguin. / ❷ What comes to your mind / first?
펭귄에 대해서 생각해 보아라   무슨 생각이 떠오르는가   가장 먼저

❸ You may think of it / walking around / on its short legs. /
당신은 그것을 떠올릴지도 모른다   걸어 다니는   그것의 짧은 다리로

❹ (A) However, / penguins have quite long legs. / ❺ In fact, / their legs
하지만   펭귄은 꽤 긴 다리를 가지고 있다   사실   그것들의 다리는

are about half / of their body length! / ❻ Their legs look short / because
약 절반이다   그것들의 몸길이의   그것들의 다리는 짧아 보인다

the leg bones are folded / at a 90-degree angle. / (c) (❼ Strong legs help /
다리뼈가 접혀 있기 때문에   90도의 각도로   튼튼한 다리는 돕는다

penguins swim / for a long time / to get food. /) ❽ Their legs are mostly
펭귄이 수영하도록   오랜 시간 동안   먹이를 얻기 위해   그것들의 다리는 주로 숨겨져 있다

hidden / within their bodies. / ❾ Therefore, / we can only see / the bottom
그것들의 몸 안에   따라서   우리는 오직 볼 수 있다

part of them. /
그것들(다리)의 아랫부분을

❿ When penguins walk / with their bent legs, / they can move / only
펭귄이 걸을 때   그것들의 구부러진 다리로   그것들은 움직일 수 있다

a little / with each step. / ⓫ But on the ice, / this is actually helpful / for
조금씩만   각 걸음마다   하지만 얼음 위에서   이것은 사실 도움이 된다

(B) maintaining balance. / ⓬ That's why / penguins don't slip / on ice /
균형을 유지하는 것에   그것이 ~한 이유이다   펭귄이 미끄러지지 않는   얼음 위에서

easily. /
쉽게

구문 해설

❸ You **may** think of it [*walking around* on its short legs].
→ 조동사 may는 '~할지도 모른다, ~할 수도 있다'라는 의미로, 약한 추측을 나타낸다.
   cf. may: ~해도 된다 [허가]   *ex.* You **may** wear my jacket. (너는 나의 재킷을 입어도 된다.)
→ [ ]는 앞에 온 it(=a penguin)을 수식하는 현재분사구이다. 이때 walking around는 '걸어 다니는'이라고 해석한다.

❻ 「look + 형용사」는 '~하게 보이다'라는 의미이다.   *cf.* 「look like + 명사」: ~처럼 보이다

❼ Strong legs **help penguins swim** for a long time *to get food*.
→ 「help + 목적어 + 동사원형」은 '~가 …하도록 돕다'라는 의미이다.
   = 「help + 목적어 + to-v」 *ex.* Strong legs **help penguins to swim** for a long time to get food.
→ to get food는 '먹이를 얻기 위해'라는 의미로, [목적]을 나타내는 to부정사의 부사적 용법으로 쓰였다.

1 이 글의 제목으로 가장 적절한 것은?

① Penguins' Strong Bones 펭귄의 튼튼한 뼈
② The Hidden Legs of Penguins 펭귄의 숨겨진 다리
③ How Penguins Live on the Ice 펭귄은 어떻게 얼음 위에서 살아가는가
④ Penguins Can Actually Walk Fast 펭귄은 사실 빠르게 걸을 수 있다
⑤ An Unusual Way Penguins Use Their Legs 펭귄이 다리를 사용하는 특이한 방식

2 이 글의 빈칸 (A)에 들어갈 말로 가장 적절한 것은?

① So 그래서
② However 하지만
③ Moreover 게다가
④ In short 요컨대
⑤ In other words 다시 말해서

3 이 글의 (a)~(e) 중, 전체 흐름과 관계<u>없는</u> 문장은?

① (a) ② (b) ③ (c) ④ (d) ⑤ (e)

4 이 글의 빈칸 (B)에 들어갈 말로 가장 적절한 것은?

① hiding their eggs 그들의 알을 숨기는 것
② jumping into the sea 바닷속으로 뛰어드는 것
③ saving their energy 그들의 에너지를 아끼는 것
④ maintaining balance 균형을 유지하는 것
⑤ finding fish in the water 물속의 물고기를 찾는 것

정답 1 ② 2 ② 3 ③ 4 ④

---

1 펭귄의 다리는 길지만 몸 안에 접혀 있어 잘 보이지 않는다는 점을 설명하는 글이므로, 제목으로 ② '펭귄의 숨겨진 다리'가 가장 적절하다.

2 빈칸 앞 단락에서 펭귄을 생각하면 짧은 다리로 걸어 다니는 모습이 가장 먼저 떠오를 것이라고 한 반면, 빈칸이 있는 문장에서 펭귄이 꽤 긴 다리를 가지고 있다며 대조되는 내용을 언급하고 있다. 따라서 빈칸 (A)에는 ② '하지만'이 가장 적절하다.

3 펭귄의 다리가 90도로 접힌 채 숨겨져 있다고 설명하는 내용 중에, '튼튼한 다리는 펭귄이 먹이를 얻기 위해 오랜 시간 수영하도록 돕는다'라는 내용의 (c)는 전체 흐름과 관계없다.

4 빈칸 뒤에서 이것이 펭귄이 얼음 위에서 쉽게 미끄러지지 않는 이유라고 했으므로, 구부러진 다리로 조금씩 걷는 것이 넘어지지 않는 데 도움이 되는 것임을 유추할 수 있다. 따라서 빈칸 (B)에는 ④ '균형을 유지하는 것'이 가장 적절하다.

---

⑩ When penguins walk with their bent legs, they can move only a little with **each step**.
→ each(각각의) 뒤에는 반드시 단수명사(step)가 와야 하며, 「each + 단수명사」는 단수 취급한다.

⑪ maintaining balance는 전치사 for(~에)의 목적어 역할을 하는 동명사구이다.

⑫ That is why는 '그것이 ~한 이유이다'라는 의미로, why 뒤에 오는 내용이 앞 문장에 대한 결과가 된다.

본문 해석

❶ 어느 날 오후, Emily는 그녀의 베개를 가지고 거리로 나갔다. ❷ 그녀의 주위에는 많은 사람들이 있었고, 그들 또한 그들의 베개를 들고 있었다. ❸ 그때, 3시 정각에, 사이렌이 울렸고, 사람들이 갑자기 서로를 치기 시작했다!

❹ 국제 베개 싸움의 날에, 사람들은 베개로 큰 싸움을 한다. ❺ 그것은 4월의 첫째 주 토요일에 개최된다. ❻ 이 행사에 참가하는 것은 무료이나, 자신의 베개를 가져와야 한다. ❼ 그리고 그것은 다른 사람들을 해치지 않도록 부드러운 깃털이나 솜으로 채워져 있어야 한다. ❽ 당신은 오후 3시부터 돌아다니며 싸우는 것을 시작할 수 있다. ❾ 하지만 베개를 갖고 있지 않은 사람들은 치지 말아라. ❿ 이것은 그들이 아마 그 즐거운 싸움을 보고 있을 뿐이기 때문이다. ⓫ 마지막으로, 싸움이 끝난 후에 거리를 치우는 것을 잊지 말아라.

❶ One afternoon, / Emily went out / on the street / with her pillow. /
어느 날 오후   Emily는 나갔다   거리로   그녀의 베개를 가지고

❷ There were many people / around her, / and they were holding their
많은 사람들이 있었다   그녀의 주위에는   그리고 그들은 그들의 베개를 들고

pillows, / too. ❸ Then, / at three o'clock, / the siren rang, / and people
있었다   또한   그때   3시 정각에   사이렌이 울렸다   그리고 사람들이

suddenly started / hitting each other! /
갑자기 시작했다   서로를 치기

❹ On International Pillow Fight Day, / people have a big fight /
국제 베개 싸움의 날에   사람들은 큰 싸움을 한다

with pillows. / ❺ ⓐ It takes place / on the first Saturday of April. /
베개로   그것은 개최된다   4월의 첫째 주 토요일에

❻ Participating in this event / is free, / but you should bring your own
이 행사에 참가하는 것은   무료다   그러나 당신은 자신의 베개를 가져야 한다

pillow. / ❼ And it should be filled / with soft feathers or cotton / so that
그리고 그것은 채워져 있어야 한다   부드러운 깃털이나 솜으로

ⓑ it won't harm others. / ❽ You can go around / and start to fight
그것이 다른 사람들을 해치지 않도록   당신은 돌아다닐 수 있다   그리고 싸우는 것을 시작할 수 있다

from 3 p.m. / (④ ❾ But don't hit people / who don't have a pillow. /)
오후 3시부터   하지만 사람들을 치지 말아라   베개를 갖고 있지 않은

❿ This is because / they are probably just watching / the fun fight. /
이것은 ~ 때문이다   그들이 아마 보고 있을 뿐이기   그 즐거운 싸움을

⓫ Finally, / don't forget / to clean up the streets / after the fight is over. /
마지막으로   잊지 말아라   거리를 치우는 것을   싸움이 끝난 후에

구문 해설

❷ **There were** many people around her, and they were holding their pillows, *too*.
→ 「there + be동사」는 '~가 있다'라는 의미이다. 뒤에 복수명사 people이 왔으므로 복수동사 were이 쓰였다.
→ 문장 끝에 쓰인 부사 too는 '또한, 역시'라는 의미이다.
   cf. 「**too** + 형용사/부사」: 너무, 매우 ~한/하게   *ex.* It is **too cold** during winter. (겨울에는 너무 춥다.)

❸ start는 목적어로 동명사와 to부정사 모두 쓸 수 있다.

❻ **Participating in this event** is free, but you *should* bring your own pillow.
→ Participating in this event는 문장의 주어 역할을 하는 동명사구이다. 동명사구는 단수 취급하므로 뒤에 단수동사 is가 쓰였다.
→ 조동사 should는 '~해야 한다'라는 의미로 충고나 의무를 나타낸다.

❼ And it should **be filled with** soft feathers or cotton *so that* it won't harm others.
→ be filled with는 '~으로 채워지다, 가득 차다'라는 의미의 수동태 표현이다.

문제 해설

1 이 글의 흐름으로 보아, 다음 문장이 들어가기에 가장 적절한 곳은?

> But don't hit people who don't have a pillow. 하지만 베개를 갖고 있지 않은 사람들은 치지 말아라.

①   ②   ③   ④✓   ⑤

2 이 글의 밑줄 친 ⓐ와 ⓑ가 가리키는 것을 글에서 찾아 쓰시오.

ⓐ: _____International Pillow Fight Day_____ 국제 베개 싸움의 날
ⓑ: _____your own pillow_____ 자신의 베개

3 다음 중, 국제 베개 싸움의 날에 관해 답할 수 <u>없는</u> 질문을 <u>모두</u> 고른 것은?

> (A) 언제 개최되는가?
> (B) 얼마나 많은 인원이 참가하는가?
> (C) 참가자들은 어떤 베개를 준비해야 하는가?
> (D) 우승자는 어떤 상품을 받는가?

① (A), (C)   ② (B), (C)   ③✓ (B), (D)
④ (A), (C), (D)   ⑤ (B), (C), (D)

4 다음 질문에 대한 답이 되도록 빈칸에 들어갈 말을 글에서 찾아 쓰시오.

> Q. What should participants do after the pillow fight is finished?
> 베개 싸움이 끝난 후에 참가자들은 무엇을 해야 하는가?
>
> A. They should ____clean____ ____up____ the streets. 그들은 거리를 치워야 한다.

5 이 글의 내용으로 보아, 다음 빈칸에 들어갈 말을 보기에서 골라 쓰시오.

보기	take place	participate in	hit	watch	pillows
	개최되다	~에 참가하다	치다	보다	베개

International Pillow Fight Day is an event that people ____participate in____ to have fun. They gather together and ____hit____ each other with ____pillows____.

국제 베개 싸움의 날은 사람들이 즐기기 위해 <u>참가하는</u> 행사이다. 그들은 함께 모여서 서로를 <u>베개</u>로 <u>친다</u>.

정답 **1** ④   **2** ⓐ International Pillow Fight Day ⓑ your own pillow   **3** ③
4 clean up   **5** participate in, hit, pillows

---

1 주어진 문장은 베개 싸움의 규칙 중 하나에 해당하며, 베개가 없는 사람을 치지 말아야 하는 이유를 언급한 문장 ❿ 앞에 오는 것이 자연스러우므로, ④가 가장 적절하다.

2 ⓐ는 문장 ❹의 International Pillow Fight Day(국제 베개 싸움의 날)를 가리키고, ⓑ는 문장 ❻의 your own pillow(자신의 베개)를 가리킨다.

3 (B), (D): 참가 인원이나 우승자가 받는 상품에 대한 언급은 없다.
(A): 문장 ❺에서 국제 베개 싸움의 날은 4월의 첫째 주 토요일에 개최된다고 했다.
(C): 문장 ❼에서 베개는 부드러운 깃털이나 솜으로 채워져야 한다고 했다.

4 문장 ⓫에서 싸움이 끝난 후엔 거리를 치워야 한다고 했다.

5 문제 해석 참고

→ so that은 부사절을 이끄는 접속사로, '~하도록'이라는 의미이다. 이 문장에서는 '그것이 다른 사람들을 해치지 않도록'이라고 해석한다.

❽ 조동사 can은 '~할 수 있다'라는 의미로, 가능성을 나타낸다. 이 문장에서는 can 뒤에 동사원형 go와 start가 접속사 and로 연결되어 쓰였다.

❾ But don't hit people [**who** don't have a pillow].
→ [ ]는 앞에 온 선행사 people을 수식하는 주격 관계대명사절이다. who는 사람을 선행사로 가진다.

⓫ Finally, don't **forget to clean up** the streets *after* the fight is over.
→ 「forget + to-v」는 '(아직 하지 않은 무언가에 대해) ~할 것을 잊다'라는 의미이다.
    cf. 「forget + v-ing」: (이미 한 무언가에 대해) ~한 것을 잊다
    ex. Linda **forgot calling** her mother last night. (Linda는 어젯밤에 엄마에게 전화한 것을 잊어버렸다.)
→ after는 '~ 후에'라는 의미로, 부사절을 이끄는 접속사로 쓰여 뒤에 「주어 + 동사」의 절이 왔다.
    cf. 「전치사 after + 명사」 *ex.* We will have dinner **after the event**. (우리는 그 행사 후에 저녁을 먹을 것이다.)

본문 해석

❶ 당신은 해변에서 노는 것을 즐기지만, 특히 당신의 얼굴이 햇볕에 타는 것은 싫어하는가? ❷ 만약 그렇다면, 당신은 '페이스키니'에 관심이 있을지도 모른다. ❸ 기본적으로, 그것은 당신의 얼굴에 착용될 수 있는 비키니이다!

❹ 중국에서는, 많은 사람들이 해변에서 페이스키니를 착용한다. ❺ 그것들은 처음에는 이상하고 웃기게 보일지도 모른다. ❻ 그것들은 눈, 코, 입을 제외하고 머리 전체를 덮어서, 당신은 강도나 레슬링 선수처럼 보인다. ❼ 하지만, 그것들은 태양의 해로운 광선으로부터 당신의 얼굴을 완전히 보호한다. (❽ 선글라스를 착용하는 것은 눈을 보호하기 위해 필요하다.) ❾ 페이스키니는 해파리로부터 쏘이는 것도 방지할 수 있다. ❿ 게다가, 그것들은 훌륭한 패션 소품이 될 수 있다. ⓫ 그것들은 여러 다양한 색깔과 무늬로 만들어진다. ⓬ 그래서, 어떤 사람들은 스타일을 뽐내기 위해 그들의 페이스키니를 수영복과 맞추는 것을 좋아한다!

❶ Do you enjoy / playing at the beach / but hate sunburns, / especially
당신은 즐기는가   해변에서 노는 것을   하지만 햇볕에 타는 것은 싫어하는가 특히

on your face? / ❷ If you do, / you may be interested in a "facekini." /
당신의 얼굴에   만약 당신이 그렇다면   당신은 'facekini(페이스키니)'에 관심이 있을지도 모른다

❸ Basically, / it is a bikini / that can be worn on your face! /
기본적으로   그것은 비키니이다 당신의 얼굴에 착용될 수 있는

❹ In China, / many people wear facekinis / at the beach. / ❺ They may
중국에서는   많은 사람들이 페이스키니를 착용한다   해변에서   그것들은

appear strange and funny / at first. / ❻ They cover the entire head /
이상하고 웃기게 보일지도 모른다   처음에는   그것들은 머리 전체를 덮는다

except for the eyes, nose, and mouth, / so you look like a robber or a
눈, 코, 그리고 입을 제외하고   그래서 당신은 강도나 레슬링 선수처럼 보인다

wrestler. / ❼ However, / they fully protect your face / from the sun's
하지만   그것들은 당신의 얼굴을 완전히 보호한다   태양의 해로운

harmful rays. / (b) (❽ Wearing sunglasses / is necessary / to protect
광선으로부터   선글라스를 착용하는 것은   필요하다   당신의 눈을

your eyes. /) ❾ Facekinis can also prevent / stings from jellyfish. / ❿ In
보호하기 위해   페이스키니는 또한 방지할 수 있다   해파리로부터의 쏘임을

addition, / they can be a great fashion item. / ⓫ They are made / in many
게다가   그것들은 훌륭한 패션 소품이 될 수 있다   그것들은 만들어진다   여러 다양한

different colors and patterns. / ⓬ So, / some people like / to match their
색깔과 무늬로   그래서   어떤 사람들은 좋아한다   그들의 페이스키니를

facekinis / with their swimsuits / to show off their styles! /
맞추는 것을   그들의 수영복과   그들의 스타일을 뽐내기 위해

구문 해설

❷ If you **do**, you *may* be interested in a "facekini."
→ 대동사 do는 동사(구)의 반복을 피하기 위해 사용된다. 여기서는 앞 문장에서 언급된 enjoy playing at the beach but hate sunburns, especially on your face를 대신하고 있다.
→ 조동사 may는 '~일지도 모른다, ~일 수도 있다'라는 의미로 약한 추측을 나타낸다. *cf.* may: ~해도 된다 [허가]
→ be interested in은 '~에 관심이 있다'라는 의미의 수동태 표현이다.

❸ Basically, it is a bikini [**that** *can be worn* on your face]!
→ [ ]는 앞에 온 선행사 a bikini를 수식하는 주격 관계대명사절이다. that은 사람, 사물, 동물을 모두 선행사로 가질 수 있다.
→ can be worn은 '착용될 수 있다'라는 의미이다. 조동사 뒤에는 동사원형이 오므로, 조동사가 있는 수동태는 「조동사 + be p.p.」가 된다.

❺ 「appear + 형용사」는 '~하게 보이다'라는 의미이다. 이 문장에서는 appear 뒤에 형용사 strange와 funny가 접속사 and로 연결되어 쓰였다.
cf. 「appear + 부사」: ~하게 나타나다 *ex.* The man **appeared suddenly**. (그 남자는 갑작스럽게 나타났다.)

문제 해설 (right column)

1 이 글의 제목으로 가장 적절한 것은?

① Don't Stay in the Sun for Too Long 햇볕에 너무 오래 있지 말아라
② A Beach in China That Looks Beautiful 아름답게 보이는 중국의 한 해변
③ Facekini: A Traditional Chinese Swimsuit 페이스키니: 전통적인 중국의 수영복
④ How to Wear a Facekini Safely at the Beach 해변에서 페이스키니를 안전하게 착용하는 방법
⑤ An Item That Protects Your Face at the Beach 해변에서 당신의 얼굴을 보호하는 소품

2 이 글의 (a)~(e) 중, 전체 흐름과 관계없는 문장은?

① (a)　　② (b)　　③ (c)　　④ (d)　　⑤ (e)

3 페이스키니에 관한 이 글의 내용과 일치하면 T, 그렇지 않으면 F를 쓰시오.

(1) 많은 중국인들이 해변에서 착용한다. _____ T
(2) 고객에 따른 맞춤 제작이 가능하다. _____ F

4 이 글의 내용으로 보아, 다음 빈칸에 들어갈 말을 글에서 찾아 쓰시오.

> The facekini helps people prevent ___sunburns___ on their faces and ___stings___ from jellyfish. It can also be a great fashion item.

페이스키니는 사람들이 그들의 얼굴이 햇볕에 타는 것과 해파리로부터 쏘이는 것을 방지하는 데 도움이 된다. 그것은 또한 훌륭한 패션 소품이 될 수 있다.

문제 해설

1 얼굴에 착용하여 해변에서 놀 때 햇볕에 타지 않도록 얼굴을 보호할 수 있는 페이스키니를 소개하는 글이므로, 제목으로 ⑤ '해변에서 당신의 얼굴을 보호하는 소품'이 가장 적절하다.

2 페이스키니의 얼굴을 보호하는 기능과 특징에 관해 설명하는 내용 중에, '선글라스를 착용하는 것은 눈을 보호하기 위해 필요하다'라는 내용의 (b)는 전체 흐름과 관계없다.

3 (1) 문장 ❹에 언급되어 있다.
(2) 문장 ⓫-⓬에서 페이스키니가 여러 다양한 색깔과 무늬로 만들어져서 사람들이 자신의 수영복과 이를 맞출 수도 있다고는 했으나, 맞춤 제작에 대한 언급은 없다.

4 문제 해석 참고

정답　**1** ⑤　**2** ②　**3** (1) T (2) F　**4** sunburns, stings

---

❻ They cover the entire head **except for** the *eyes, nose, and mouth*, so you <u>look like a robber</u> or <u>a wrestler</u>.
→ except for는 '~을 제외하고'라는 의미의 전치사이다.
→ 세 가지 이상의 단어를 나열할 때는 콤마와 함께 마지막 단어 앞에 and[or]를 써서 「A, B, and[or] C」로 나타낸다.
→ 「look like + 명사」는 '~처럼 보이다'라는 의미이다. 이때 like는 '~과 같은'이라는 의미의 전치사이다.

❽ Wearing sunglasses는 문장의 주어 역할을 하는 동명사구이다. 동명사구는 단수 취급하므로 뒤에 단수동사 is가 쓰였다.

⓬ So, some people **like to match** their facekinis with their swimsuits *to show off their styles*!
→ like to match는 '맞추는 것을 좋아한다'라고 해석한다. like는 목적어로 to부정사와 동명사 모두 쓸 수 있다.
　ex. I **like matching** the color of my socks with my shirt. (나는 양말 색깔을 셔츠와 맞추는 것을 좋아한다.)
→ to show off their styles는 '그들의 스타일을 뽐내기 위해'라는 의미로, [목적]을 나타내는 to부정사의 부사적 용법으로 쓰였다.

본문 해석

❶ 당신은 '악어의 눈물'이라는 용어를 들어본 적이 있는가? ❷ 이것은 슬프거나 미안해하는 것처럼 보이기 위해 거짓된 눈물을 흘리는 사람을 묘사하기 위해 사용된다.

❸ 오래 전에, 사람들은 악어가 먹는 동안 울고 있는 것을 목격했다. ❹ 그들은 악어가 먹이를 안쓰러워하는 척을 하고 있다고 생각했고, 그래서 그 눈물은 거짓되게 보였다.

❺ 사실, 악어는 전혀 슬프지 않을 때 정말 운다. ❻ 하지만, 이것은 속임수가 아니고 어떠한 의미도 없다. ❼ 그것은 그냥 자연스러운 신체 반응이다. ❽ 먹이를 씹기 위해서, 악어는 입을 크게 벌린다. ❾ 이것은 그들의 턱 근육이 많이 움직여 눈물샘에 압박을 가하도록 한다. ❿ 그러면, 눈물이 그들의 눈물샘에서 저절로 나와 떨어지기 시작한다!

❶ Have you heard / the term *crocodile tears*? / ❷ It is used / to describe
당신은 들어본 적이 있는가 '악어의 눈물'이라는 용어를 이것은 사용된다 사람을

a person / who cries fake tears / to look sad or sorry. /
묘사하기 위해 거짓된 눈물을 흘리는 슬프거나 미안해하는 것처럼 보이기 위해

❸ A long time ago, / people observed / crocodiles crying / while they
오래 전에 사람들은 목격했다 악어가 울고 있는 것을 그들이 먹는 동안

ate. / ❹ They thought / crocodiles were pretending to feel sorry / for
그들은 생각했다 악어가 안쓰러워하는 척을 하고 있다고

their prey, / so the tears seemed fake. /
그들의 먹이를 그래서 그 눈물은 거짓되게 보였다

❺ In fact, / crocodiles do cry / when they are not sad / at all. /
사실 악어는 정말 운다 그들이 슬프지 않을 때 전혀

❻ However, / this is not a trick / and doesn't have any meaning. / ❼ It
하지만 이것은 속임수가 아니다 그리고 어떠한 의미도 없다 그것은

is just a natural physical reaction. / ❽ To chew their prey, / crocodiles
그냥 자연스러운 신체의 반응이다 그들의 먹이를 씹기 위해서 악어는

open their mouths wide. / ❾ This causes / their jaw muscles / to move
그들의 입을 크게 벌린다 이것은 ~하게 한다 그들의 턱 근육이 많이 움직이도록

a lot / and put pressure / on their tear ducts. / ❿ Then, / the tears /
그리고 압박을 가하도록 그들의 눈물샘에 그러면 눈물이

automatically come out of their tear ducts / and start to fall! /
그들의 눈물샘에서 저절로 나온다 그리고 떨어지기 시작한다

구문 해설

❶ 「Have/Has + 주어 + p.p. ~?」의 현재완료 시제가 쓰인 의문문으로, 과거의 [경험]을 물을 때 쓴다. 현재완료 시제로 과거의 경험을 나타낼 때는 주로 ever, never, before 등이 함께 쓰인다.

❷ It is used **to describe a person** [who cries fake tears to *look sad* or *sorry*].
→ to describe a person은 '사람을 묘사하기 위해'라는 의미로, [목적]을 나타내는 to부정사의 부사적 용법으로 쓰였다.
→ [ ]는 앞에 온 선행사 a person을 수식하는 주격 관계대명사절이다.
→ 「look + 형용사」는 '~하게 보이다'라는 의미이다. 이 문장에서는 look 뒤에 형용사 sad와 sorry가 접속사 or로 연결되어 쓰였다.

❸ A long time ago, people **observed crocodiles crying** *while* they ate.
→ 「observe + 목적어 + 현재분사」는 '~가 …하고 있는 것을 목격하다, 관찰하다'라는 의미이다. 진행의 의미를 강조하기 위해 동사원형 대신 현재분사가 쓰였다.
→ while은 부사절을 이끄는 접속사로, '~하는 동안'이라는 의미이다.

1 이 글의 빈칸에 들어갈 말로 가장 적절한 것은?

① laughed 웃었다　　　✓② ate 먹었다　　　③ rested 쉬었다
④ slept 잤다　　　⑤ swam 수영했다

2 이 글의 밑줄 친 This가 의미하는 내용을 우리말로 쓰시오.

악어가 (먹이를 씹기 위해) 입을 크게 벌리는 것

3 다음 중, 악어의 눈물(crocodile tears)을 흘리는 사례로 가장 적절한 것은?

① 경기에서 진 아쉬움에 눈물을 흘리는 경우
② 자신의 잘못을 반성하며 눈물을 흘리는 경우
③ 드라마 속 슬픈 장면을 보며 눈물을 흘리는 경우
✓④ 부모님께 혼나지 않기 위해 억지로 눈물을 흘리는 경우
⑤ 안 좋은 일이 생긴 친구를 진심으로 위로하며 눈물을 흘리는 경우

4 이 글의 내용으로 보아, 빈칸 (A)와 (B)에 들어갈 말로 가장 적절한 것은?

People call _____(A)_____ tears *crocodile tears*. This is based on the fact that crocodiles naturally cry when they move their _____(B)_____.

사람들은 (A) 거짓된 눈물을 '악어의 눈물'이라고 부른다. 이것은 악어가 (B) 입을 움직일 때 자연스럽게 운다는 사실을 바탕으로 한 것이다.

	(A)		(B)	
①	sad	……	eyes	슬픈 … 눈
②	natural	……	eyes	자연스러운 … 눈
③	natural	……	mouths	자연스러운 … 입
✓④	fake	……	mouths	거짓된 … 입
⑤	fake	……	noses	거짓된 … 코

정답 1 ②　2 악어가 (먹이를 씹기 위해) 입을 크게 벌리는 것　3 ④　4 ④

문제 해설

1 빈칸 뒤에서 사람들이 악어가 우는 모습을 보고 그것이 먹이를 안쓰러워하는 척을 한다고 생각했다고 했으며, 문장 ❽-❿에서 악어가 먹이를 씹기 위해 입을 크게 벌리는 것이 눈물샘에 압박을 가해서 눈물을 흘리게 만든다고 했다. 따라서 빈칸에는 ② '먹었다'가 가장 적절하다.

2 문장 ❽에 언급된 내용을 의미한다. 악어가 (먹이를 씹기 위해) 입을 크게 벌리는 것(= This)은 턱 근육이 많이 움직여 그들의 눈물샘에 압박을 가하도록 한다는 의미이다.

3 문장 ❷에서 '악어의 눈물'은 슬프거나 미안해하는 것처럼 보이기 위해 거짓된 눈물을 흘리는 사람을 묘사하기 위해 사용된다고 했으므로, 악어의 눈물을 흘리는 사례로 ④가 가장 적절하다.

4 문제 해석 참고

---

❹ They thought [(that) crocodiles were **pretending to feel** sorry for their prey], so the tears *seemed fake*.
→ [ ]는 thought의 목적어 역할을 하는 명사절로, 명사절 접속사 that이 생략되어 있다.
→ 「pretend + to-v」는 '~하는 척을 하다'라는 의미이다. pretend는 목적어로 to부정사를 쓴다.
→ 「seem + 형용사」는 '~하게 보이다'라는 의미이다.

❻ do cry에서 do는 동사를 강조하기 위해 쓰였다. 이때 do는 '정말, 진짜'라고 해석한다. 동사의 수와 시제에 따라 do, does, did로 쓸 수 있고 뒤에는 동사원형을 쓴다.
ex. Jessica **does** cook very well. (Jessica는 정말 요리를 매우 잘한다.)

❾ This **causes their jaw muscles to move** a lot and **put** pressure on their tear ducts.
→ 「cause + 목적어 + to-v」는 '~가 …하게 만들다, 야기하다'라는 의미이다. 이 문장에서는 목적어(their jaw muscles) 뒤에 to move a lot과 (to) put pressure on their tear ducts가 접속사 and로 연결되어 쓰였다.

본문 해석

❶ 한 소녀가 엄마와 싸웠다. ❷ 그들은 온종일 서로에게 말을 하지 않았다. ❸ 그리고, 그날 밤, 그 소녀는 다음 날 약속이 있다는 것이 기억났다. ❹ 그녀는 아침 일찍 친구를 만날 계획이었지만, 그녀는 잠이 많은 사람이었다. ❺ 그녀는 일어나기 위해 엄마의 도움이 필요했다. ❻ 하지만, 그녀는 먼저 말하기를 원하지 않았다. ❼ 그녀는 무엇을 할 수 있었을까? ❽ 많은 생각 후에, 그녀는 포스트잇에 메시지를 적었다. ❾ "오전 8시에 저를 깨워주세요." ❿ 그녀는 그것을 엄마의 휴대폰 위에 붙이고 잠이 들었다. ⓫ 다음 날, 그녀는 오전 11시에 일어났다! ⓬ 그녀는 엄마를 찾았지만, 엄마는 집에 없었다. ⓭ 대신에, 그녀는 쪽지를 발견했다. ⓮ 그것에는 "오전 8시야. ⓯ 일어나렴."이라고 적혀 있었다.

❶ A girl had a fight / with her mother. / ❷ They didn't speak / to each
한 소녀가 싸웠다　　　그녀의 엄마와　　　그들은 말을 하지 않았다　서로에게

other / all day. / ❸ Then, / that night, / ⓐ the girl remembered / that she
온종일　　　그리고　　그날 밤　　　그 소녀는 기억났다　　　그녀가

had an appointment / the next day. / ❹ She was going to meet her friend /
약속이 있다는 것이　　　다음 날　　　그녀는 그녀의 친구를 만날 계획이었다

early in the morning, / but she was a heavy sleeper. / ❺ ⓑ She needed / her
아침 일찍　　　　하지만 그녀는 잠이 많은 사람이었다　　　그녀는 필요했다　그녀의

mother's help / to get up. / ❻ However, / she didn't want to talk / first. /
엄마의 도움이　　일어나기 위해　　하지만　　　그녀는 말하기를 원하지 않았다　먼저

❼ What could she do? / ❽ After much thought, / she wrote a message /
그녀는 무엇을 할 수 있었을까　　많은 생각 후에　　　그녀는 메시지를 적었다

on a sticky note. / ❾ "Please wake ⓒ me up / at 8 a.m." / ❿ She put it on /
포스트잇에　　　저를 깨워주세요　　오전 8시에　　　그녀는 그것을

her mother's phone / and went to sleep. / ⓫ The next day, / she woke up /
엄마의 휴대폰 위에 붙였다　그리고 잠이 들었다　　　다음 날　　　그녀는 일어났다

at 11 a.m.! / ⓬ She looked for her mother, / but ⓓ she wasn't home. /
오전 11시에　　　그녀는 엄마를 찾았다　　　하지만 그녀(엄마)는 집에 없었다

⓭ Instead, / ⓔ she found a note. / ⓮ It said, / "It's 8 a.m. / ⓯ Wake up." /
대신에　　　그녀는 쪽지를 발견했다　그것에는 적혀 있었다　오전 8시야　일어나렴

구문 해설

❸ Then, that night, the girl remembered [that she had an appointment the next day].
　→ [ ]는 remembered의 목적어 역할을 하는 명사절이다. 이때 명사절 접속사 that은 생략할 수 있다.

❹ She **was going to** meet her friend early in the morning, but she was a heavy sleeper.
　→ be going to는 '~할 계획이다, ~할 것이다'라는 의미로 미래를 나타낸다. 이 문장에서는 be동사의 과거형 was가 쓰였으므로 '만날 계획이었다'라고 해석한다.

❺ to get up은 '일어나기 위해'라는 의미로, [목적]을 나타내는 to부정사의 부사적 용법으로 쓰였다.

❻ 「want + to-v」는 '~하기를 원하다'라는 의미이다.

1 이 글의 밑줄 친 ⓐ~ⓔ 중, 가리키는 대상이 나머지 넷과 <u>다른</u> 것은?

① ⓐ   ② ⓑ   ③ ⓒ   ④✓ ⓓ   ⑤ ⓔ

1 ⓓ는 소녀의 엄마를 가리키고, 나머지는 모두 소녀를 가리킨다.

2 이 글의 내용과 일치하도록 (A)~(C)를 알맞은 순서대로 배열한 것은?

> (A) 소녀는 엄마의 쪽지를 발견했다.
> (B) 소녀는 엄마에게 쪽지를 남겼다.
> (C) 소녀는 친구와 약속이 있는 것이 생각났다.

① (A) – (C) – (B)   ② (B) – (A) – (C)   ③ (B) – (C) – (A)
④ (C) – (A) – (B)   ⑤✓ (C) – (B) – (A)

2 문장 ❸에서 소녀가 약속이 있음을 기억한 후, 문장 ❽-❿에서 엄마에게 깨워달라는 쪽지를 남겼다고 했고, 문장 ⓮에서 다음 날 엄마의 쪽지를 발견했다고 했으므로, (C) - (B) - (A)의 순서가 가장 적절하다.

3 이 글의 밑줄 친 문장을 통해 유추할 수 있는 내용으로 가장 적절한 것은?

① 엄마는 약속 때문에 급하게 나가야 했다.
②✓ 엄마는 소녀에게 말을 하고 싶지 않았다.
③ 엄마는 소녀를 깨우는 것을 잊어버렸다.
④ 엄마는 소녀의 쪽지를 발견하지 못했다.
⑤ 엄마는 소녀를 깨워야 할 시간을 잘못 알고 있었다.

3 소녀가 엄마에게 먼저 말하기를 원하지 않아서 쪽지를 적어 전달한 것처럼, 소녀의 엄마도 소녀에게 말을 하고 싶지 않아서 일어나라는 쪽지를 썼다는 것을 유추할 수 있다.

4 이 글에서 소녀가 마지막에 느꼈을 심경으로 가장 적절한 것은?

① 안도한   ②✓ 황당한   ③ 부끄러운
④ 행복한   ⑤ 슬픈

4 소녀는 엄마가 말로 깨워줄 것이라고 생각했는데 일어나라는 쪽지만 남기고 깨워주지 않았으므로 황당했을 것이다.

5 다음 영영 풀이에 해당하는 단어를 글에서 찾아 쓰시오.

> a promise to meet someone or do something at a specific time and place
> 특정한 시간과 장소에서 누군가를 만나거나 무언가를 할 약속

       appointment
         약속, 예약

5 '특정한 시간과 장소에서 누군가를 만나거나 무언가를 할 약속'이라는 뜻에 해당하는 단어는 appointment(약속, 예약)이다.

정답   1 ④   2 ⑤   3 ②   4 ②   5 appointment

---

❼ 조동사가 있는 의문사 의문문은 「의문사 + 조동사 + 주어 + 동사원형 ~?」으로 쓴다.

❽ much는 '많은'이라는 의미로, 뒤에 오는 셀 수 없는 명사 thought(생각)를 수식한다.
    cf. 「many + 셀 수 있는 명사의 복수형」: 많은 ~   *ex.* I have **many pencils** in my pencil case. (나는 필통 안에 많은 연필들을 가지고 있다.)

❾ 「wake + 목적어 + up」은 '~를 깨우다'라는 의미이다. 목적어가 대명사인 경우 wake와 up 사이에 와야 하지만, 대명사가 아닌 경우 wake up 뒤에도 올 수 있다.
    ex. I **woke up my friend** in the morning. (나는 아침에 친구를 깨웠다.)

본문 해석

❶ 귀여운 강아지나 맛있는 파스타는 우리가 그것들을 볼 때 기분 좋게 만들 수 있다. ❷ 놀랍게도, 그것들 중 하나는 심지어 당신이 더 잘 집중하도록 도울 수 있다! ❸ 어떤 것인지 알아맞힐 수 있는가?

❹ 한 실험에서, 두 그룹은 과제를 받았다. ❺ 그들은 40개의 숫자들 중에서 특정 숫자가 얼마나 많이 나타났는지 세었다. ❻ 이후, A그룹은 새끼 동물 사진을 보았고, B그룹은 음식 사진을 보았다. ❼ 그러고 나서, 그들은 그 과제를 반복했다. ❽ B그룹의 성과는 거의 변화가 없었다. ❾ 하지만, A그룹의 성공률은 16퍼센트만큼 증가했다!

❿ 아기나 새끼 동물은 당신의 집중력을 잠시 향상시킬 수 있다. ⓫ 이것은 아기를 돌볼 때 각별히 조심하고 의식하게 되기 때문이다. ⓬ 심지어 그들을 사진에서 보기만 하는 것도 유사한 효과를 가진다.

---

❶ A cute puppy or some delicious pasta / can make / us / feel good /
귀여운 강아지나 맛있는 파스타는　　　　　만들 수 있다　우리를　기분 좋게

when we see them. / ❷ Surprisingly, / one of them can even help / you
우리가 그것들을 볼 때　　놀랍게도　　그것들 중 하나는 심지어 도울 수 있다　당신이

focus better! / ❸ Can you guess / which one? /
더 잘 집중하도록　　당신은 알아맞힐 수 있는가　어떤 것인지

❹ In one experiment, / two groups were given a task. / ❺ They counted /
한 실험에서　　　　　두 그룹은 과제를 받았다　　　　그들은 세었다

how many times / a certain number appeared / among 40 numbers. /
얼마나 많은 횟수로　　특정한 숫자가 나타났는지　　40개의 숫자들 중에서

❻ Afterwards, / Group A looked at pictures of baby animals, / and
이후　　　　A그룹은 새끼 동물들의 사진을 보았다　　　　　그리고

Group B looked at images of food. / ❼ Then, / they repeated the task. /
B그룹은 음식의 사진을 보았다　　　　그러고 나서　그들은 그 과제를 반복했다

❽ Group B's performance / had almost no change. / ❾ However, / Group
B그룹의 성과는　　　　　거의 변화가 없었다　　　하지만　　A그룹의

A's success rate / increased / by 16%! /
성공률은　　　증가했다　16퍼센트만큼

❿ Babies or baby animals / can improve your concentration / briefly. /
아기들이나 새끼 동물들은　　당신의 집중력을 향상시킬 수 있다　　잠시

⓫ This is because / when you take care of a baby, / you become extra
이것은 ~ 때문이다　　당신이 아기를 돌볼 때　　　　당신은 각별히 조심하고

careful and aware. / ⓬ Even just looking at them in pictures / has a
의식하게 되기　　　　심지어 그들을 사진에서 보기만 하는 것도　　　유사한

similar effect. /
효과를 가진다

구문 해설

❶ A cute puppy or some delicious pasta can **make us** *feel* good when we see them.
→ 「make + 목적어 + 동사원형」은 '~가 …하게 만들다'라는 의미이다.
→ 「feel + 형용사」는 '기분이 ~하다'라는 의미이다.

❷ Surprisingly, one of them can even **help you focus** *better*!
→ 「help + 목적어 + 동사원형」은 '~가 …하도록 돕다'라는 의미이다. = 「help + 목적어 + to-v」 *ex.* **help you to focus** better
→ better는 형용사 good과 부사 well의 비교급이다. 이 문장에서는 well의 비교급으로 쓰여 '더 잘'이라고 해석한다.

❸ Can you guess [**which** one (can even help you focus better)]?
→ [ ]는 「의문사 + 주어 + 동사」의 간접의문문으로, can guess의 목적어 역할을 하고 있다. 이때 which는 '어떤'이라는 의미로, which가 '어떤, 어느'의 의미일 때는 이 문장에서처럼 뒤의 명사(one)를 수식할 수 있다.
→ which one 뒤에는 앞 문장에서 언급한 can even help you focus better가 생략되어 있다. 반복되는 말은 주로 생략한다.

1 이 글의 주제로 가장 적절한 것은?

① babies' amazing ability to learn 아기들의 놀라운 학습 능력
② food that is good for concentration 집중력에 좋은 음식
③ what makes baby animals look cute 무엇이 새끼 동물들을 귀엽게 보이도록 만드는지
④ how babies affect your concentration 아기들이 어떻게 당신의 집중력에 영향을 끼치는지
⑤ why you should be careful with babies 아기들을 왜 조심해서 다뤄야 하는지

2 이 글의 빈칸에 들어갈 말로 가장 적절한 것은?

① focus better 더 잘 집중하다
② relieve stress 스트레스를 완화하다
③ fall asleep easily 쉽게 잠이 들다
④ think more creatively 더 창의적으로 생각하다
⑤ stay healthy 건강한 상태를 유지하다

3 이 글의 밑줄 친 one experiment의 결과를 다음과 같이 나타낼 때, 괄호 안에서 알맞은 말을 골라 표시하시오.

A그룹	(1) (새끼 동물 / 음식) 사진을 본 후, 과제의 성공률이 (2) (증가했다 / 거의 변하지 않았다).
B그룹	(3) (새끼 동물 / 음식) 사진을 본 후, 과제의 성공률이 (4) (증가했다 / 거의 변하지 않았다).

4 이 글의 내용으로 보아, 다음 빈칸에 들어갈 말을 글에서 찾아 쓰시오.

An experiment showed that looking at pictures of baby animals can make you become more ___careful[aware]___ and ___aware[careful]___.

한 실험은 새끼 동물의 사진을 보는 것은 당신이 더 조심[의식]하고 의식[조심]하게 만들 수 있음을 보여줬다.

문제 해설

1 아기나 새끼 동물을 보면 집중력이 일시적으로 향상된다는 것을 설명하는 글이므로, 주제로 ④ '아기들이 어떻게 당신의 집중력에 영향을 끼치는지'가 가장 적절하다.

2 빈칸이 있는 문장에서 강아지와 파스타 중 하나가 당신이 무언가를 하도록 도울 수 있다고 한 후, 빈칸 뒤의 단락에서 실험 사례를 들며 새끼 동물의 사진을 본 그룹의 과제 성공률이 증가했다고 했고, 문장 ⑩에서 아기나 새끼 동물이 집중력을 잠시 향상시킬 수 있다고 했다. 따라서 빈칸에는 ① '더 잘 집중하다'가 가장 적절하다.

3 문장 ❻-❾에서 새끼 동물 사진을 본 A그룹은 과제의 성공률이 16퍼센트만큼 증가한 반면, 음식 사진을 본 B그룹의 성과는 거의 변화가 없었다고 했다.

4 문제 해석 참고

---

❹ 「A be given B」는 'A가 B를 받다'라는 의미로, 「give + 간접목적어(A) + 직접목적어(B)」에서 간접목적어를 주어로 만든 수동태 표현이다.
= 「B be given to A」: B가 A에게 주어지다 *ex.* a task **was given to** two groups (과제가 두 그룹에게 주어졌다)

❺ They counted [**how many times** a certain number appeared among 40 numbers].
→ 「how many + 복수명사 ~?」는 '얼마나 많은 ~?'이라는 의미로, many 뒤에 셀 수 있는 명사의 복수형(times)이 온다. 이때 times는 '횟수, 차례'라는 의미이다.
→ [ ]는 「의문사 + 주어 + 동사」의 간접의문문으로, counted의 목적어 역할을 하고 있다.

❾ by 16%에서 전치사 by는 '~만큼'이라는 의미로, 수량, 정도, 비율을 나타낸다.

⑩ **This is because** when you take care of a baby, you *become* extra *careful* and *aware*.
→ This is because는 '이것은 ~ 때문이다'라는 의미로, because 뒤에 오는 내용이 앞 문장에 대한 이유가 된다.
→ 「become + 형용사」는 '~하게 되다'라는 의미이다. 여기서는 become 뒤에 형용사 careful과 aware가 접속사 and로 연결되어 쓰였다.

⑫ looking at them in pictures는 문장의 주어 역할을 하는 동명사구이다. 동명사구는 단수 취급하므로 뒤에 단수동사 has가 쓰였다.

본문 해석

❶ 2차 세계 대전 동안, 몇몇 미국 군인들이 이탈리아에 있었다. ❷ 전시였지만, 한 가지 좋은 점이 있었다. ❸ 음식과 와인이 매우 맛있었다! ❹ 하지만, 그들은 에스프레소라고 불리는 이탈리아의 커피를 좋아하지 않았다. (❺ 에스프레소를 팔던 카페는 겨우 몇 개뿐이었다.) ❻ 에스프레소는 미국 군인들에게는 너무 썼다.

❼ 다행히, 한 바리스타가 해결책을 찾았다. ❽ 그는 큰 컵에 에스프레소를 넣었다. ❾ 그러고 나서, 그는 그 안에 뜨거운 물을 부었다. ❿ 그 커피는 맛이 덜 써졌고, 미국 군인들은 그것을 매우 좋아했다! ⓫ 이탈리아인들은 이 순한 커피를 '아메리카노'라고 부르기 시작했다. ⓬ 그것은 이탈리아인들의 언어로 '미국식 커피'를 의미했다. ⓭ 오늘날, 아메리카노는 전 세계 사람들에 의해 즐겨진다.

❶ During World War II, / some American soldiers were in Italy. / ❷ It
　2차 세계 대전 동안　　　　　　몇몇 미국 군인들이 이탈리아에 있었다

was wartime, / but there was one good thing. / ❸ The food and wine were
전시였다　　　　하지만 한 가지 좋은 점이 있었다　　　음식과 와인이 매우 맛있었다

very delicious! / ❹ However, / they did not like / the Italian coffee / called
　　　　　　　하지만　　　　그들은 좋아하지 않았다　이탈리아의 커피를

espresso. / (❺ There were only a few cafés / that sold espresso. /) ❻ It
에스프레소라고 불리는　겨우 몇 개의 카페만 있었다　에스프레소를 팔던

was too bitter / for the American soldiers. /
그것(에스프레소)은 너무 썼다　미국 군인들에게는

❼ Fortunately, / one barista found a solution. / ❽ He put espresso / in a
　　다행히　　　　한 바리스타가 해결책을 찾았다　　　그는 에스프레소를 넣었다

large cup. / ❾ Then, / he poured hot water / into it. / ❿ The coffee became
큰 컵에　　　그러고 나서　그는 뜨거운 물을 부었다　그것 안에　그 커피는 맛이

less bitter, / and the American soldiers loved it! / ⓫ Italians started to
덜 써졌다　　그리고 미국 군인들은 그것을 매우 좋아했다　　이탈리아인들은 부르기

call / this mild coffee / "Americano." / ⓬ (A) It meant "American coffee" /
시작했다　이 순한 커피를　　'아메리카노'라고　　그것은 '미국식 커피'를 의미했다

in their language. / ⓭ Now, / the Americano is enjoyed / by people /
그들(이탈리아인들)의 언어로　오늘날　아메리카노는 즐겨진다　　사람들에 의해

around the world. /
전 세계의

구문 해설

❶ 전치사 during은 '~동안'이라는 의미이다. during 뒤에는 특정 기간을 나타내는 명사가 온다.
　　cf. 「for(~동안) + 숫자를 포함한 기간」 ex. I waited **for 40 minutes**. (나는 40분 동안 기다렸다.)

❷ It은 시간, 날짜, 요일, 계절, 날씨, 거리 등을 나타낼 때 사용되는 비인칭주어로, 따로 해석하지 않는다.

❹ However, they did not like the Italian coffee [**called** espresso].
　　→ [ ]는 앞에 온 the Italian coffee를 수식하는 과거분사구이다. 이때 called는 '~이라고 불리는'이라고 해석한다.

❺ There were only **a few** cafés [that sold espresso].
　　→ a few는 '몇 개의, 약간의, 조금 있는'이라는 의미로, 뒤에 오는 셀 수 있는 명사의 복수형(cafés)을 수식한다.
　　　cf. 「few + 셀 수 있는 명사의 복수형」: 거의 없는 ~ ex. James has **few coins** in his wallet. (James는 지갑에 동전이 거의 없다.)
　　→ [ ]는 앞에 온 선행사 a few cafés를 수식하는 주격 관계대명사절이다.

1 이 글의 주제로 가장 적절한 것은?

① why coffee is popular in Italy 커피가 왜 이탈리아에서 인기 있는지
② how the first Americano was made 최초의 아메리카노가 어떻게 만들어졌는지
③ why espresso was loved by soldiers 에스프레소가 왜 군인들에게 사랑받았는지
④ a special way to enjoy the Americano 아메리카노를 즐기는 특별한 방법
⑤ the creator of espresso and the Americano 에스프레소와 아메리카노의 창안자

2 이 글의 (a)~(e) 중, 전체 흐름과 관계없는 문장은?

① (a)　　② (b)　　③ (c)　　④ (d)　　⑤ (e)

3 이 글의 빈칸에 들어갈 말로 가장 적절한 것은?

① salty (맛이) 짠　　② fresh 신선한
③ healthier 더 건강에 좋은　　④ less bitter (맛이) 덜 쓴
⑤ less expensive 덜 비싼

4 이 글의 밑줄 친 (A)의 이유를 가장 바르게 유추한 사람은?

① 재현: 미국에서 처음 만들어진 커피이기 때문이야.
② 소연: 미국 군인들을 위해 만들어진 커피이기 때문이야.
③ 정국: 미국 사람들에게 커피가 매우 중요했기 때문이야.
④ 지수: 미국 군인이 이 커피를 발명했기 때문이야.
⑤ 슬기: 미국에서 가장 인기 있는 커피였기 때문이야.

1. 2차 세계 대전 당시 이탈리아에서 아메리카노가 만들어진 배경을 설명하는 글이므로, 주제로 ② '최초의 아메리카노가 어떻게 만들어졌는지'가 가장 적절하다.

2. 미국 군인들이 이탈리아의 커피인 에스프레소를 좋아하지 않았다는 내용 중에, '에스프레소를 팔던 카페는 겨우 몇 개뿐이었다'라는 내용의 (d)는 전체 흐름과 관계없다.

3. 빈칸이 있는 문장에서 에스프레소가 너무 써서 좋아하지 않았던 미국 군인들이 이 커피는 매우 좋아했다고 했고, 빈칸 뒤에서 아메리카노를 순한 커피라고 했으므로, 빈칸에는 ④ '(맛이) 덜 쓴'이 가장 적절하다.

4. 미국 군인들을 위해 에스프레소에 뜨거운 물을 부어 연하게 만든 커피를 아메리카노라고 한 점으로 미루어 보아, 이유를 가장 바르게 유추한 사람은 소연이다.

정답　1 ②　2 ④　3 ④　4 ②

⑥ 「too + 형용사/부사」는 '너무[매우] ~한/하게'라는 의미로, 주로 불만, 불평 등의 부정적 의미를 나타낼 때 쓰인다.

⑩ 「become + 형용사」는 '~하게 되다'라는 의미이다. 이 문장에서는 become 뒤에 형용사의 비교급 less bitter가 쓰여 '(맛이) 덜 써졌다'라고 해석한다.

⑪ Italians **started to** *call* this mild coffee "Americano."
→ start는 목적어로 to부정사와 동명사 모두 쓸 수 있다.
　　ex. My grandmother **started calling** her dog Martin. (할머니께서 그녀의 강아지를 Martin이라고 부르기 시작하셨다.)
→ 「call A B」는 'A를 B라고 부르다'라는 의미이다. 이 문장에서는 this mild coffee가 A에, "Americano"가 B에 해당하므로, '이 순한 커피를 '아메리카노'라고 부르다'라고 해석한다.

본문 해석

❶ 식물을 기르는 것은 쉽지 않다. ❷ 그것들이 무엇을 원하는지를 알기는 어렵다. ❸ 하지만, 스마트 화분인 Lua와 함께라면, 우리는 더는 추측할 필요가 없다.

❹ 그것은 한 화면과 여러 개의 센서들을 가지고 있다. ❺ 센서들은 습기, 일조량, 그리고 기온을 측정한다. ❻ 그러고 나서, Lua는 당신의 식물이 어떻게 느끼고 있는지를 화면에 보여준다. ❼ 만약 당신의 식물이 물을 필요로 하면, 목마른 얼굴이 나타난다. ❽ 식물이 햇빛이 부족할 때는 흡혈귀 얼굴이 보인다. ❾ 하지만 당신이 식물에 물을 주고 얼마 동안 햇빛에 둔다면, 행복한 얼굴을 볼 것이다. ❿ 게다가, Lua는 움직임에 반응한다. ⓫ 그것은 가끔 잠이 들지만, 당신이 가까이 올 때, 그것은 깨어나 당신을 바라볼 것이다. ⓬ 그것은 마치 애완동물 같다!

---

❶ Growing plants / is not easy. / ❷ It's hard to know / what they need. /
식물을 기르는 것은　　쉽지 않다　　　알기는 어렵다　　　그것들이 무엇을 원하는지를

❸ However, / we don't have to guess / anymore / with Lua, / the smart
하지만　　　　우리는 추측할 필요가 없다　　　더는　　　Lua와 함께라면

flowerpot. /
스마트 화분인

❹ It has a screen and several sensors. / ❺ The sensors monitor /
그것은 한 화면과 여러 개의 센서들을 가지고 있다　　　그 센서들은 측정한다

moisture, the amount of sunshine, and the temperature. / (② ❻ Then, /
습기, 햇빛의 양, 그리고 기온을　　　　　　　　　　　　　　　그러고 나서

Lua shows / how your plant is feeling / on its screen. /) ❼ If your plant
Lua는 보여준다　당신의 식물이 어떻게 느끼고 있는지를　그것의 화면에　　　만약 당신의 식물이

needs water, / a thirsty face appears. / ❽ A vampire face is shown / when
물을 필요로 하면　목마른 얼굴이 나타난다　　흡혈귀 얼굴이 보인다

the plant has a lack of sunlight. / ❾ But if you water your plant / and
식물이 햇빛이 부족할 때　　　　　하지만 당신이 당신의 식물에 물을 준다면　그리고

let it stay in the sun / for some time, / you will see a happy face. / ❿ In
그것을 햇빛에 있도록 둔다면　얼마 동안　　당신은 행복한 얼굴을 볼 것이다

addition, / Lua responds to movement. / ⓫ It sometimes falls asleep, /
게다가　　　Lua는 움직임에 반응한다　　　그것은 가끔 잠이 든다

but when you come near, / it will wake up / and look at you. / ⓬ It's just
하지만 당신이 가까이 올 때　　　그것은 깨어날 것이다　그리고 당신을 바라볼 것이다　그것은

like a pet! /
마치 애완동물 같다

구문 해설

❶ Growing plants는 문장의 주어 역할을 하는 동명사구이다. 동명사구는 단수 취급하므로 뒤에 단수동사 is가 쓰였다.

❷ **It's hard to know** [what they need].
　→ It은 가주어이고, to know 이하가 진주어이다. to부정사, that절 등이 와서 주어가 긴 경우 이를 문장의 뒤로 옮기고 원래 주어 자리에는 가주어 it을 쓴다. 이때 가주어 it은 따로 해석하지 않는다.
　→ [ ]는 「의문사 + 주어 + 동사」의 간접의문문으로, to know의 목적어 역할을 하고 있다.

❸ However, we **don't have to** guess anymore with *Lua, the smart flowerpot.*
　→ don't have to는 have to(~해야 한다)의 부정형으로, '~할 필요가 없다, ~하지 않아도 된다'라고 해석한다.
　→ Lua와 the smart flowerpot은 콤마로 연결된 동격 관계로, Lua가 스마트 화분이라는 의미이다. 이 문장에서는 '스마트 화분인 Lua'라고 해석한다.

❺ 세 가지 이상의 단어를 나열할 때는 콤마와 함께 마지막 단어 앞에 and[or]를 써서 「A, B, and[or] C」로 나타낸다.

1 이 글의 제목으로 가장 적절한 것은?

① Do Plants Have Feelings? 식물에게 감정이 있는가?
② Tips for Planting Flowers in a Pot 화분에 꽃을 심는 것에 대한 조언
③ How to Choose the Best Pot for Plants 식물을 위한 가장 좋은 화분을 고르는 방법
④ A Flowerpot That Helps You Grow Plants 식물을 기르는 것을 돕는 화분
⑤ A Type of Plant That You Can Grow Easily 쉽게 기를 수 있는 식물의 종류

2 이 글의 빈칸에 들어갈 말로 가장 적절한 것은?

① However 하지만   ② In addition 게다가
③ So 그래서   ④ For example 예를 들어
⑤ In other words 다시 말해서

3 이 글의 흐름으로 보아, 다음 문장이 들어가기에 가장 적절한 곳은?

> Then, Lua shows how your plant is feeling on its screen.
> 그러고 나서, Lua는 당신의 식물이 어떻게 느끼고 있는지를 화면에 보여준다.

①   ②   ③   ④   ⑤

4 이 글에서 Lua가 보이는 반응으로 언급되지 <u>않은</u> 것은?

① 물이 필요하면 목마른 얼굴을 보여준다.
② 햇빛이 부족하면 흡혈귀의 얼굴을 보여준다.
③ 물과 햇빛을 충분히 얻으면 행복한 얼굴을 보여준다.
④ 누군가 자신을 바라보면 조명을 비춘다.
⑤ 누군가 가까이 다가오면 잠에서 깨어난다.

정답 1 ④   2 ①   3 ②   4 ④

문제 해설

1 식물을 쉽게 기를 수 있도록 식물의 상태를 측정하여 알려주는 스마트 화분 Lua를 소개하는 글이므로, 주제로 ④ '식물을 기르는 것을 돕는 화분'이 가장 적절하다.

2 빈칸 앞에서 식물이 무엇을 원하는지 알기 어렵다고 한 후, 빈칸이 있는 문장에서는 Lua와 함께라면 더는 추측할 필요가 없다는 대조되는 내용이 이어지고 있다. 따라서 빈칸에는 ① '하지만'이 가장 적절하다.

3 주어진 문장은 문장 ❻에서 언급한 센서들이 습기, 일조량, 기온을 측정한 후의 기능으로 보아야 하며, Lua가 식물의 상태에 따라 다양한 얼굴을 보여주는 사례를 언급한 문장 ❼-❾는 주어진 문장의 예시에 해당한다. 따라서 주어진 문장은 문장 ❺와 ❼ 사이에 오는 것이 자연스러우므로, ②가 가장 적절하다.

4 ④: Lua가 시선을 감지해서 조명을 비춘다는 것에 대한 언급은 없다.
①은 문장 ❼에, ②는 문장 ❽에, ③은 문장 ❾에, ⑤는 문장 ⑪에 언급되어 있다.

❻ Then, Lua shows [how your plant is feeling] on its screen.
→ [ ]는 「의문사 + 주어 + 동사」의 간접의문문으로, shows의 목적어 역할을 하고 있다.

❾ But **if** you **water** your plant and **let** *it stay* in the sun for some time, you will see a happy face.
→ 조건을 나타내는 if절(만약 ~한다면)에서는 미래를 나타낼 때도 현재 시제(water, let)를 쓴다.
→ 「let + 목적어 + 동사원형」은 '~가 …하도록 두다'라는 의미로, 이 문장에서는 '그것(=your plant)을 얼마 동안 햇빛에 있도록 둔다'라고 해석한다.

⑪ It sometimes falls asleep, but **when** you **come** near, it will wake up and look at you.
→ 시간을 나타내는 when절(~할 때)에서는 미래를 나타낼 때도 현재 시제(come)를 쓴다.

UNIT 03

3

본문 해석

① 먼 옛날에, 욕심 많은 거인들이 있었다. ② 그들은 동물들과 함께 살고 있었지만, 동물들에 대해 신경 쓰지 않았다. ③ 그들은 모든 물을 마시고 그들이 본 모든 견과류와 과일을 먹어버렸다. ④ 결국, 굶주린 동물들은 Coyote 신에게 거인들을 벌해줄 것을 부탁했다. ⑤ 며칠 후, Coyote는 큰 잔치를 열었고 모든 동물들과 거인들을 초대했다. ⑥ 거인들은 도착하자마자, 돼지처럼 먹기 시작했다. ⑦ 그 순간, Coyote가 마법의 주문을 사용했다. ⑧ 갑자기, 모든 거인이 돌로 변했다! ⑨ 그날 이후로, 그들은 주문에 걸린 채 그곳에 서 있어 왔다.

⑩ 이것은 미국의 국립공원인 브라이스 캐니언의 전설이다. ⑪ 그 전설은 사람처럼 서 있는 공원의 거대한 돌기둥들에 관한 것이다. ⑫ 만약 공원을 방문한다면, 그 거인들을 직접 볼 수 있다!

---

① A long time ago, / there were greedy giants. / ② They were living /
먼 옛날에 　　　　　욕심 많은 거인들이 있었다 　　　　　그들은 살고 있었다

with animals, / but they didn't care about ⓐ them. / ③ They drank all the
동물들과 함께 　　하지만 그들은 그것들(동물들)에 대해 신경 쓰지 않았다 　그들은 모든 물을

water / and took every nut and fruit / ⓑ they saw. / ④ Eventually, / the
마셔버렸다 　그리고 모든 견과류와 과일을 먹어버렸다 　그들이 본 　　결국 　　

hungry animals asked / the god Coyote / to punish ⓒ the giants. / ⑤ A
굶주린 동물들은 부탁했다 　　Coyote 신에게 　　　그 거인들을 벌할 것을 　　

few days later, / Coyote held a great feast / and invited all the animals
며칠 후 　　　　Coyote는 큰 잔치를 열었다 　　　그리고 모든 동물들과 거인들을

and the giants. / ⑥ As soon as the giants arrived, / ⓓ they started to eat /
초대했다 　　　　　거인들이 도착하자마자 　　　　그들은 먹기 시작했다

like pigs. / ⑦ At that moment, / Coyote used a magical spell. / ⑧ Suddenly, /
돼지처럼 　그 순간 　　　　Coyote가 마법의 주문을 사용했다 　　갑자기

every giant turned into stone! / ⑨ Since that day, / ⓔ they have stood
모든 거인이 돌로 변했다 　　　　그날 이후로 　　　그들은 그곳에 서 있어

there / under the spell. /
왔다 　주문에 걸린 채

⑩ This is the legend / of Bryce Canyon, / a national park in the U.S. /
이것은 전설이다 　　브라이스 캐니언의 　　미국의 국립공원인

⑪ The legend is / about the park's huge stone pillars / that stand like
그 전설은 ~이다 　　그 공원의 거대한 돌기둥들에 관한 것 　　사람처럼 서 있는

humans. / ⑫ If you visit the park, / you can see the giants / yourself! /
　　　　만약 당신이 그 공원을 방문한다면 　당신은 그 거인들을 볼 수 있다 　직접

구문 해설

② were living은 「be동사의 과거형 + v-ing」의 과거진행 시제이다. 과거진행 시제는 '~하고 있었다, ~하는 중이었다'라고 해석한다.

③ They drank all the water and took every nut and fruit [(that) they saw].
→ [ ]는 앞에 온 선행사 every nut and fruit를 수식하는 목적격 관계대명사절로, 목적격 관계대명사 that이 생략되어 있다.

④ Eventually, the hungry animals **asked the god Coyote to punish** the giants.
→ 「ask + 목적어 + to-v」는 '~에게 …할 것을 부탁하다[요청하다]'라는 의미이다.
　　cf. 「ask + 간접목적어 + 직접목적어」: ~에게 …을 묻다
　　ex. I **asked my friend the correct answer** to the question. (나는 친구에게 그 문제에 대한 정확한 답을 물었다.)

⑥ As soon as는 부사절을 이끄는 접속사로, '~하자마자'라는 의미이다.

1 이 글의 빈칸에 들어갈 말로 가장 적절한 것은?

① shy 수줍음이 많은   ② old 나이 든   ✓③ greedy 욕심 많은

④ lonely 외로운   ⑤ jealous 질투하는

2 이 글에 따르면, Coyote 신이 거인들에게 한 행동은?

① 신비한 돌을 건넸다.   ② 음식을 가져오게 했다.

✓③ 성대한 잔치에 초대했다.   ④ 인간으로 만들어 주었다.

⑤ 다른 동물들을 소개했다.

3 이 글의 밑줄 친 ⓐ~ⓔ 중, 가리키는 대상이 나머지 넷과 다른 것은?

✓① ⓐ   ② ⓑ   ③ ⓒ   ④ ⓓ   ⑤ ⓔ

4 이 글에서 설명하는 전설의 내용과 가장 잘 어울리는 속담은?

① 시장이 반찬이다.   ✓② 뿌린 대로 거둔다.

③ 소 잃고 외양간 고친다.   ④ 빈 수레가 요란하다.

⑤ 가재는 게 편이다.

5 이 글의 내용으로 보아, 빈칸 (A)와 (B)에 들어갈 말로 가장 적절한 것은?

> According to the legend of Bryce Canyon, hungry animals asked the god Coyote
> to _____ (A) _____ the giants. So, Coyote changed them into _____ (B) _____ .

브라이스 캐니언의 전설에 따르면, 굶주린 동물들은 Coyote 신에게 거인들을 (A) 벌하기를 부탁했다.
그래서, Coyote는 그들을 (B) 돌로 바꾸어버렸다.

	(A)		(B)	
①	invite	……	water	초대하다 … 물
②	invite	……	humans	초대하다 … 인간들
③	visit	……	food	방문하다 … 음식
④	punish	……	animals	벌하다 … 동물들
✓⑤	punish	……	stone	벌하다 … 돌

정답   1 ③   2 ③   3 ①   4 ②   5 ⑤

문제 해설

1 빈칸 뒤에서 거인들이 함께 살고 있는 동물들에 대해 신경 쓰지 않고 물을 다 마시고 견과류와 과일도 모두 먹었다고 했다. 따라서 빈칸에는 ③ '욕심 많은'이 가장 적절하다.

2 ③: 문장 ❻에 언급되어 있다.
①, ⑤: 신비한 돌을 건네거나 다른 동물들을 소개하는 행동에 대한 언급은 없다.
②, ④: 문장 ❻-❽에서 거인들이 잔치에 초대받아 음식을 먹기 시작했을 때 Coyote 신이 주문을 걸어 그들을 전부 돌로 만들었다고 했다.

3 ⓐ는 동물들을 가리키고, 나머지는 모두 거인들을 가리킨다.

4 브라이스 캐니언의 전설에 따르면, 함께 살고 있는 동물들을 신경 쓰지 않고 욕심을 부린 대가로 거인들이 결국 Coyote 신에게 벌을 받아 돌이 되어 버렸다고 했으므로, 속담으로 ②가 가장 잘 어울린다.

5 문제 해석 참고

---

❾ **Since** that day, they *have stood* there under the spell.
→ 전치사 since는 '~ 이후로'라는 의미이다.
→ have stood는 현재완료 시제(have p.p.)로, 이 문장에서는 과거에 시작된 일이 현재까지 이어지는 [계속]을 나타낸다. 거인들이 주문에 걸린 그날 이후로 계속해서 그곳에 서 있어 왔다는 의미이다.

❿ Bryce Canyon과 a national park in the U.S.는 콤마로 연결된 동격 관계이다.

⓫ The legend is about the park's huge stone pillars [that stand like humans].
→ [ ]는 앞에 온 선행사 the park's huge stone pillars를 수식하는 주격 관계대명사절이다.

⓬ 문장의 주어(you)를 강조하기 위해 재귀대명사 yourself가 쓰였다. 이때의 재귀대명사는 '직접, 자신이'라고 해석하며, 생략할 수 있다.

본문 해석

❶ "쿵, 쿵, 쿵!" ❷ 당신은 힙합의 묵직한 베이스 소리를 듣는다. ❸ 하지만 당신은 발레리나들이 그 음악에 맞춰 춤추고 있는 것을 본다! ❹ 그들은 새로운 춤 장르인 '힙레'를 하고 있다. ❺ 무용수들은 발레 동작과 자세를 활용한다. ❻ 그와 동시에, 그들은 최신 인기곡들에 맞춰 몸을 튕기고, 다리를 떨고, 팔을 흔든다.

❼ 힙레는 Homer Bryant에 의해 만들어졌다. ❽ 그는 고전 발레와 힙합 춤을 결합했다. ❾ 이 두 가지 춤의 형태는 매우 다르다. ❿ 발레는 계획된 동작과 정확한 자세를 활용한다. ⓫ 반면에, 힙합은 자유로운 형태이다. ⓬ 그리고 이것이 힙레를 흥미롭게 만든다. ⓭ 힙레 발레리나들은 발레의 기술을 활용하면서, 힙합 동작들로 자유롭게 움직이고 스스로를 표현하기도 한다. ⓮ 그것은 양쪽의 완벽한 조합이다!

⓯ 힙레는 이제 이전에 고전 발레에는 관심이 없던 사람들의 마음을 끈다. ⓰ 그들은 "힙레는 다르다. ⓱ 그것은 새롭고 눈길을 끈다."라고 말한다.

❶ "Boom, boom, boom!" / ❷ You hear the heavy bass / of hip-hop.
쿵, 쿵, 쿵   당신은 묵직한 베이스 소리를 듣는다 힙합의
❸ But you see / ballerinas / dancing / to the music! / ❹ They are doing
하지만 당신은 본다 발레리나들이 춤추고 있는 것을 그 음악에 맞춰 그들은 'hiplet(힙레)'를
"hiplet," / a new dance genre. / ❺ Dancers use / ballet motions and
하고 있다 새로운 춤 장르인 무용수들은 활용한다 발레 동작과 자세를
postures. / ❻ At the same time, / they bounce their bodies, / shake their
그와 동시에 그들은 그들의 몸을 튕긴다 그들의 다리를 떤다
legs, / and wave their arms / to current popular songs. /
그리고 그들의 팔을 흔든다 최신 인기곡들에 맞춰
❼ Hiplet was created / by Homer Bryant. / ❽ He combined / classical
힙레는 만들어졌다 Homer Bryant에 의해 그는 결합했다 고전 발레와
ballet and hip-hop dance. / ❾ These two dance forms / are very different. /
힙합 춤을 이 두 가지 춤의 형태는 매우 다르다
❿ Ballet uses / planned movements and precise postures. / ⓫ On the
발레는 활용한다 계획된 동작들과 정확한 자세들을 반면에
other hand, / hip-hop is free-form. / ⓬ And this is / what makes hiplet
힙합은 자유로운 형태이다 그리고 이것이 ~이다 힙레를 흥미롭게
interesting. / ⓭ Hiplet ballerinas use the techniques of ballet, / and they
만드는 것 힙레 발레리나들은 발레의 기술을 활용한다 그리고 그들은
also move and express themselves / freely / with hip-hop motions. / ⓮ It
움직이고 그들 자신을 표현하기도 한다 자유롭게 힙합 동작들로 그것은
is the perfect mix of both! /
양쪽의 완벽한 조합이다
⓯ Hiplet now attracts people / who were not interested in classical
힙레는 이제 사람들의 마음을 끈다 고전 발레에는 관심이 없던
ballet / before. / ⓰ They say, / "Hiplet is different. / ⓱ It's new and
이전에 그들은 말한다 힙레는 다르다 그것은 새롭고
eye-catching." /
눈길을 끈다

구문 해설

❸ But you **see ballerinas dancing** to the music!
→ 「see + 목적어 + 현재분사」는 '~가 …하고 있는 것을 보다'라는 의미이다. 진행의 의미를 강조하기 위해 동사원형 대신 현재분사가 쓰였다.

❹ They **are doing** "hiplet," a new dance genre.
→ 「be동사의 현재형 + v-ing」는 현재진행 시제로, '~하고 있다, ~하는 중이다'라고 해석한다.
→ "hiplet"와 a new dance genre는 콤마로 연결된 동격 관계이다.

❻ At the same time, they **bounce** their bodies, **shake** their legs, **and wave** their arms to current popular songs.
→ 현재 시제 복수동사 bounce, shake, wave가 접속사 and로 연결되어 쓰였다. 이때 세 가지 이상의 단어가 나열되었으므로 「A, B, and[or] C」로 나타냈다.

1 이 글의 제목으로 가장 적절한 것은?

① Hiplet: Another Form of Music 힙레: 음악의 또 다른 형태
② A Unique Mix of Two Dance Genres 두 가지 춤 장르의 독특한 조합 ✓
③ Homer Bryant: The Best Ballet Dancer Homer Bryant: 최고의 발레 무용수
④ The Differences Between Ballet and Hip-hop 발레와 힙합 간의 차이점들
⑤ Which Type of Music Is Popular among People?
어떤 종류의 음악이 사람들 사이에서 인기가 있는가?

2 이 글의 빈칸에 들어갈 말로 가장 적절한 것은?

① different 다른 ✓ ② simple 단순한 ③ traditional 전통적인
④ peaceful 평화로운 ⑤ formal 격식을 차린

3 힙레에 관한 이 글의 내용과 일치하면 T, 그렇지 않으면 F를 쓰시오.

(1) 무용수들은 최신 음악에 맞춰 팔과 다리를 흔들고 떠는 동작을 한다. _____ T
(2) 자유로운 표현을 위해 발레 동작 대신 힙합 동작으로만 춤을 춘다. _____ F

4 이 글의 내용으로 보아, 다음 빈칸에 공통으로 들어갈 말을 글에서 찾아 쓰시오.

Hiplet is a new kind of dance that combines hip-hop with _____classical_____
_____ballet_____. It is even attractive to people who previously had no
interest in _____classical_____ _____ballet_____.

힙레는 힙합과 고전 발레를 결합한 새로운 종류의 춤이다. 그것은 이전에 고전 발레에는 관심이 없던 사람들에게조차 매력적
이다.

정답 1 ② 2 ① 3 (1) T (2) F 4 classical ballet

문제 해설

1 고전 발레와 힙합을 결합한 새로운 춤 장르인 힙레를 소개하는 글이므로, 제목으로 ② '두 가지 춤 장르의 독특한 조합'이 가장 적절하다.

2 빈칸 뒤에서 발레는 계획된 동작과 정확한 자세를 취하는 반면, 힙합은 자유로운 형태라고 대조하여 묘사했다. 따라서 빈칸에는 ① '다른'이 가장 적절하다.

3 (1) 문장 ❻에서 무용수들이 최신 인기곡들에 맞춰 몸을 튕기고, 다리를 떨고, 팔을 흔든다고 했다.
(2) 문장 ❸에서 힙레 발레리나들은 발레의 기술을 활용하면서도 힙합 동작들로 자유롭게 움직이고 스스로를 표현한다고 했다.

4 문제 해석 참고

---

❷ And this is [**what** *makes hiplet interesting*].

→ [ ]는 is의 보어 역할을 하는 관계대명사절이다. 관계대명사 what은 선행사를 포함하고 있으며, '~하는 것'이라는 의미이다. 이때 what은 the thing(s) which[that]로 바꿔 쓸 수도 있다. = And this is **the thing which** makes hiplet interesting.
→ 「make + 목적어 + 형용사」는 '~을 …하게 만들다'라는 의미이다.

❸ 동사 express의 목적어가 주어(they)와 같은 대상이므로 재귀대명사 themselves가 쓰였다. 이때의 재귀대명사는 '자신[스스로]을'이라고 해석하며, 생략할 수 없다.

❺ Hiplet now attracts people [who **were** not **interested in** classical ballet before].

→ [ ]는 앞에 온 선행사 people을 수식하는 주격 관계대명사절이다.
→ be interested in은 '~에 관심이 있다'라는 의미의 수동태 표현이다.

본문 해석

❶ <오즈의 마법사>에서, 회오리바람은 도로시의 집을 들어 올려 그것을 먼치킨 나라라는 이름의 낯선 곳으로 데려간다. ❷ 그곳에서, 도로시는 먼치킨들을 만난다. ❸ 그들은 훌륭한 농부들이지만, 다른 사람들보다 훨씬 더 작다.

❹ 그 이후로, 사람들은 무언가 작은 것을 볼 때, 그것을 '먼치킨'이라고 부른다. ❺ 예를 들어, 아주 짧은 다리를 가진 고양이들은 먼치킨이라고 불린다. ❻ 그것은 가끔 아이들에 대한 별명으로도 쓰인다. ❼ 하지만, 가장 유명한 먼치킨은 아마 도넛일 것이다. ❽ 도넛을 만들기 위해서는, 반죽의 중앙에 구멍이 만들어진다. ❾ 그 구멍에서 나온 여분의 반죽을 버리는 것 대신, 누군가 그것을 사용하기로 결심했다. (❿ 도넛은 일반적으로 둥글지만, 몇몇은 다른 모양을 가질 수도 있다.) ⓫ 여분의 반죽은 결국 작은 디저트 볼이 되었고 먼치킨이라고 이름 지어졌다.

❶ In *The Wonderful Wizard of Oz,* / a tornado picks up Dorothy's
<오즈의 마법사>에서   회오리바람은 도로시의 집을 들어 올린다
house / and takes it / to a strange place / named Munchkin Country. /
그리고 그것을 데려간다   낯선 곳으로   먼치킨 나라라는 이름의
❷ There, / Dorothy meets the Munchkins. / ❸ They are excellent
그곳에서   도로시는 먼치킨들을 만난다   그들은 훌륭한 농부들이다
farmers, / but they are much smaller / than other people. /
            하지만 그들은 훨씬 더 작다   다른 사람들보다
❹ Since then, / when people see something small, / they call it /
그 이후로   사람들은 무언가 작은 것을 볼 때   그들은 그것을 부른다
a "munchkin." / ❺ For example, / cats / that have very short legs /
'먼치킨'이라고   예를 들어   고양이들은 아주 짧은 다리를 가진
are called munchkins. / ❻ It is also sometimes used / as a nickname
먼치킨이라고 불린다   그것은 또한 가끔 쓰인다   아이들에 대한 별명으로
for kids. / ❼ However, / the most famous munchkin / is probably a
            하지만   가장 유명한 먼치킨은   아마 도넛일 것이다
donut. / ❽ To make a donut, / a hole is made / in the center of some
도넛을 만들기 위해서는   구멍이 만들어진다   반죽의 중앙에
dough. / ❾ Instead of / throwing away / the extra dough from the hole, /
          ~ 대신에   버리는 것   그 구멍에서 나온 여분의 반죽을
someone decided to use it. / (d) (❿ Donuts are typically round, / but
누군가 그것을 사용하기로 결심했다   도넛들은 일반적으로 둥글다   하지만
some may have other shapes. /) ⓫ This eventually became a tiny dessert
몇몇은 다른 모양을 가질 수도 있다   이것(여분의 반죽)은 결국 작은 디저트 볼이 되었다
ball / and was named the Munchkin. /
      그리고 먼치킨이라고 이름 지어졌다

구문 해설

❶ ~, a tornado **picks up** Dorothy's house and **takes** it to a strange place [*named* Munchkin Country].
→ 현재 시제 단수동사(구) picks up과 takes가 접속사 and로 연결되어 쓰였다.
→ [ ]는 앞에 온 a strange place를 수식하는 과거분사구이다. 이때 named는 '~이라는 이름의'라고 해석한다.

❸ 부사 much는 '훨씬'이라는 의미로 비교급을 강조할 수 있다. 이 문장에서는 형용사의 비교급 smaller를 강조하고 있다.
cf. 비교급 강조 부사: much, even, still, far, a lot   *ex.* Amy is **a lot** younger than her sister. (Amy는 그녀의 언니보다 훨씬 더 어리다.)

❹ Since then, when people see **something small**, they *call it a "munchkin."*
→ something과 같이 -thing으로 끝나는 대명사는 형용사가 뒤에서 수식한다.
→ 「call A B」는 'A를 B라고 부르다'라는 의미이다.

❺ For example, cats [that have very short legs] are called munchkins.
→ [ ]는 앞에 온 선행사 cats를 수식하는 주격 관계대명사절이다.

1 이 글의 제목으로 가장 적절한 것은?

① The Smaller, the Better 더 작을수록, 더 좋다
② A Great Idea to Bake a Donut 도넛을 굽기 위한 좋은 아이디어
③ The Origin of a Famous Novel 한 유명한 소설의 시초
④ The Smallest People in the World 세계에서 가장 작은 사람들
✓⑤ Munchkin: A Name for Small Things 먼치킨: 작은 것들을 위한 이름

2 이 글의 빈칸에 들어갈 말로 가장 적절한 것은?

① However 하지만   ② In short 요컨대   ③ Finally 마침내
✓④ For example 예를 들어   ⑤ On the other hand 반면에

3 이 글의 (a)~(e) 중, 전체 흐름과 관계없는 문장은?

① (a)   ② (b)   ③ (c)   ✓④ (d)   ⑤ (e)

4 이 글의 내용으로 보아, 다음 빈칸에 들어갈 말을 보기에서 골라 쓰시오.

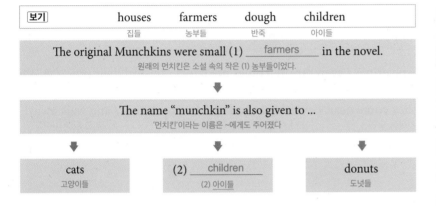

보기	houses	farmers	dough	children
	집들	농부들	반죽	아이들

The original Munchkins were small (1) __farmers__ in the novel.
원래의 먼치킨은 소설 속의 작은 (1) 농부들이었다.

⬇

The name "munchkin" is also given to ...
'먼치킨'이라는 이름은 ~에게도 주어졌다

⬇   ⬇   ⬇

cats	(2) __children__	donuts
고양이들	(2) 아이들	도넛들

정답 1 ⑤   2 ④   3 ④   4 (1) farmers (2) children

---

❼ However, **the most famous** munchkin is probably a donut.
→ 「the + 형용사/부사의 최상급」은 '가장 ~한/하게'라는 의미이다. 여기서는 형용사 famous의 최상급인 most famous가 쓰였다.

❽ To make a donut은 '도넛을 만들기 위해서는'이라는 의미로, [목적]을 나타내는 to부정사의 부사적 용법으로 쓰였다.

❾ Instead of [**throwing away** the extra dough from the hole], someone *decided to use* it.
→ [ ]는 전치사 instead of(~ 대신에)의 목적어 역할을 하는 동명사구이다.
→ 「decide + to-v」는 '~하기로 결심하다, 결정하다'라는 의미이다. decide는 목적어로 to부정사를 쓴다.

❿ 조동사 may는 '~할 수도 있다, ~할지도 모른다'라는 의미로, 약한 추측을 나타낸다.
cf. may: ~해도 된다 [허가]   *ex.* You **may** play a game now. (너는 이제 게임을 해도 된다.)

문제 해설

1 먼치킨이라는 용어는 <오즈의 마법사>의 키 작은 농부들 '먼치킨'에서 유래하여, 이후 작은 것들을 가리키게 되었다고 설명하는 글이므로, 제목으로 ⑤ '먼치킨: 작은 것들을 위한 이름'이 가장 적절하다.

2 빈칸 앞에서 사람들이 무언가 작은 것을 '먼치킨'이라고 부른다고 했고, 빈칸이 있는 문장에서 아주 짧은 다리를 가진 고양이들이 먼치킨이라고 불린다고 예를 들었다. 따라서 빈칸에는 ④ '예를 들어'가 가장 적절하다.

3 도넛을 만들 때 버려지는 여분의 반죽으로 도넛을 만들었고, 이것이 먼치킨이라고 불리게 되었다는 내용 중에, '도넛은 일반적으로 둥글지만, 몇몇은 다른 모양을 가질 수도 있다'라는 내용의 (d)는 전체 흐름과 관계없다.

4 문제 해석 참고

본문 해석

❶ 울버린은 슈퍼히어로 영화인 <엑스맨>에 나오는 인기 있는 캐릭터이다. ❷ 그의 날카로운 발톱은 어떤 것이든 자를 만큼 충분히 강한 훌륭한 무기이다. ❸ 하지만 당신은 그 캐릭터가 실제 동물을 바탕으로 한 것을 알고 있었는가? ❹ 그것 또한 울버린이라고 불린다!

❺ 울버린은 작은 곰처럼 보인다. ❻ 그것들은 길이가 70센티미터밖에 되지 않지만, 크기에 비해 매우 강하다. ❼ 캐릭터 울버린처럼, 그것들은 사냥하기 위해 강력한 발톱을 사용한다. ❽ 그것들은 종종 순록과 양과 같은 큰 동물들을 공격하고 죽인다. ❾ 그것들의 이빨과 턱 또한 매우 강해서 뼈도 부술 수 있다. ❿ 사나운 울버린은 심지어 다른 포식 동물들의 먹이를 빼앗기 위해 그것들을 위협하기도 한다. ⓫ 그것들이 가까이 오면, 곰과 늑대조차 먹기를 멈추고 떠나 버린다!

❶ Wolverine is a popular character / from the *X-Men* superhero
울버린은 인기 있는 캐릭터이다   슈퍼히어로 영화인 <엑스맨>에 나오는

movies. / ❷ His sharp claws are great weapons / that are strong enough /
그의 날카로운 발톱은 훌륭한 무기이다   충분히 강한

to cut anything. / ❸ But did you know / the character is based on / a real
어떤 것이든 자를 만큼   하지만 당신은 알고 있었는가   그 캐릭터가 ~을 바탕으로 한 것을

animal? / ❹ It's called a wolverine, / too! /
실제 동물   그것은 울버린이라고 불린다   또한

❺ Wolverines look like little bears. / ❻ They are only 70 centimeters
울버린은 작은 곰처럼 보인다   그것들은 70센티미터 길이밖에 되지 않는다

long, / but they are extremely strong / for their size. / ❼ Like the character
하지만 그것들은 매우 강하다   그것들의 크기에 비해   캐릭터 울버린처럼

Wolverine, / they use their powerful claws / to hunt. / ❽ They often attack
그것들은 그것들의 강력한 발톱을 사용한다   사냥하기 위해   그것들은 종종 공격하고

and kill / large animals, / such as reindeer and sheep. / ❾ Their teeth
죽인다   큰 동물들을   순록과 양과 같은   그것들의 이빨과

and jaws are also so strong / that they can crush bones. / ❿ Fierce
턱 또한 매우 강해서   그것들은 뼈를 부술 수 있다   사나운

wolverines / even threaten other predators / to steal their prey. / ⓫ When
울버린은   심지어 다른 포식 동물들을 위협한다   그것들의 먹이를 빼앗기 위해   그것들이

they come near, / even bears and wolves stop eating / and walk away! /
가까이 오면   곰과 늑대들조차 먹기를 멈춘다   그리고 떠나 버린다

구문 해설

❷ His sharp claws are great weapons [that are **strong enough to cut** anything].
→ [ ]는 앞에 온 선행사 great weapons를 수식하는 주격 관계대명사절이다.
→ 「형용사/부사 + enough + to-v」는 '~할 만큼 충분히 …한/하게'라는 의미이다. 이 문장에서는 '자를 만큼 충분히 강한'이라고 해석한다.
  = 「so + 형용사/부사 + that + 주어 + can + 동사원형」 *ex.* His sharp claws are **so strong that they can cut** anything.
→ 긍정문에서 any가 사용될 경우 '어떠한 ~이든, 어떠한 ~이라도'라고 해석한다. 이 문장의 anything은 '어떤 것이든'이라고 해석한다.

❸ But did you know [(that) the character **is based on** a real animal]?
→ [ ]는 know의 목적어 역할을 하는 명사절로, 명사절 접속사 that이 생략되어 있다.
→ be based on은 '~을 바탕으로 하다'라는 의미의 수동태 표현이다.

❺ 「look like + 명사」는 '~처럼 보이다'라는 의미이다.   *cf.* 「look + 형용사」: ~하게 보이다

❻ for their size에서 전치사 for는 '~에 비해'라는 의미로, 비교를 나타낸다. 여기서는 '그것들(=Wolverines)의 크기에 비해'라고 해석한다.

1 이 글의 제목으로 가장 적절한 것은?

① Stop Hunting Wild Wolverines 야생 울버린을 사냥하는 것을 멈춰라
② Animals Named after Superheroes 슈퍼히어로들의 이름을 딴 동물들
③ Movie Characters Based on Predators 포식 동물들을 바탕으로 한 영화 캐릭터들
④ How Wolverines Are Different from Bears 울버린은 곰과 어떻게 다른가
⑤ Wolverines: A Strong and Dangerous Animal 울버린: 강하고 위험한 동물

2 다음 질문에 대한 답이 되도록 빈칸에 들어갈 말을 글에서 찾아 쓰시오.

> Q. What does a real wolverine and the character Wolverine have in common?
> 실제 울버린과 캐릭터 울버린의 공통점은 무엇인가?

A. They both use their powerful _____claws_____ . 그들 모두 강력한 발톱을 사용한다.

3 울버린에 관한 이 글의 내용과 일치하지 <u>않는</u> 것은?

① 곰과 비슷하게 생겼다.
② 종종 순록이나 양을 사냥한다.
③ 뼈를 부술 정도로 강력한 이빨과 턱을 가지고 있다.
④ 다른 동물들의 먹이를 빼앗기도 한다.
⑤ 곰과 늑대를 마주치면 도망간다.

4 이 글의 내용으로 보아, 괄호 안에서 알맞은 말을 골라 표시하시오.

> Wolverines are (1) (small / big) animals that are very powerful and fierce. They hunt much (2) (faster / larger) animals and are even avoided by other predators.

울버린은 매우 강력하고 사나운 (1) 작은 동물이다. 그것들은 훨씬 (2) 더 큰 동물들을 사냥하고 심지어 다른 포식 동물들에게 기피되기도 한다.

정답 **1** ⑤ **2** claws **3** ⑤ **4** (1) small (2) larger

---

1 자신보다 큰 동물들을 사냥하고, 포식 동물들도 위협할 만큼 사납고 강한 울버린이라는 동물을 소개하는 글이므로, 제목으로 ⑤ '울버린: 강하고 위험한 동물'이 가장 적절하다.

2 문장 ❼에서 울버린이 영화 캐릭터 울버린처럼 강력한 발톱을 사용해서 사냥을 한다고 했다.

3 ⑤: 문장 ⓫에서 울버린이 가까이 오면 곰과 늑대가 떠나 버린다고 했다. ①은 문장 ❺에, ②는 문장 ❽에, ③은 문장 ❾에, ④는 문장 ❿에 언급되어 있다.

4 문제 해석 참고

---

❼ to hunt는 '사냥하기 위해'라는 의미로, [목적]을 나타내는 to부정사의 부사적 용법으로 쓰였다.

❽ such as는 '~과 같은'이라는 의미의 전치사이다.

❾ Their teeth and jaws are also **so strong that** they can crush bones.
  → 「so + 형용사/부사 + that절」은 '매우/너무 ~해서 …하다'라는 의미이다. 이 문장에서는 '그것들의 이빨과 턱은 매우 강해서 뼈도 부술 수 있다'라고 해석한다.

⓫ When they come near, even bears and wolves **stop** eating and *walk away*!
  → 「stop + v-ing」는 '~하는 것을 멈추다'라는 의미이다.
    cf. 「stop + to-v」: ~하기 위해 멈추다 *ex.* Jason **stopped to buy** some donuts. (Jason은 도넛을 사기 위해 멈췄다.)
  → 현재 시제 복수동사(구) stop과 walk away가 접속사 and로 연결되어 쓰였다.

본문 해석

민지: ❶ 주말 어떻게 보냈니, Rahul? ❷ 내 주말은 안 좋았어! ❸ 미세먼지 때문에 집에 있어야 했거든.

Rahul: ❹ 끔찍하지, 그렇지 않니? ❺ 대기 오염은 인도에서도 큰 문제야. ❻ 우리 동네에는 이제 산소를 판매하는 카페도 있어! ❼ 그곳은 Oxy Pure라고 불려.

민지: ❽ 어떻게 카페가 산소를 판매하니?

Rahul: ❾ 음, 그곳은 공기를 여과해서 99퍼센트의 순수한 산소를 만들어내는 기계들을 가지고 있어. ❿ 기계들은 또한 라벤더와 오렌지 같은 몇 가지 다른 향들을 더해주는 디퓨저에 연결되어 있지. ⓫ 손님들은 그 순수한 공기를 15분 동안 들이마실 수 있어. ⓬ 나는 4달러에서 7달러까지의 비용이 든다고 들었어.

민지: ⓭ 그거 흥미롭게 들린다! ⓮ 그 카페는 인기가 있니?

Rahul: ⓯ 물론이지. ⓰ 많은 사람들이 그곳을 방문해. ⓱ 그들은 상쾌하고 편안한 기분을 느낀다고 이야기해!

Minji: ❶ How was your weekend, / Rahul? / ❷ Mine was bad! / ❸ I had to
주말 어떻게 보냈니   Rahul   내 것(주말)은 안 좋았어   나는 집에

stay home / because of the fine dust. /
있어야 했거든   미세먼지 때문에

Rahul: (A) ❹ It's terrible, / isn't it? / ❺ Air pollution is a big problem / in
끔찍하지   그렇지 않니   대기 오염은 큰 문제야

India, / too. / ❻ There is even a café / that sells oxygen / in my town /
인도에서   또한   심지어 카페가 있어   산소를 판매하는   우리 동네에

now! / ❼ It is called / Oxy Pure. /
이제   그곳은 불려   Oxy Pure라고

Minji: (B) ❽ How does a café sell oxygen? /
어떻게 카페가 산소를 판매하니

Rahul: ❾ Well, / it has machines / that filter the air / and produce 99%
음   그곳은 기계들을 가지고 있어 공기를 여과하는   그리고 99퍼센트의 순수한

pure oxygen. / ❿ The machines are also connected / to a diffuser /
산소를 만들어 내는   그 기계들은 또한 연결되어 있지   디퓨저에

that adds a few different scents, / like lavender and orange. /
몇 가지 다른 향들을 더하는   라벤더와 오렌지 같은

⓫ Customers can breathe the pure air / for 15 minutes. / ⓬ I
손님들은 그 순수한 공기를 들이마실 수 있어   15분 동안   나는

heard / it costs four to seven dollars. /
들었어   그것이 4달러에서 7달러까지의 비용이 든다고

Minji: ⓭ That sounds interesting! / (C) ⓮ Is the café popular? /
그거 흥미롭게 들린다   그 카페는 인기가 있니

Rahul: ⓯ Sure. / ⓰ Many people visit there. / ⓱ They say / they feel
물론이지   많은 사람들이 그곳을 방문해   그들은 이야기해 그들이

refreshed and relaxed! /
상쾌하고 편안한 기분을 느낀다고

구문 해설

❷ Mine은 '나의 것'이라는 의미의 1인칭 소유대명사이다. 소유대명사는 「소유격 + 명사」를 대신하며, 이 문장에서 Mine은 my weekend를 대신하고 있다.

❸ I **had to** stay home *because of* the fine dust.
   → had to는 have to(~해야 한다)의 과거형으로, '~해야 했다'라고 해석한다. have/had to는 뒤에 동사원형을 쓴다.
   → because of는 '~ 때문에'라는 의미의 전치사로, 뒤에 명사가 온다.
      cf. 「접속사 because + 주어 + 동사」 *ex.* I woke up late **because I was sick**. (나는 아팠기 때문에 늦게 일어났다.)

❹ isn't it?은 상대방의 확인이나 동의를 받기 위해 문장 끝에 덧붙인 부가의문문으로, '그렇지 않니?'라고 해석한다.
   cf. 「부정문 + 긍정의 부가의문문」: ~, 그렇지? *ex.* Sam isn't a singer, **is he**? (Sam은 가수가 아냐, 그렇지?)

❻ There is even a café [that sells oxygen in my town] now!
   → [ ]는 앞에 온 선행사 a café를 수식하는 주격 관계대명사절이다.

1 이 대화문의 빈칸 (A)~(C)와 각각에 들어갈 말을 알맞게 연결하시오.

(A) •　　　　　• (1) How does a café sell oxygen? 어떻게 카페가 산소를 판매하니?
(B) •　　　　　• (2) It's terrible, isn't it? 끔찍하지, 그렇지 않니?
(C) •　　　　　• (3) Is the café popular? 그 카페는 인기가 있니?

2 다음 질문에 대한 답이 되도록 빈칸에 들어갈 말을 글에서 찾아 쓰시오.

> Q. What is mentioned as a common problem in Korea and India?
> 한국과 인도에서의 공통적인 문제로 무엇이 언급되고 있는가?

　A. Minji and Rahul both mention ____air____ ____pollution____ like fine dust. 민지와 Rahul 둘 다 미세먼지와 같은 대기 오염을 언급하고 있다.

3 이 대화문의 내용과 일치하면 T, 그렇지 않으면 F를 쓰시오.

(1) 민지는 미세먼지 때문에 주말에 집에 있어야 했다. ____T____
(2) Rahul은 민지에게 자신의 동네에 생긴 카페를 소개하고 있다. ____T____
(3) Oxy Pure는 깨끗한 산소를 무료로 제공한다. ____F____

4 다음 영영 풀이에 해당하는 단어를 글에서 찾아 쓰시오. (단, 주어진 철자로 시작하여 쓰시오.)

> to make or grow a large amount of something 어떤 것을 많이 만들거나 재배하다

____produce____ 만들어 내다, 생산하다

5 이 대화문의 내용으로 보아, 다음 빈칸에 들어갈 말을 보기에서 골라 쓰시오.

보기			
breathe	machines	sell	oxygen
들이마시다	기계들	판매하다	산소

At Oxy Pure, customers can ____breathe____ pure ____oxygen____ with different scents.

Oxy Pure에서, 손님들은 다양한 향의 순수한 산소를 들이마실 수 있다.

정답 1 (A)-(2), (B)-(1), (C)-(3)　2 air pollution　3 (1) T (2) T (3) F　4 produce
5 breathe, oxygen

문제 해설

1 (A) 미세먼지로 인해 좋지 않은 주말을 보냈다는 민지의 말에 대한 Rahul의 대답이 와야 하므로, 빈칸 (A)에는 (2) '끔찍하지, 그렇지 않니?'가 가장 적절하다.
(B) 빈칸 뒤에서 Rahul이 카페에 있는 기계가 공기를 여과하면 손님들이 비용을 내고 이 공기를 들이마신다고 답했으므로, 민지가 Rahul에게 카페에서 어떻게 산소를 판매하는지 물어봤음을 유추할 수 있다. 따라서, 빈칸 (B)에는 (1) '어떻게 카페가 산소를 판매하니?'가 가장 적절하다.
(C) 빈칸 뒤에서 Rahul이 많은 사람들이 그곳을 방문한다고 답했으므로, 민지가 Rahul에게 카페가 인기가 있는지 물어봤음을 유추할 수 있다. 따라서, 빈칸 (C)에는 (3) '그 카페는 인기가 있니?'가 가장 적절하다.

2 문장 ❸에서 민지는 미세먼지를 언급했고, 문장 ❺에서 Rahul은 대기 오염이 인도에서도 큰 문제라고 언급했다.

3 (1) 문장 ❷-❸에 언급되어 있다.
(2) 문장 ❻에 언급되어 있다.
(3) 문장 ⑫에서 비용이 4~7달러 든다고 했다.

4 '어떤 것을 많이 만들거나 재배하다'라는 뜻에 해당하는 단어는 produce (만들어 내다, 생산하다)이다.

5 문제 해석 참고

---

❿ The machines are also connected to a diffuser [that adds **a few** different scents, like lavender and orange].
　→ [ ]는 앞에 온 선행사 a diffuser를 수식하는 주격 관계대명사절이다.
　→ a few는 '몇 개의, 약간의, 조금 있는'이라는 의미로, 뒤에 오는 셀 수 있는 명사의 복수형(scents)을 수식한다.

⑫ I heard [(that) it costs four to seven dollars].
　→ [ ]는 heard의 목적어 역할을 하는 명사절로, 명사절 접속사 that이 생략되어 있다.

⑬ 「sound + 형용사」는 '~하게 들리다'라는 의미이다. *cf.* 「sound like + 명사」: ~처럼 들리다

⑰ They say [(that) they **feel refreshed** and **relaxed**]!
　→ [ ]는 say의 목적어 역할을 하는 명사절로, 명사절 접속사 that이 생략되어 있다.
　→ 「feel + 형용사」는 '~한 기분을 느끼다, ~하게 느끼다'라는 의미이다. 이 문장에서는 feel 뒤에 형용사 refreshed와 relaxed가 접속사 and로 연결되어 쓰였다.

본문 해석

❶ 병원은 유쾌한 곳이 아니다. ❷ 그곳은 칼과 주삿바늘 같은 무서운 의료 도구들로 가득 차 있다. ❸ 아이들에게 있어, 그 두려움은 더욱 크다. ❹ 불행하게도, 12살의 Ella는 정기적으로 병원에 가야 했다. ❺ 그녀는 희귀병을 앓고 있어 두 달마다 링거를 맞아야 했다. ❻ 다른 아이들처럼, 그녀는 링거 주머니와 의료 장비를 두려워했다. ❼ 그래서 Ella는 Medi Teddy를 만들었다. ❽ 그것은 뒤에 주머니가 있는 귀여운 테디 베어 인형으로, 링거 주머니를 완전히 가려준다. ❾ 이렇게 하면 그 주머니는 더는 무섭게 보이지 않는다.

❿ 지금까지, Ella와 그녀의 가족은 수천 개의 Medi Teddy를 아동 병원에 기부해왔다. ⓫ Ella의 작지만 훌륭한 발상이 병원을 더 친숙한 곳으로 만들었다.

❶ Hospitals are not pleasant places. / ❷ They are filled with /
병원은 유쾌한 곳이 아니다 　　　　　　그곳은 ~으로 가득 차 있다

frightening medical tools / like knives and needles. / ❸ For kids, / the fear
무서운 의료 도구들 　　　　　 칼과 주삿바늘 같은 　　　 아이들에게 있어 그 두려움은

is bigger. / ❹ Unfortunately, / 12-year-old Ella / had to go to the hospital /
더욱 크다 　　　 불행하게도 　　　 12살의 Ella는 　　　 병원에 가야 했다

regularly. / ❺ She had a rare disease / and needed to get an IV / every
정기적으로 　　　 그녀는 희귀병을 갖고 있었다 　　　 그리고 링거를 맞아야 했다

two months. / ❻ Like other children, / she was afraid of / the IV bags
두 달마다 　　　　 다른 아이들처럼 　　　 그녀는 ~을 두려워했다 　 링거 주머니와

and medical equipment. / (❺ ❼ So / Ella created the Medi Teddy. /) ❽ It
의료 장비 　　　　　　　　　 그래서 Ella는 Medi Teddy를 만들었다 　　　 그것은

is a cute teddy bear / with a pouch in the back, / and it fully covers up
귀여운 테디 베어 인형이다 　 뒤에 주머니가 있는 　　　　 그리고 그것은 링거 주머니를

the IV bag. / ❾ The bag doesn't look scary / anymore / this way. /
완전히 가려준다 　　 그 주머니는 무섭게 보이지 않는다 　 더는 　　 이렇게 하면

❿ So far, / Ella and her family have donated / thousands of Medi
지금까지 　 Ella와 그녀의 가족은 기부해왔다 　　　　 수천 개의 Medi Teddy들을

Teddys / to children's hospitals. / ⓫ Ella's small but great idea / has made /
아동 병원들에 　　　　　　　 Ella의 작지만 훌륭한 발상이 　　　 만들었다

hospitals / friendlier places. /
병원을 　　 더 친숙한 곳으로

구문 해설

❷ be filled with는 '~으로 가득 차다, 채워지다'라는 의미의 수동태 표현이다.

❹ had to는 have to(~해야 한다)의 과거형으로, '~해야 했다'라고 해석한다.

❺ She had a rare disease and **needed to get** an IV *every two months*.
→ 「need + to-v」는 '~해야 한다'라는 의미이다. need는 목적어로 to부정사를 쓴다.
cf. don't need to/need not: ~할 필요가 없다.
ex. I **don't need to** buy a new bicycle. = I **need not** buy a new bicycle. (나는 새 자전거를 살 필요가 없다.)
→ 「every + 숫자 + 복수명사」는 '~마다, 매 ~'라는 의미로, 이 문장에서는 every 뒤에 two months가 함께 쓰여 '두 달마다'라고 해석한다.
cf. 「every + 서수(first, second, third, …) + 단수명사」 *ex.* I go to the park **every second week**. (나는 2주마다 공원에 간다.)

❾ 「look + 형용사」는 '~하게 보이다'라는 의미이다. *cf.* 「look like + 명사」: ~처럼 보이다

1 이 글의 제목으로 가장 적절한 것은?

① A Special Hospital for Children 아이들을 위한 특별한 병원
② An Effort to Cure a Rare Disease 희귀병을 치료하기 위한 노력
③ A Girl's Small Idea to Help Children 아이들을 돕기 위한 한 소녀의 작은 발상
④ A Doll Donated for Medical Research 의료 연구를 위해 기부된 인형
⑤ A Girl Who Recovered from an Illness 병에서 회복한 소녀

2 이 글의 내용과 일치하면 T, 그렇지 않으면 F를 쓰시오.

(1) Ella는 희귀병에 걸려 정기적으로 병원에 가야 했다.   T
(2) 수천 개의 Medi Teddy가 아동 병원에 판매되었다.   F

3 이 글의 흐름으로 보아, 다음 문장이 들어가기에 가장 적절한 곳은?

> So Ella created the Medi Teddy. 그래서 Ella는 Medi Teddy를 만들었다.

①   ②   ③   ④   ⑤

4 이 글의 빈칸에 들어갈 말로 가장 적절한 것은?

① normal 평범한   ② scary 무서운   ③ dirty 더러운
④ empty 비어 있는   ⑤ small 작은

5 이 글에 따르면, Medi Teddy가 하는 역할은?

① 병원 내부를 꾸며준다.
② 링거 주머니를 가린다.
③ 의료 장비의 작동 상태를 알려준다.
④ 환자들에게 정기 검진 날짜를 안내한다.
⑤ 병원의 기금 마련 행사를 홍보한다.

정답   1 ③   2 (1) T (2) F   3 ⑤   4 ②   5 ②

문제 해설

1 12살의 Ella가 Medi Teddy를 만들어 아이들이 병원을 무서워하지 않도록 도왔다는 것을 설명하는 글이므로, 제목으로 ③ '아이들을 돕기 위한 한 소녀의 작은 발상'이 가장 적절하다.

2 (1) 문장 ④-⑤에 언급되어 있다.
(2) 문장 ⑩에서 Ella가 가족과 함께 아동 병원에 수천 개의 Medi Teddy를 기부해왔다고 했다.

3 주어진 문장의 Medi Teddy는 문장 ⑧의 It이 가리키는 대상으로, 문장 ⑧은 그것(= Medi Teddy)이 뒤에 주머니가 달린 귀여운 테디 베어 인형이라며 Medi Teddy에 대한 보충 설명을 하고 있다. 따라서 주어진 문장은 문장 ⑧ 앞에 오는 것이 자연스러우므로, ⑤가 가장 적절하다.

4 빈칸 앞 문장 ⑥-⑧에서 Ella가 링거 주머니를 두려워했다고 했고, 그래서 귀여운 테디 베어 인형으로 링거 주머니를 완전히 가려주는 Medi Teddy를 만들었다고 했다. 따라서 빈칸에는 ② '무서운'이 가장 적절하다.

5 문장 ⑧에서 Medi Teddy가 뒤에 주머니가 있어서 링거 주머니를 완전히 가린다고 했다.

---

⑩ have donated는 현재완료 시제(have p.p.)로, 이 문장에서는 과거에 시작된 일이 현재까지 이어지는 [계속]을 나타낸다. Ella와 그녀의 가족이 과거부터 지금까지 계속해서 Medi Teddy를 기부해왔다는 의미이다.

⑪ Ella's **small but great** idea *has made* hospitals friendlier places.
→ idea를 수식하는 형용사 small과 great가 접속사 but으로 연결되어 쓰였다.
→ has made는 현재완료 시제(have p.p.)로, 이 문장에서는 과거에 시작된 일이 현재까지 영향을 미쳐 발생한 [결과]를 나타낸다. Ella의 작지만 훌륭한 발상이 결과적으로 병원을 더 친숙한 곳으로 만들었다는 의미이다.
→ 「make A B」는 'A를 B로 만들다'라는 의미이다. 이 문장에서는 hospitals가 A에, friendlier places가 B에 해당하므로, '병원을 더 친숙한 곳으로 만들었다'라고 해석한다.

본문 해석

❶ 오래전에, 유럽의 탐험가들은 호주로 항해했다. ❷ 그곳에서, 그들은 매우 특이한 동물을 보았다. ❸ 그것은 큰 귀를 가지고 있었고 두 다리로 깡충깡충 뛰어다녔다. ❹ 그것은 또한 배에 새끼를 데리고 다닐 주머니가 있었다. ❺ 그들은 이전에 이것과 같은 동물을 본 적이 전혀 없었다. ❻ 그래서 그들은 원주민들에게 "이 동물은 무엇입니까?"라고 물었다. ❼ 원주민들은 "캥거루"라고 대답했다. ❽ 탐험가들은 집으로 돌아온 후, 모두에게 캥거루라고 불리는 새로운 동물에 관해 얘기했다. ❾ 그 이후, 그 이름은 전 세계에 퍼졌다. ❿ 하지만, '캥거루'는 원주민 언어로 '나는 모른다'를 의미했다. ⓫ 사실은, 원주민들도 그 이름을 몰랐다!

❶ Long ago, / European explorers sailed / to Australia. / ❷ There, /
오래전에　　유럽의 탐험가들은 항해했다　　호주로　　　그곳에서

they saw an animal / that was very unusual. / ❸ It had large ears / and
그들은 한 동물을 보았다　　매우 특이한　　　그것은 큰 귀를 가지고 있었다　그리고

hopped around / on two legs. / ❹ It also had a pouch / on its belly / to
깡충깡충 뛰어다녔다　두 다리로　　그것은 또한 주머니가 있었다　그것의 배에

carry its baby. / ❺ⓐ They had never seen an animal / like this / before. /
그것의 새끼를 데리고 다닐　그들은 동물을 본 적이 전혀 없었다　이것과 같은　이전에

❻ So / they asked the natives, / "What is this animal?" / ❼ The natives
그래서 그들은 원주민들에게 물었다　이 동물은 무엇입니까　　원주민들은

replied, / "Kangaroo." / ❽ After the explorers returned / home, / they told
대답했다　캥거루　　탐험가들은 돌아온 후　　집으로　그들은 모두에게

everyone / about the new animal / called kangaroo. / ❾ From then on, /
얘기했다　그 새로운 동물에 관해서　캥거루라고 불리는　그 이후

ⓑ the name spread / all over the world. / ❿ However, / *kangaroo* meant /
그 이름은 퍼졌다　전 세계에　　하지만　'캥거루'는 의미했다

"I don't know" / in the natives' language. / ⓫ The truth is, / the natives
'나는 모른다'　원주민들의 언어로　　사실은　원주민들은

didn't know the name, / either! /
그 이름을 몰랐다　또한

구문 해설

❷ There, they saw an animal [that was very unusual].
→ [ ]는 앞에 온 선행사 an animal을 수식하는 주격 관계대명사절이다.

❹ to carry its baby는 '그것의 새끼를 데리고 다닐'이라는 의미로, to부정사의 형용사적 용법으로 쓰여 a pouch를 수식하고 있다. 형용사적 용법의 to부정사는 앞에 온 명사 또는 대명사를 수식한다.

❺ had seen은 과거완료 시제(had p.p.)로, 이 문장에서는 과거의 특정 시점보다 더 이전의 경험을 나타낸다. 유럽의 탐험가들이 매우 특이한 동물인 캥거루를 보기 전까지는 이와 같은 동물을 본 적이 없었다는 의미이다.

❻ 「ask + 간접목적어 + 직접목적어」는 '~에게 …을 묻다'라는 의미이다.
cf. 「ask + 목적어 + to-v」: ~에게 …을 부탁하다, 요청하다　*ex.* He **asked me to make** dinner. (그가 내게 저녁을 만들 것을 부탁했다.)

1 이 글의 제목으로 가장 적절한 것은?

✓ ① How Kangaroos Got Their Name 캥거루는 어떻게 그것들의 이름을 얻었는가
② What Kangaroos Were Called Before 캥거루는 이전에 무엇이라고 불렸는가
③ Languages of the Natives in Australia 호주 원주민들의 언어
④ Why Europeans Liked Unusual Animals 유럽인들은 왜 특이한 동물을 좋아했는가
⑤ The First Europeans Who Explored Australia 호주를 탐험한 최초의 유럽인들

2 이 글의 밑줄 친 an animal의 세 가지 특징을 우리말로 쓰시오.

(1) _____ 큰 귀를 가지고 있다. _____
(2) _____ 두 다리로 깡충깡충 뛰어다닌다. _____
(3) _____ 배에 새끼를 데리고 다닐 주머니가 있다. _____

3 이 글의 밑줄 친 ⓐ와 ⓑ가 가리키는 것을 글에서 찾아 쓰시오.

ⓐ: _____ European explorers _____ 유럽의 탐험가들
ⓑ: _____ kangaroo _____ 캥거루

4 이 글의 내용과 일치하지 <u>않는</u> 것은?

① 유럽의 탐험가들은 호주에 갔다.
↓
② 탐험가들은 이전에 보지 못했던 동물을 발견했다.
↓
✓ ③ 원주민들은 탐험가들에게 동물의 이름을 알려주었다.
↓
④ 유럽인들은 고국으로 돌아가 동물에 대해 알렸다.
↓
⑤ 동물의 이름이 전 세계에 퍼지게 되었다.

정답 1 ① 2 (1) 큰 귀를 가지고 있다. (2) 두 다리로 깡충깡충 뛰어다닌다. (3) 배에 새끼를 데리고 다닐 주머니가 있다. 3 ⓐ European explorers ⓑ kangaroo 4 ③

1 '캥거루'라는 동물 이름의 유래를 설명하는 글이므로, 제목으로 ① '캥거루는 어떻게 그것들의 이름을 얻었는가'가 가장 적절하다.

2 문장 ❸에서 이 동물은 큰 귀를 가지고 있고 두 다리로 깡충깡충 뛰어다닌다고 했으며, 문장 ❹에서 배에 새끼를 데리고 다닐 주머니가 있다고 했다.

3 ⓐ는 문장 ❶의 European explorers(유럽의 탐험가들)를 가리키고, ⓑ는 문장 ❽의 kangaroo(캥거루)를 가리킨다.

4 ③: 문장 ❼과 ❿-⓫을 통해 원주민들도 동물의 이름을 몰랐기 때문에 '나는 모른다'라는 의미로 "캥거루"라고 대답했음을 알 수 있다.
①은 문장 ❶에, ②는 문장 ❺에, ④는 문장 ❽에, ⑤는 문장 ❾에 언급되어 있다.

❽ **After** the explorers returned home, they told everyone about the new animal [*called* kangaroo].
→ After는 '~ 후에'라는 의미로, 부사절을 이끄는 접속사로 쓰여 뒤에 「주어 + 동사」의 절이 왔다.
cf. 「전치사 after + 명사」 *ex.* I ate dessert **after dinner**. (나는 저녁 식사 후에 후식을 먹었다.)
→ [ ]는 앞에 온 the new animal을 수식하는 과거분사구이다. 이때 called는 '~이라고 불리는'이라고 해석한다.

⓫ The truth is, [(that) the natives didn't know the name, **either**]!
→ [ ]는 is의 보어 역할을 하는 명사절로, 명사절 접속사 that이 생략되어 있다.
→ 문장 끝에 쓰인 부사 either는 '또한, 역시'라는 의미로, 부정문에 대한 동의를 나타낸다.
cf. 「either + 명사」: (둘 중) 어느 한쪽의
ex. You can sit on **either side** of the table. (당신은 식탁의 둘 중 어느 한쪽에 앉아도 된다.)

본문 해석

❶ 당신은 귤을 먹기 전에 그것을 때려야 한다는 것을 들어본 적 있는가? ❷ 귤을 때리는 것은 그것을 더 달게 만든다! ❸ 당신은 그것을 손으로 세게 문지르거나 바닥에 떨어뜨릴 수도 있다.

❹ 귤을 포함하여, 대부분의 과일은 과일이 익도록 돕는 소량의 화학물질을 만들어 낸다. ❺ 그것은 에틸렌이라고 불린다. ❻ 과일이 물리적으로 압력을 받을 때 그것이 더 많이 만들어진다. ❼ 따라서, 만약 귤을 때리면, 그것은 더 많은 에틸렌을 만들어 낼 것이다. ❽ 결국, 귤은 더 빠르게 익고 맛이 더 좋아질 것이다. ❾ 실제로, 당도가 20퍼센트까지 증가할 수 있다!

❿ 하지만, 귤이 너무 무르다면, 그것을 때리지 말아라. ⓫ 그것은 귤이 이미 익었음을 의미하므로, 귤을 때리는 것은 그것을 더 빨리 썩게 만들 뿐이다.

---

❶ Have you ever heard / that you should hit a tangerine / before you
당신은 들어본 적 있는가　　　당신이 귤을 때려야 한다는 것을　　　　당신이 그것을

eat it? / ❷ Hitting a tangerine / makes / it / (A) sweeter! / ❸ You can also
먹기 전에　　　귤을 때리는 것은　　　만든다　그것을　더 달게　당신은 또한 그것을 세게

rub it hard / with your hands / or drop it / on the floor. /
문지를 수 있다　당신의 손으로　　　또는 그것을 떨어뜨릴 수 있다　바닥에

❹ Most fruits, / including tangerines, / produce / a small amount of /
대부분의 과일은　　귤을 포함하여　　　　만들어 낸다　소량의

a chemical / that helps / fruits ripen. / ❺ It is called / ethylene. / ❻ More
화학물질을　　돕는　　　과일이 익도록　　그것은 불린다　에틸렌이라고　　더 많은

of it / is produced / when a fruit is physically stressed. ❼ (B) Therefore, /
그것이　만들어진다　　과일이 물리적으로 압력을 받을 때　　　　　　따라서

if you hit a tangerine, / it will produce / more ethylene. / ❽ Eventually, /
만약 당신이 귤을 때리면　　그것은 만들어 낼 것이다　더 많은 에틸렌을　　결국

the tangerine will ripen faster / and taste better. / ❾ In fact, / the sugar
귤은 더 빠르게 익을 것이다　　　　　그리고 맛이 더 좋아질 것이다　실제로　　당도가

level can increase / up to 20%! /
증가할 수 있다　　　20퍼센트까지

❿ However, / if the tangerine is too soft, / don't hit it. / ⓫ It means /
하지만　　　만약 귤이 너무 무르다면　　　　그것을 때리지 말아라　그것은 의미한다

it's already ripe, / so hitting it will only make / it / rot faster. /
그것(귤)이 이미 익었음을　그래서 그것을 때리는 것은 만들 뿐이다　그것을　더 빨리 썩게

구문 해설

❶ **Have** you ever **heard** [that you should hit a tangerine *before* you eat it]?
→ 「Have/Has + 주어 + p.p. ~?」의 현재완료 시제가 쓰인 의문문으로, 과거의 [경험]을 물을 때 쓴다.
→ [ ]는 have heard의 목적어 역할을 하는 명사절이다. 이때 명사절 접속사 that은 생략할 수 있다.
→ before는 '~ 전에'라는 의미로, 부사절을 이끄는 접속사로 쓰여 뒤에 「주어 + 동사」의 절이 왔다.
　cf. 「전치사 before + 명사」 *ex.* I should take a shower **before midnight**. (나는 자정 전에 샤워해야 한다.)

❷ **Hitting a tangerine** *makes it sweeter*!
→ Hitting a tangerine은 문장의 주어 역할을 하는 동명사구이다. 동명사구는 단수 취급하므로 뒤에 단수동사 makes가 쓰였다.
→ 「make + 목적어 + 형용사」는 '~을 …하게 만들다'라는 의미이다. 여기서는 목적어 it 뒤에 형용사의 비교급 sweeter가 쓰였다.

문제 해설

1 이 글의 주제로 가장 적절한 것은?

① 귤의 성분과 효능
② 귤을 더 맛있게 먹는 방법 ✓
③ 귤을 신선하게 보관하는 비결
④ 화학약품이 과일에 미치는 영향
⑤ 과일이 익었을 때 나타나는 특징

2 이 글의 빈칸 (A)에 들어갈 말로 가장 적절한 것은?

① harder 더 단단한   ② sourer 더 신   ③ sweeter 더 단 ✓
④ cooler 더 시원한   ⑤ smoother 더 매끄러운

3 과일에서 에틸렌이 더 많이 생성될 수 있는 조건을 우리말로 쓰시오.

(과일이) 물리적으로 압력을 받는 것

4 이 글의 빈칸 (B)에 들어갈 말로 가장 적절한 것은?

① Therefore 따라서 ✓   ② However 하지만
③ Fortunately 다행히도   ④ On the other hand 반면에
⑤ Instead 대신에

5 다음 질문에 대한 답이 되도록 빈칸에 들어갈 말을 글에서 찾아 쓰시오.

> Q. What happens to a soft tangerine when you hit it?
> 무른 귤을 때리면 그것에 무슨 일이 일어나는가?

A. It will ___rot___ ___faster___ because it is already ripe.
그것은 이미 익었기 때문에 더 빨리 썩을 것이다.

1 귤을 때리면 귤이 더 빨리 익어 달아진다는 것을 설명하는 글이므로, 주제로 ②가 가장 적절하다.

2 빈칸 뒤의 단락에서 귤을 때리면 귤이 더 빨리 익고 맛이 더 좋아져서, 당도가 20퍼센트까지 증가할 수 있다고 했다. 따라서 빈칸 (A)에는 ③ '더 단'이 가장 적절하다.

3 문장 ⑥에서 과일이 물리적으로 압력을 받을 때 더 많은 에틸렌이 만들어진다고 했다.

4 빈칸 앞에서 에틸렌은 과일이 물리적으로 압력을 받을 때 더 많이 만들어진다고 했고, 빈칸이 있는 문장에서는 귤을 때리면 귤이 더 많은 에틸렌을 만들어낼 것이라고 했다. 따라서 빈칸 (B)에는 ① '따라서'가 가장 적절하다.

5 문장 ⑩-⑪에서 무른 귤은 그것이 이미 익었음을 의미하므로, 무른 귤을 때리면 그것을 더 빨리 썩게 만든다고 했다.

---

④ Most fruits, **including** tangerines, produce a small amount of a chemical [that *helps fruits ripen*].
→ including은 '~을 포함하여'라는 의미의 전치사이다.
→ [ ]는 앞에 온 선행사 a chemical을 수식하는 주격 관계대명사절이다.
→ 「help + 목적어 + 동사원형」은 '~가 …하도록 돕다'라는 의미이다. = 「help + 목적어 + to-v」

⑪ It means [(that) it's already ripe], so **hitting it** will only *make it rot* faster.
→ [ ]는 means의 목적어 역할을 하는 명사절로, 명사절 접속사 that이 생략되어 있다.
→ hitting it은 문장의 주어 역할을 하는 동명사구이다.
→ 「make + 목적어 + 동사원형」은 '~가 …하게 만들다'라는 의미이다.

본문 해석

❶ 한 남자가 도약해서 건물의 옆면을 뛰어 올라간다. ❷ 그는 난간을 뛰어넘는 다. ❸ 그러고 나서, 그는 나무를 오르내린 다. ❹ 그가 무엇을 하고 있는 것일까? ❺ 그것은 벽과 난간과 같은 장애물들을 넘 어가는 스포츠인 파쿠르이다. ❻ 목표는 한 곳에서 다른 곳으로 가능한 한 빠르게 움직이는 것이다. ❼ 당신은 파쿠르를 위 한 어떠한 특별한 장비도 필요하지 않다. ❽ 운동화 한 켤레면 충분하다. (❾ 어떤 사람들은 다른 종류의 운동화를 모으는 것을 좋아한다.) ❿ 파쿠르는 뛰어넘기, 구 르기, 그리고 오르기와 같은 동작들을 포 함한다. ⓫ 사람들은 가끔 체조와 무술에 나오는 다양한 움직임을 더하기도 한다. ⓬ 파쿠르는 비경쟁적인 스포츠다. ⓭ 사람들은 그들의 길에 있는 장애물들을 극복하고 그들의 신체적 한계를 넘어서 기 위해 그것을 연습한다. ⓮ 시간 제한, 점수, 그리고 패자는 없다. ⓯ 하지만, 파 쿠르를 시도해보기 전에, 당신은 근육을 단련시킬 수 있을 만큼 충분히 운동해야 한다. ⓰ 그렇게 하지 않으면, 다칠 수도 있다!

❶ A man leaps / and runs up the side of a building. / ❷ He jumps
한 남자가 도약한다   그리고 건물의 옆면을 뛰어 올라간다   그는 난간을

over a railing. / ❸ Then, / he climbs up and down a tree. / ❹ What is
뛰어넘는다   그러고 나서   그는 나무를 오르내린다   그가 무엇을

he doing? / ❺ It is parkour, / a sport of going over obstacles / such as
하고 있는 것일까   그것은 파쿠르이다   장애물들을 넘어가는 스포츠인

walls and railings. / ❻ The goal is to move / from one place to another /
벽과 난간과 같은   목표는 움직이는 것이다   한 곳에서 다른 곳으로

as quickly as possible. / ❼ You don't even need / any special equipment
가능한 한 빠르게   당신은 필요하지도 않다   파쿠르를 위한 어떠한 특별한

for parkour. / ❽ A pair of sneakers is enough. / (d) (❾ Some people
장비도   운동화 한 켤레면 충분하다   어떤 사람들은

like collecting / different kinds of sneakers. /) ❿ Parkour includes
모으는 것을 좋아한다   다른 종류의 운동화들을   파쿠르는 동작들을 포함한다

movements / like jumping, rolling, and climbing. / ⓫ People sometimes
동작들을   뛰어넘기, 구르기, 그리고 오르기와 같은   사람들은 가끔 더한다

add / various moves / from gymnastics and martial arts, / too. /
다양한 움직임들을   체조와 무술에 나오는   또한

⓬ Parkour is a non-competitive sport. / ⓭ People practice it / to
파쿠르는 비경쟁적인 스포츠다   사람들은 그것을 연습한다

overcome the obstacles / in their paths / and go beyond / their physical
장애물들을 극복하기 위해   그들의 길에 있는   그리고 넘어서기 위해   그들의 신체적

limits. / ⓮ There are no time limits, no points, and no losers. / ⓯ Before
한계를   시간 제한, 점수, 그리고 패자는 없다   당신이

you try parkour, / however, / you should exercise enough / to train your
파쿠르를 시도해보기 전에 하지만   당신은 충분히 운동해야 한다   당신의 근육을 단련시킬

muscles. / ⓰ If not, / you may hurt yourself! /
수 있을 만큼   그렇게 하지 않으면 당신은 당신 자신을 다치게 할 수도 있다

구문 해설

❺ parkour와 a sport of going over obstacles는 콤마로 연결된 동격 관계이다.

❻ The goal is **to move** *from one place to another* as quickly as possible.
→ to move 이하는 '한 곳에서 다른 곳으로 가능한 한 빠르게 움직이는 것'이라는 의미로, to부정사의 명사적 용법으로 쓰여 is의 보어 역할을 하고 있다. 명사적 용법의 to부정사는 문장 안에서 주어, 보어 또는 목적어 역할을 한다.
→ 「from A to B」는 'A에서 B로, A부터 B까지'라는 의미이다.
→ 「as + 부사/형용사 + as possible」은 '가능한 한 ~하게/한'이라는 의미이다. 여기서는 부사 quickly가 쓰여 '가능한 한 빠르게'라고 해석한 다.
= 「as + 부사/형용사 + as + 주어 + can」 *ex.* move from one place to another **as quickly as you can**

❾ like는 목적어로 동명사와 to부정사 모두 쓸 수 있다.   *ex.* I **like to collect** stamps. (나는 우표를 모으는 것을 좋아한다.)

❿ 전치사 like(~과 같은)의 목적어 역할을 하는 동명사 jumping, rolling, climbing이 접속사 and로 연결되어 쓰였다. 이때 세 가지 이상의 단어 가 나열되었으므로 「A, B, and[or] C」로 나타냈다.

문제 해설

1 이 글의 제목으로 가장 적절한 것은?

① How Parkour Became a Sport 파쿠르는 어떻게 스포츠가 되었는가
② The Best Exercises to Build Muscle 근육을 키우기 위한 최고의 운동들
③ Why People Enjoy Dangerous Sports 사람들은 왜 위험한 스포츠를 즐기는가
✓④ Parkour: Passing Your Physical Limits 파쿠르: 당신의 신체적 한계를 넘는 것
⑤ Martial Artists and Their Special Skills 무술가와 그들의 특별한 기술들

2 이 글의 (a)~(e) 중, 전체 흐름과 관계없는 문장은?

① (a)　　② (b)　　③ (c)　　✓④ (d)　　⑤ (e)

3 파쿠르에 관한 이 글의 내용과 일치하지 않는 것은?

① 벽이나 난간 등의 장애물을 이용한다.
② 특별한 장비 없이도 할 수 있다.
③ 체조와 무술의 움직임을 활용하기도 한다.
④ 다른 사람과 경쟁하지 않는 스포츠이다.
✓⑤ 정해진 시간 안에 동작들을 완료해야 한다.

4 이 글의 내용으로 보아, 다음 빈칸에 들어갈 말을 보기 에서 골라 쓰시오.

보기	train	move	add	overcome	try
	단련시키다	움직이다	더하다	극복하다	시도하다

Parkour
파쿠르

What people do 사람들은 무엇을 하는가	• They jump, roll, and climb to (1) ___move___ quickly. 그들은 빠르게 (1) 움직이기 위해 뛰어넘고, 구르고, 타고 오른다. • Before doing parkour, they should (2) ___train___ their muscles. 파쿠르를 하기 전에, 그들은 그들의 근육을 (2) 단련시켜야 한다.
Why people do it 사람들은 왜 그것을 하는가	They want to (3) ___overcome___ obstacles and their physical limits. 그들은 장애물과 그들의 신체적 한계를 (3) 극복하고 싶어 한다.

1 장애물을 극복하고 신체적 한계를 넘어서기 위한 스포츠인 파쿠르를 소개하는 글이므로, 제목으로 ④ '파쿠르: 당신의 신체적 한계를 넘는 것'이 가장 적절하다.

2 파쿠르의 특징에 관해 설명하는 내용 중에, '어떤 사람들은 다른 종류의 운동화를 모으는 것을 좋아한다'라는 내용의 (d)는 전체 흐름과 관계없다.

3 ⑤: 문장 ⑭에서 파쿠르에는 시간 제한이 없다고 했다.
①은 문장 ⑤에, ②는 문장 ⑦에, ③은 문장 ⑪에, ④는 문장 ⑫에 언급되어 있다.

4 문제 해석 참고

정답　**1** ④　**2** ④　**3** ⑤　**4** (1) move (2) train (3) overcome

⑬ People practice it **to overcome** the obstacles in their paths and **go beyond** their physical limits.
→ to overcome 이하와 (to) go beyond 이하는 각각 '~을 극복하기 위해'와 '~을 넘어서기 위해'라는 의미로, [목적]을 나타내는 to부정사의 부사적 용법으로 쓰였다.

⑮ **Before** you try parkour, however, you *should* exercise <u>enough to train</u> your muscles.
→ Before는 '~ 전에'라는 의미로, 부사절을 이끄는 접속사로 쓰여 뒤에 「주어 + 동사」의 절이 왔다.
→ 조동사 should는 '~해야 한다'라는 의미로, 충고나 의무를 나타낸다.
→ 「enough + to-v」는 '~할 만큼 충분히'라는 의미로, 이 문장에서는 '(당신의 근육을) 단련시킬 수 있을 만큼 충분히'라고 해석한다.
　cf. 「형용사/부사 + enough + to-v」: ~할 만큼 충분히 …한/하게

⑯ **If not**, you may hurt *yourself*!
→ If not은 If you do not exercise enough to train your muscles(근육을 단련시킬 수 있을 만큼 충분히 운동하지 않으면)를 의미한다.
→ 동사 hurt의 목적어가 주어(you)와 같은 대상이므로 재귀대명사 yourself가 쓰였다.

UNIT 05
4

본문 해석

❶ 오늘날 터번은 주로 종교적인 이유로 착용된다. ❷ 하지만 그것은 브라질에서 한때 매우 유행하는 의상이었다.

❸ 1800년대 초반에, 나폴레옹과 그의 군대는 유럽을 정복하기 위해 노력하고 있었다. ❹ 포르투갈의 귀족들은 겁이 나서, 도망치기 위해 브라질로 항해했다. ❺ 불행히도, 가는 길에, 배에 탄 모두가 머릿니를 갖게 되었다. ❻ 그들은, 심지어 공주도, 머리를 밀어야 했다. ❼ 공주와 다른 귀부인들은 그들의 민머리를 보여주기를 원하지 않았다. ❽ 그래서, 그들은 브라질에 도착했을 때 터번을 썼다. ❾ 이것은 브라질 여성들의 시선을 사로잡았고, 놀랍게도, 그들은 그것을 좋아했다! ❿ 그들은 터번이 유럽에서 온 패션 유행이라고 생각했고, 그들 역시 터번을 쓰기 시작했다.

⓫ 생각해 보아라! ⓬ 패셔니스타가 되는 것의 비결은 머릿니였다!

---

❶ Turbans are mostly worn / for religious reasons / today. / ❷ But they
　터번은 주로 착용된다　　　　종교적인 이유로　　　　오늘날　하지만 그것들은

were once very trendy clothes / in Brazil. /
한때 매우 유행하는 의상이었다　　　브라질에서

❸ In the early 1800s, / Napoleon and his armies / were trying to conquer
　　1800년대 초반에　　　　나폴레옹과 그의 군대는　　　　　유럽을 정복하기 위해 노력하고

Europe. / ❹ Nobles from Portugal / were afraid, / so they sailed to Brazil
있었다　　　포르투갈의 귀족들은　　　겁이 났다　　그래서 그들은 브라질로 항해했다

to escape. / ❺ On the way, / unfortunately, / everyone on the ship /
도망치기 위해　　가는 길에　　　불행히도　　　배에 탄 모두가

got head lice. / ❻ They had to shave their heads, / even the princess. /
머릿니를 갖게 되었다　그들은 그들의 머리를 밀어야 했다　　심지어 공주도

❼ The princess and other ladies / didn't want to show / their bald heads. /
　공주와 다른 귀부인들은　　　　　보여주기를 원하지 않았다　그들의 민머리를

❽ Therefore, / they wore turbans / when they arrived / in Brazil. / ❾ This
　그래서　　　그들은 터번을 썼다　　그들이 도착했을 때　　브라질에　　　이것은

caught the eyes of / the Brazilian women, / and surprisingly, / they liked
~의 시선을 사로잡았다　　브라질 여성들　　　　　그리고 놀랍게도　　그들은 그것을 좋아했다

it! / ❿ They thought / the turbans were a fashion trend / from Europe, /
　　그들은 생각했다　　터번이 패션 유행이라고　　　　유럽에서 온

and they began to wear turbans / as well. /
그리고 그들은 터번을 쓰기 시작했다　　　역시

⓫ Imagine that! / ⓬ The secret / to becoming a fashionista / was head
　그것을 생각해 보아라　비결은　　　패셔니스타가 되는 것의　　　머릿니였다

lice! /

구문 해설

❸　In the early 1800s, Napoleon and his armies **were** _**trying**_ _to conquer_ Europe.
　　→ 「be동사의 과거형 + v-ing」는 과거진행 시제로, '~하고 있었다, ~하는 중이었다'라고 해석한다.
　　→ 「try + to-v」는 '~하기 위해 노력하다'라는 의미이다.
　　　　_cf._ 「try + v-ing」: (시험 삼아) ~해보다　_ex._ Kim **tried playing** the piano yesterday. (Kim은 어제 피아노를 연주해보았다.)

❹　to escape는 '도망치기 위해'라는 의미로, [목적]을 나타내는 to부정사의 부사적 용법으로 쓰였다.

❻　had to는 have to(~해야 한다)의 과거형으로, '~해야 했다'라고 해석한다.

❼　「want + to-v」는 '~하기를 원하다'라는 의미이다.

---

1 이 글의 주제로 가장 적절한 것은?

① 종교와 의복의 관계
② 터번을 착용할 때 유의할 점
③ 유럽에서 최초로 만들어진 터번
④ 브라질 사람들이 터번을 쓰게 된 이유 ✓
⑤ 패션에 대한 포르투갈과 브라질의 문화적 차이

2 이 글의 빈칸에 들어갈 말로 가장 적절한 것은?

① hit 치다   ② wash 씻다 ✓   ③ brush 빗다
④ shake 흔들다   ⑤ shave 밀다 ✓

3 이 글의 밑줄 친 This가 의미하는 내용을 우리말로 쓰시오.

포르투갈의 공주와 귀부인들이 (브라질에 도착했을 때) 터번을 쓴 것

4 터번에 대한 포르투갈과 브라질 여성들의 생각으로 가장 적절한 것은?

<포르투갈 여성>		<브라질 여성>
① 예의를 갖추기 위한 것	……	종교적인 것
② 종교적인 것	……	머리를 가리기 위한 것
③ 유행하는 것	……	추위를 견디기 위한 것
④ 머리를 가리기 위한 것 ✓	……	유행하는 것
⑤ 추위를 견디기 위한 것	……	예의를 갖추기 위한 것

정답   **1** ④   **2** ⑤   **3** 포르투갈의 공주와 귀부인들이 (브라질에 도착했을 때) 터번을 쓴 것
     4 ④

문제 해설

1 포르투갈 귀족들이 쓴 터번을 브라질 여성들이 패션 유행으로 생각하여 따라 쓰기 시작한 일화를 설명하는 글이므로, 주제로 ④가 가장 적절하다.

2 빈칸 앞에서 배에 탄 모든 사람들에게 머릿니가 생겼다고 했고, 빈칸 뒤에서 공주와 귀부인들이 민머리를 보여주길 원하지 않았다고 했으므로, 그들이 머리를 밀었음을 유추할 수 있다. 따라서 빈칸에는 ⑤ '밀다'가 가장 적절하다.

3 문장 ❽에 언급된 내용을 의미한다. 포르투갈의 공주와 귀부인들이 브라질에 도착했을 때 터번을 쓴 것(= This)이 브라질 여성들의 시선을 사로잡았다는 의미이다.

4 문장 ❼-❽에서 포르투갈 공주와 귀부인들은 민머리를 보여주길 원하지 않아 모두 터번을 썼다고 했다. 반면, 문장 ❿에서 브라질 여성들은 터번이 유럽의 패션 유행이라 생각했다고 했다. 따라서 터번에 대한 이들의 생각으로 가장 적절한 것은 ④이다.

❿ They thought [(that) the turbans were a fashion trend from Europe], and they **began to wear** turbans as well.
→ [ ]는 thought의 목적어 역할을 하는 명사절로, 명사절 접속사 that이 생략되어 있다.
→ began to wear는 '쓰기 시작했다'라고 해석한다. begin은 목적어로 to부정사와 동명사 모두 쓸 수 있다.
    ex. He **began wearing** a winter hat. (그는 겨울 모자를 쓰기 시작했다.)

⓬ becoming a fashionista는 전치사 to(~의, ~에 대한)의 목적어 역할을 하는 동명사구로, '패셔니스타가 되는 것'이라고 해석한다.

본문 해석

❶ 당신이 화장지를 걸 때, 그것은 왼쪽에 있는 사진과 비슷한가 아니면 오른쪽에 있는 사진과 비슷한가? ❷ 몇몇 사람들은 오른쪽에 있는 방식을 선호한다. ❸ 그들은 풀린 끝부분이 약간 가려져 있기 때문에 그것이 더 깔끔해 보인다고 말한다. ❹ 하지만 다른 사람들은 왼쪽 방식이 실제로 더 깔끔하다고 생각한다. ❺ 만약 화장지가 이 방식으로 걸린다면, 더러운 벽에 손이 닿을 필요가 없다. ❻ 또한, 휴지를 끌어내리기가 더 쉽다.

❼ 현대식 화장지는 1891년에 발명되었다. ❽ 원래, 그것은 왼쪽 방식처럼 걸도록 의도되었다. ❾ 하지만, 몇몇 사람들이 화장지를 오른쪽 방식으로 걸기 시작했다. ❿ 그리고 그들은 그것에 대해 아무런 문제도 발견하지 못했다! ⓫ 그때부터, 화장지를 거는 것의 올바른 방식에 대한 논쟁은 계속되어 왔다.

❶ When you hang / your toilet paper, / is it similar to the picture /
당신이 걸 때   당신의 화장지를   그것은 사진과 비슷한가

on the left / or the right? / ❷ (A) Some people prefer / the way on the
왼쪽에 있는   아니면 오른쪽에 있는   몇몇 사람들은 선호한다   오른쪽에 있는 방식을

right. / ❸ They say / it looks tidier / because the loose end is slightly
                그들은 말한다 그것이 더 깔끔해 보인다고 풀린 끝부분이 약간 가려져 있기 때문에

hidden. / ❹ But others think / the way on the left / is actually cleaner. /
             하지만 다른 사람들은 생각한다 왼쪽 방식이   실제로 더 깔끔하다고

❺ If the toilet paper is hung / in this way, / your hand doesn't have to
만약 화장지가 걸린다면   이 방식으로   당신의 손이 닿을 필요가 없다

touch / the dirty wall. / ❻ Also, / it is easier / to pull the tissue down. /
        더러운 벽에   또한   더 쉽다   휴지를 끌어내리기가

❼ Modern toilet paper was invented / in 1891. / ❽ Originally, / it was
현대식 화장지는 발명되었다   1891년에   원래   그것은

intended to hang / like the left way. / ❾ However, / some people began
걸도록 의도되었다   왼쪽 방식처럼   하지만   몇몇 사람들이 걸기 시작했다

to hang / the toilet paper / in the other way. / ❿ And they found no
             화장지를   다른 하나(오른쪽)의 방식으로   그리고 그들은 아무런 문제도

problems / with it! / ⓫ Since then, / the debate over the correct way / of
발견하지 못했다 그것에 대해 그때부터   올바른 방식에 대한 논쟁은

hanging toilet paper / has continued. /
화장지를 거는 것의   계속되어 왔다

구문 해설

❸ They say [(that) it **looks tidier** because the loose end is slightly hidden].
→ [ ]는 say의 목적어 역할을 하는 명사절로, 명사절 접속사 that이 생략되어 있다.
→ 「look + 형용사」는 '~하게 보이다'라는 의미이다. 이 문장에서는 look 뒤에 형용사 tidy의 비교급 tidier가 쓰였다.

❹ But **others** think [(that) the way on the left is actually cleaner].
→ 전체 중 일부는 some으로, 그 외 다른 일부는 others로 나누어 표현할 수 있다. 이 글에서는 문장 ❷의 오른쪽 방식을 선호하는 사람들(Some people)과 왼쪽 방식이 더 깨끗하다고 생각하는 사람들(others)로 나누어 설명했다.
→ [ ]는 think의 목적어 역할을 하는 명사절로, 명사절 접속사 that이 생략되어 있다.

❺ doesn't have to는 have to(~해야 한다)의 부정형으로, '~할 필요가 없다, ~하지 않아도 된다'라고 해석한다.

❻ it은 가주어이고, to pull the tissue down이 진주어이다. 이때 가주어 it은 따로 해석하지 않는다.

1 이 글의 밑줄 친 (A)의 이유를 우리말로 쓰시오.

<u>(화장지의) 풀린 끝부분이 약간 가려져 있어 더 깔끔해 보이기 때문에</u>

2 이 글의 빈칸에 들어갈 말로 가장 적절한 것은?

① wrong 잘못된　　② tighter 더 꽉 죄인　　✓③ cleaner 더 깔끔한

④ personal 개인적인　　⑤ impossible 불가능한

3 이 글의 내용과 일치하면 T, 그렇지 않으면 F를 쓰시오.

(1) 오른쪽 사진처럼 화장지를 거는 것을 선호하는 사람이 더 많다.　　　　　F

(2) 화장지를 더 쉽게 끌어내리려면 왼쪽 사진처럼 거는 것이 좋다.　　　　　T

(3) 원래 현대식 화장지는 왼쪽 사진처럼 걸도록 발명되었다.　　　　　　　T

4 다음 영영 풀이에 해당하는 단어를 글에서 찾아 쓰시오.

> to like someone or something more than others
> 어떤 사람이나 사물을 다른 사람이나 사물보다 더 좋아하다

<u>　　　prefer　　　</u> 선호하다

5 이 글의 내용으로 보아, 괄호 안에서 알맞은 말을 골라 표시하시오.

> Some people think the (1) (left / right) way is a better method to hang the toilet paper because they don't want to touch the dirty wall. However, there isn't any problem with the (2) (left / right) way either.

어떤 사람들은 (1) 왼쪽 방식이 화장지를 거는 더 나은 방식이라고 생각하는데, 왜냐하면 그들은 더러운 벽을 만지고 싶지 않기 때문이다. 하지만, (2) 오른쪽 방식 또한 조금의 문제도 없다.

문제 해설

1 문장 ❸에서 오른쪽 방식을 선호하는 사람들이 이 방식이 풀린 끝부분이 약간 가려져 있어 더 깔끔해 보인다고 말한다고 했다.

2 빈칸 앞에서 오른쪽 방식을 선호하는 사람들은 그것이 더 깔끔해 보인다고 말한다고 했으므로, 빈칸이 있는 문장에서 왼쪽 방식을 사용하는 사람들은 이와 반대로 생각할 것을 알 수 있다. 또한, 빈칸 뒤에서 왼쪽 방식은 더러운 벽에 손이 닿을 필요가 없다고 했으므로, 빈칸에는 ③ '더 깔끔한'이 가장 적절하다.

3 (1) 문장 ❷, ❹에서 각각 오른쪽과 왼쪽 방식으로 화장지를 거는 사람들에 대해 설명하고 있지만, 둘 중 어느 쪽이 더 많은지에 대한 언급은 없다.
(2) 문장 ❻에서 왼쪽 방식이 휴지를 끌어내리기가 더 쉽다고 했다.
(3) 문장 ❽에서 현대식 화장지는 원래 왼쪽 방식처럼 걸도록 의도되었다고 했다.

4 '어떤 사람이나 사물을 다른 사람이나 사물보다 더 좋아하다'라는 뜻에 해당하는 단어는 prefer(선호하다)이다.

5 문제 해석 참고

❽ 「be intended + to-v」는 '~하도록 의도되다'라는 의미의 수동태 표현이다.
cf. 「intend + to-v」: ~하려고 의도하다, ~할 작정이다　*ex.* I didn't **intend to sleep** this long. (나는 이렇게 오래 자려고 의도하지 않았다.)

❾ However, some people **began to hang** the toilet paper in *the other way.*
→ begin은 목적어로 to부정사와 동명사 모두 쓸 수 있다.
→ 「the other + 단수명사」는 '나머지 (다른) 하나의 ~'라는 의미이다. 이 문장에서는 the other 뒤에 단수명사 way가 쓰였으므로, '(두 가지 방식 중 앞 문장에서 언급한 왼쪽 방식이 아닌) 나머지 다른 하나의 방식(오른쪽 방식)'이라고 해석한다.

⓫ Since then, the debate over the correct way of **hanging toilet paper** *has continued.*
→ hanging toilet paper는 전치사 of(~의)의 목적어 역할을 하는 동명사구이다.
→ has continued는 현재완료 시제(have p.p.)로, 이 문장에서는 과거에 시작된 일이 현재까지 이어지는 [계속]을 나타낸다. 몇몇 사람들이 다른 방식으로 걸어도 아무런 문제를 발견하지 못한 그때부터 휴지를 거는 방식에 대한 논쟁이 지금까지 계속되고 있다는 의미이다.

본문 해석

❶ 어느 날, 많은 잠수부들은 일본 근처의 해저에서 무언가 낯선 것을 발견했다. ❷ 그것은 2미터 너비의 원형 무늬였는데, 하나의 예술 작품처럼 보였다. ❸ 누가 이 신비롭지만 아름다운 예술 작품을 만들었을까? ❹ 놀랍게도, 그 예술가는 작은 물고기였다!

❺ 그 물고기는 겨우 12센티미터 길이인 복어의 한 종이다. ❻ 그것은 지느러미만 사용해서 자기 몸의 20배 크기의 구조물을 짓는다! ❼ 먼저, 수컷 물고기는 해저에 원을 만든다. ❽ 그 후, 그것은 그 원을 따라 지느러미를 흔든다. ❾ 이것은 작은 골짜기와 언덕을 만든다. ❿ 마지막으로, 그것은 둥지를 만들기 위해 중앙에 모래를 모은다.

⓫ 전체 과정은 6주가 걸린다. ⓬ 둥지가 완성되면, 암컷 복어는 그 안에 알을 낳을 것이다. ⓭ 수컷 복어는 얼마나 창의적인 집 건설자인가!

❶ One day, / a number of divers / discovered / something strange / on
어느 날　　　　많은 잠수부들은　　　　발견했다　　　　무언가 낯선 것을

the seafloor near Japan. / ❷ It was a two-meter-wide circular pattern, /
일본 근처의 해저에서　　　　　　그것은 2미터 너비의 원형 무늬였다

and it looked like a piece of art. / ❸ Who created / this mysterious / but
그리고 그것은 하나의 예술 작품처럼 보였다　　　누가 만들었을까　　이 신비로운　　그러나

beautiful artwork? / ❹ Surprisingly, / the artist was a tiny fish! /
아름다운 예술 작품을　　　　놀랍게도　　　　그 예술가는 작은 물고기였다

❺ The fish is a species of pufferfish / that is only 12 centimeters long. /
그 물고기는 복어의 한 종이다　　　　　　겨우 12센티미터 길이인

❻ It builds a structure / that is 20 times its size / by only using its fins! /
그것은 구조물을 짓는다　　　　그것의 크기의 20배인　　　그것의 지느러미만 사용해서

❼ First, / the male fish / creates a circle / on the seafloor. / ❽ Then, / it
먼저　　그 수컷 물고기는　　원을 만든다　　　해저에　　　　그 후　그것은

waves its fins / along the circle. / ❾ This makes / small valleys and hills. /
그것의 지느러미를 흔든다　그 원을 따라　　이것은 만든다　　작은 골짜기들과 언덕들을

❿ Finally, / it gathers up the sand / in the center / to make a nest. /
마지막으로　그것은 모래를 모은다　　　중앙에　　　둥지를 만들기 위해

⓫ The entire process / takes six weeks. / ⓬ When the nest is complete, /
전체 과정은　　　　6주가 걸린다　　　둥지가 완성되면

a female pufferfish / will lay eggs in it. / ⓭ What a creative home-builder /
암컷 복어는　　　　그것 안에 알을 낳을 것이다　얼마나 창의적인 집 건설자인가

the male pufferfish is! /
수컷 복어는

구문 해설

❶ One day, **a number of divers** discovered *something strange* on the seafloor near Japan.
→ 「a number of + 복수명사」는 '많은[다수의] ~'라는 의미로, 뒤에 복수동사가 온다. 이 문장에서는 '많은 잠수부들'이라고 해석한다.
cf. 「the number of + 복수명사 + 단수동사」: ~의 수　*ex.* **The number of visitors** is five. (방문자의 수는 5명이다.)
→ something과 같이 -thing으로 끝나는 대명사는 형용사가 뒤에서 수식한다.

❷ 「look like + 명사」는 '~처럼 보이다'라는 의미이다.

❸ 의문사 who가 쓰인 의문문이다. 의문사가 의문문의 주어 역할을 할 때는 「의문사 + 동사 ~?」로 쓴다.
ex. **Who opened** the door? (누가 그 문을 열었니?)

❺ The fish is a **species** of pufferfish [that is only 12 centimeters long].
→ species(종, 종류)는 단수형과 복수형이 동일한 명사이다. 이 문장에서는 앞에 a와 함께 단수형으로 쓰였다.
→ [ ]는 앞에 온 선행사 a species of pufferfish를 수식하는 주격 관계대명사절이다.

1 이 글의 제목으로 가장 적절한 것은?

① A Tiny Artist in the Sea 바다의 작은 예술가
② A Fish That Hides its Eggs 자신의 알을 숨기는 물고기
③ Pufferfish's Unique Body Structure 복어의 독특한 신체 구조
④ A Huge Fish That Lives in the Deep Sea 심해에 사는 거대한 물고기
⑤ Mysterious Waves: The Artwork of Nature 신비로운 파도: 자연의 예술 작품

2 이 글의 밑줄 친 This가 의미하는 내용을 우리말로 쓰시오.

<u>수컷 물고기가 원을 따라 지느러미를 흔드는 것</u>

3 이 글의 빈칸에 들어갈 말로 가장 적절한 것은?

① great cleaner 훌륭한 청소부   ② fast swimmer 빠른 수영 선수
③ clever actor 영리한 배우   ④ creative home-builder 창의적인 집 건설자
⑤ perfect cook 완벽한 요리사

4 이 글의 내용으로 보아, 다음 빈칸에 들어갈 말을 글에서 찾아 쓰시오.

How the Pufferfish Makes Beautiful Artwork
복어가 아름다운 예술 작품을 만드는 방법

It makes a circle on the (1) <u>seafloor</u>.
그것은 (1) 해저에 원을 만든다.

⬇

It creates valleys and hills along the circle with its (2) <u>fins</u>.
그것은 (2) 지느러미로 원을 따라 골짜기와 언덕을 만든다.

⬇

It builds a (3) <u>nest</u> with the sand in the center of the circle.
그것은 원 중앙에 모래로 (3) 둥지를 짓는다.

정답 1 ①   2 수컷 물고기가 원을 따라 지느러미를 흔드는 것   3 ④
4 (1) seafloor (2) fins (3) nest

---

1 복어의 한 종이 해저에 예술 작품처럼 신비롭고 아름다운 둥지를 짓는 습성이 있음을 설명하는 글이므로, 제목으로 ① '바다의 작은 예술가'가 가장 적절하다.

2 문장 ❽에 언급된 내용을 의미한다. 수컷 물고기가 원을 따라 지느러미를 흔드는 것(= This)이 작은 골짜기와 언덕을 만든다는 의미이다.

3 첫 번째 단락에서 물고기(수컷 복어)가 신비롭고 아름다운 해저의 원형 무늬를 만들었다고 했고, 문장 ❿을 통해 수컷 복어가 둥지를 만들기 위해 이러한 원형 무늬를 만들었음을 알 수 있다. 따라서 빈칸에는 ④ '창의적인 집 건설자'가 가장 적절하다.

4 문제 해석 참고

 It builds a structure [that is 20 times its size] **by** only **using** its fins!
→ [ ]는 앞에 온 선행사 a structure를 수식하는 주격 관계대명사절이다.
→ 「by + v-ing」는 '~해서, ~함으로써'라는 의미로, 수단이나 방법을 나타낸다.

❿ to make a nest는 '둥지를 만들기 위해'라는 의미로, [목적]을 나타내는 to부정사의 부사적 용법으로 쓰였다.

 When the nest **is** complete, a female pufferfish will lay eggs in it.
→ 시간을 나타내는 when절(~할 때)에서는 미래를 나타낼 때도 현재 시제(is)를 쓴다.

❸ **What a creative home-builder the male pufferfish is!**
→ What 감탄문 「What + a(n) + 형용사 + 명사 + 주어 + 동사!」는 '~는 얼마나 …한 ~인가!'라는 의미이다. 이 문장에서는 '수컷 복어는 얼마나 창의적인 집 건설자인가!'라고 해석한다. 이때 주어와 동사를 생략해서 What a creative home-builder!로 쓸 수도 있다.

본문 해석

❶ 당신은 많은 스트레스를 느낄 때, 무언가 매운 먹을 것을 찾는가? ❷ 매운 음식을 먹는 것은 사실 고통을 느끼도록 만든다. ❸ 하지만, 많은 사람들은 그런데도 스트레스를 받았을 때 매운 음식을 원한다. ❹ 무엇이 이것을 야기하는가?

❺ 당신의 혀는 무언가 매운 것을 느낄 때, 뇌에 신호를 보낸다. ❼ 당신의 뇌는 그러면 엔도르핀이라고 불리는 호르몬을 내보낸다. ❻ 이것은 고통을 줄이고, 신체에 긍정적인 감정도 불러일으킨다. ❽ 결과적으로, 당신은 매운 음식을 먹은 후에 대개 기분이 나아진다. ❾ 이것이 특히 스트레스를 받았다고 느낄 때 무언가 매운 먹을 것을 원하는 이유이다. ❿ 당신의 뇌가 스트레스를 낮추기 위해 당신에게 그것을 먹으라고 말하는 것이다!

❶ When you feel a lot of stress, / do you look for / something spicy / to
당신이 많은 스트레스를 느낄 때   당신은 ~을 찾는가   무언가 매운 것

eat? / ❷ Eating spicy food / actually makes / you / feel pain. / ❸ However, /
먹을   매운 음식을 먹는 것은   사실 만든다   당신이 고통을 느끼도록   하지만

many people still want spicy food / when they get stressed. / ❹ What
많은 사람들은 그런데도 매운 음식을 원한다   그들이 스트레스를 받게 됐을 때   무엇이

causes this? /
이것을 야기하는가

❺ When your tongue feels / something spicy, / it sends a signal /
당신의 혀가 느낄 때   무언가 매운 것을   그것은 신호를 보낸다

to the brain. / (B) ❼ Your brain / then / releases hormones / called
뇌에   당신의 뇌는   그러면   호르몬을 내보낸다

endorphins. / (A) ❻ These reduce the pain, / and they also cause / a
엔도르핀이라고 불리는   이것들은 고통을 줄인다   그리고 그것들은 또한 불러일으킨다

positive feeling / in your body. / (C) ❽ As a result, / you usually feel
긍정적인 감정을   당신의 신체에   결과적으로   당신은 대개 기분이

better / after eating spicy food. / ❾ This is why / you want something
나아진다   매운 음식을 먹은 후에   이것이 ~한 이유이다   당신이 무언가 매운 것을

spicy / especially when you feel stressed. / ❿ Your brain / tells you to eat
원하는   특히 당신이 스트레스를 받았다고 느낄 때   당신의 뇌가 당신에게 그것을 먹으라고

it / to lower your stress! /
말한다   당신의 스트레스를 낮추기 위해

구문 해설

❶   When you feel a lot of stress, do you look for **something spicy** *to eat*?
→ something과 같이 -thing으로 끝나는 대명사는 형용사가 뒤에서 수식한다.
→ to eat은 '먹을'이라는 의미로, to부정사의 형용사적 용법으로 쓰여 something spicy를 수식하고 있다.

❷   **Eating spicy food** actually *makes you feel* pain.
→ Eating spicy food는 문장의 주어 역할을 하는 동명사구이다. 동명사구는 단수 취급하므로 뒤에 단수동사 makes가 쓰였다.
→ 「make + 목적어 + 동사원형」은 '~가 …하도록 만들다'라는 의미이다.

❸   However, **many** people still want spicy food when they *get stressed*.
→ many는 '많은'이라는 의미로, 뒤에 오는 셀 수 있는 명사의 복수형(people)을 수식한다.
  cf. 「much + 셀 수 없는 명사」 *ex.* I have **much interest** in space. (나는 우주에 많은 관심이 있다.)
→ 「get + 형용사」는 '~하게 되다'라는 의미로, 여기서는 형용사 stressed가 쓰여 '스트레스를 받게 된다'라고 해석한다.

1 이 글의 주제로 가장 적절한 것은?

① how your body feels pain 신체가 어떻게 고통을 느끼는지
② the dangers of spicy food 매운 음식의 위험성
③ the main causes of stress 스트레스의 주요 원인들
④ why you can't eat spicy food well 매운 음식을 잘 먹지 못하는 이유
✓⑤ the relationship between stress and spicy food 스트레스와 매운 음식 간의 관계

2 이 글의 문장 (A)~(C)를 순서에 맞게 배열한 것으로 가장 적절한 것은?

① (A) – (B) – (C)   ✓② (B) – (A) – (C)
③ (B) – (C) – (A)   ④ (C) – (A) – (B)
⑤ (C) – (B) – (A)

3 엔도르핀의 두 가지 역할을 우리말로 쓰시오.

(1) _____고통을 줄인다._____
(2) _____신체에 긍정적인 감정을 불러일으킨다._____

4 이 글의 내용으로 보아, 다음 빈칸에 들어갈 말을 글에서 찾아 쓰시오.

People who are stressed look for ____spicy____ food to eat. It causes ____pain____ at first, but later it makes people feel better.

스트레스를 받는 사람들은 먹을 매운 음식을 찾는다. 그것은 처음에는 고통을 야기하지만, 나중에는 사람들이 기분이 더 좋아지게 만든다.

---

1 스트레스를 받을 때 매운 음식을 찾게 되는 이유를 설명하는 글이므로, 주제로 ⑤ '스트레스와 매운 음식 간의 관계'가 가장 적절하다.

2 매운 음식을 먹은 후 일어나는 신체 반응을 설명하는 부분으로, 혀의 신호를 받은 뇌가 엔도르핀이라는 호르몬을 내보낸다는 내용의 (B), 그 호르몬이 고통을 줄이고 신체에 긍정적인 감정을 불러일으킨다는 내용의 (A), 결과적으로 매운 음식을 먹으면 기분이 나아진다는 내용의 (C)의 흐름이 가장 적절하다.

3 문장 ❻에서 엔도르핀이 고통을 줄이고 신체에 긍정적인 감정을 불러일으킨다고 했다.

4 문제 해석 참고

정답 **1** ⑤   **2** ②   **3** (1) 고통을 줄인다. (2) 신체에 긍정적인 감정을 불러일으킨다.
4 spicy, pain

---

❻ 「send + 직접목적어 + to + 간접목적어」는 '~에(게) …을 보내다'라는 의미이다.
= 「send + 간접목적어 + 직접목적어」 *ex.* it **sends the brain a signal**

❽ 「feel + 형용사」는 '기분이 ~하다'라는 의미이다. 이 문장에서는 feel 뒤에 형용사 good의 비교급 better가 쓰였다.

❿ Your brain **tells you to eat** it *to lower your stress*!
→ 「tell + 목적어 + to-v」는 '~에게 …하라고 말하다[명령하다]'라는 의미이다.
→ to lower your stress는 '당신의 스트레스를 낮추기 위해'라는 의미로, [목적]을 나타내는 to부정사의 부사적 용법으로 쓰였다.

본문 해석

❶ 영화의 한 장면을 상상해봐라. ❷ 폭탄이 10초 후면 터질 것이다. ❸ 그것을 막기 위해, 남자는 전선들 중 하나를 잘라야 한다. ❹ 9초, 8초, 7초, 6초 … ❺ 다음에 무슨 일이 일어날까? ❻ 그는 올바른 전선을 자르고, 폭탄은 1초에서 멈춘다!

❼ 이것은 흔한 클리셰이다. ❽ 클리셰는 소설과 영화 속에 자주 나오는 관용구나 행위이다. ❾ 그것은 신선하거나 독특하지 않다. ❿ 하지만, 이것은 그것이 항상 나쁘다는 것을 의미하지는 않는다. ⓫ 우리는 클리셰에 이미 익숙하기 때문에 클리셰가 있는 이야기들을 더 빠르고 쉽게 이해한다. ⓬ 게다가, 어떤 클리셰는 많은 청중에게 그냥 사랑받기도 한다. ⓭ 예를 들어, '삼각관계'는 매우 인기 있는 클리셰이다. ⓮ 우리는 많은 이야기들에서 이 상황을 본 적 있지만, 여전히 그것을 보는 것을 좋아한다.

❶ Imagine / a scene from a movie. / ❷ A bomb is going to explode / in
　상상해봐라　　영화의 한 장면을　　　　　　　폭탄이 터질 것이다

10 seconds. / ❸ To stop it, / a man must cut / one of the wires. / ❹ 9, 8, 7,
10초 후면　　　그것을 막기 위해　한 남자는 잘라야 한다　전선들 중 하나를　　　9초, 8초, 7초,

6 … / ❺ What will happen next? / ❻ He cuts the right wire, / and the bomb
6초　　다음에 무슨 일이 일어날까　　　그는 올바른 전선을 자른다　　　그리고 그 폭탄은

stops / at one second! /
멈춘다　1초에서

❼ This is a common cliché. / ❽ Clichés are phrases or actions / that
　이것은 흔한 클리셰이다　　　　클리셰는 관용구 또는 행위이다

often appear / in novels and movies. / ❾ They are not fresh or unique. /
자주 나오는　　　소설과 영화 속에　　　　그것들은 신선하거나 독특하지 않다

❿ (A) However, / this doesn't mean / they are always bad. / ⓫ We
　　하지만　　이것은 의미하지 않는다　그것들이 항상 나쁘다는 것을　　우리는

understand stories / that have clichés / more quickly and easily / because
이야기들을 이해한다　　클리셰를 가지고 있는　　더 빠르고 쉽게

we are already familiar / with them. / ⓬ Moreover, / some clichés are
우리가 이미 익숙하기 때문에　그것들에　　　게다가　　어떤 클리셰는

simply loved / by a wide audience. / ⓭ (B) For example, / the "love
그냥 사랑받는다　　많은 청중에게　　　　예를 들어　　　　'삼각관계'는

triangle" is a very popular cliché. / ⓮ We have seen this situation / in
매우 인기 있는 클리셰이다　　　　　　　우리는 이 상황을 본 적 있다

many stories, / but we still love seeing it. /
많은 이야기들에서　　하지만 우리는 여전히 그것을 보는 것을 좋아한다

구문 해설

❷ A bomb **is going to** explode in 10 seconds.
→ be going to는 '~할 것이다, ~할 계획이다'라는 의미로, 미래를 나타낸다.

❸ **To stop it**, a man *must* cut one of the wires.
→ To stop it은 '그것을 막기 위해'라는 의미로, [목적]을 나타내는 to부정사의 부사적 용법으로 쓰였다.
→ 조동사 must는 '(반드시) ~해야 한다'라는 의미로, 강한 의무를 나타낸다.
　cf. must: ~임에 틀림없다 [강한 추측]　*ex.* He **must** be worried about the test. (그는 시험에 대해 걱정하고 있음에 틀림없다.)

❽ Clichés are phrases or actions [that **often** appear in novels and movies].
→ [ ]는 앞에 온 선행사 phrases or actions를 수식하는 주격 관계대명사절이다.
→ often(자주, 종종)은 어떤 일이 얼마나 자주 일어나는지를 나타내는 빈도부사이다. 빈도부사는 일반동사의 앞 또는 be동사나 조동사의 뒤에 오므로 일반동사 appear 앞에 왔다.

1 이 글의 제목으로 가장 적절한 것은?

① Too Many Clichés Are Boring 너무 많은 클리셰는 지루하다
② Clichés: The Main Part of Movies 클리셰: 영화의 주된 요소
③ How Some Stories Became Clichés 몇몇 이야기들은 어떻게 클리셰가 되었는가
④ Clichés: Not New But Still Enjoyable 클리셰: 새롭지는 않지만 여전히 재미있는 ✓
⑤ Common Clichés That People Try to Avoid 사람들이 피하려고 노력하는 흔한 클리셰들

2 이 글의 빈칸 (A)와 (B)에 들어갈 말로 가장 적절한 것은?

	(A)		(B)	
①	So	……	However	그래서 … 하지만
②	However	……	For example	하지만 … 예를 들어 ✓
③	Therefore	……	In short	그러므로 … 요컨대
④	For example	……	In addition	예를 들어 … 게다가
⑤	In addition	……	However	게다가 … 하지만

3 다음 영영 풀이에 해당하는 단어를 글에서 찾아 쓰시오.

a group of people who watch or listen to a performance 공연을 보거나 듣는 한 무리의 사람들

___audience___ 청중

4 이 글의 내용으로 보아, 다음 빈칸에 들어갈 말을 보기 에서 골라 쓰시오.

보기	fresh	right	understand	familiar	create
	신선한	올바른	이해하다	익숙한	만들다

Clichés used in novels and movies are so ___familiar___ to us that they aren't ___fresh___. But they help us ___understand___ stories better. In addition, some of them are just popular.

소설과 영화 속에 사용된 클리셰는 우리에게 너무 익숙해서 그것들은 신선하지 않다. 그러나 그것들은 우리가 이야기를 더 잘 이해하는 데 도움이 된다. 게다가, 그것들 중 일부는 그냥 인기가 있다.

정답 1 ④   2 ②   3 audience   4 familiar, fresh, understand

문제 해설

1 클리셰는 자주 등장해서 신선하지는 않지만 이야기를 이해하는 데 도움이 되는 데다가, 일부 클리셰는 그 자체로도 사랑을 받는다고 설명하는 글이므로, 제목으로 ④ '클리셰: 새롭지는 않지만 여전히 재미있는'이 가장 적절하다.

2 (A) 빈칸 앞에서 신선하거나 독특하지 않다는 클리셰의 부정적인 면을 언급한 뒤, 빈칸이 있는 문장에서는 이것이 항상 나쁘다는 의미는 아니라며 대조되는 내용을 언급했다. 따라서 빈칸 (A)에는 '하지만'이 가장 적절하다. (B) 빈칸 앞에서 어떤 클리셰는 많은 청중에게 그냥 사랑받는다고 했고, 빈칸 뒤에서 우리는 유명한 '삼각관계' 클리셰를 여전히 보기 좋아한다며 예를 들었다. 따라서 빈칸 (B)에는 '예를 들어'가 가장 적절하다.

3 '공연을 보거나 듣는 한 무리의 사람들'이라는 뜻에 해당하는 단어는 audience(청중)이다.

4 문제 해석 참고

---

⑩ However, this doesn't mean [(that) they are **always** bad].
 → [ ]는 doesn't mean의 목적어 역할을 하는 명사절로, 명사절 접속사 that이 생략되어 있다.
 → always(항상)는 어떤 일이 얼마나 자주 일어나는지를 나타내는 빈도부사이다. 빈도부사는 일반동사의 앞 또는 be동사나 조동사의 뒤에 오므로 be동사 are 뒤에 왔다.

⑪ We understand stories [that have clichés] more quickly and easily because we are already familiar with them.
 → [ ]는 앞에 온 선행사 stories를 수식하는 주격 관계대명사절이다.

⑭ We **have seen** this situation in many stories, but we still *love seeing* it.
 → have seen은 현재완료 시제(have p.p.)로, 이 문장에서는 과거의 [경험]을 나타내어 '본 적이 있다'라고 해석한다.
 → love seeing은 '보는 것을 좋아한다'라고 해석한다. love는 목적어로 동명사와 to부정사 모두 쓸 수 있다.
  ex. Martin **loves to see** natural sights. (Martin은 자연 경관을 보는 것을 좋아한다.)

본문 해석

❶ Oliver는 영화 보는 것을 매우 좋아했다. ❷ 어느 날, 그는 새로 나온 영화를 보러 갔다. ❸ 그가 들어갔을 때 극장은 비어 있었다. ❹ "얼마나 운이 좋은가!"라고 그가 말했다. ❺ 그는 조용한 환경에서 영화를 즐길 수 있었다. ❻ 하지만, 영화가 시작하자마자, 한 연인이 입장했다. ❼ 그들은 그의 바로 뒤에 앉았다. ❽ 그 후, 그들은 서로에게 이야기를 하기 시작했다. ❾ 그는 영화에 집중하기 위해 노력했지만, 그들은 계속해서 크게 이야기했다. ❿ 마침내, Oliver는 뒤돌아보았다. ⓫ "실례합니다만, 들을 수가 없네요."라고 그가 속삭였다. ⓬ 그 연인은 그를 쳐다봤다. ⓭ "듣지 못하셨으면 하는데요."라고 남자가 화가 난 채로 대답했다. ⓮ "이건 사적인 대화입니다!"

❶ Oliver loved / watching movies. / ❷ One day, / ⓐ he went to see a
　Oliver는 매우 좋아했다　영화 보는 것을　　어느 날　　　그는 새로운 영화를

new film. / ❸ The theater was empty / when he walked in. / ❹ "How lucky /
보러 갔다　　　극장은 비어 있었다　　　　그가 들어갔을 때　　　얼마나 운이 좋은가

ⓑ I am!", / he said. / ❺ He could enjoy the movie / in a quiet environment. /
　나는　　　그가 말했다　　그는 영화를 즐길 수 있었다　　　조용한 환경에서

❻ However, / as soon as the film started, / a couple entered. / ❼ They
　하지만　　　영화가 시작하자마자　　　　　한 연인이 입장했다　　　그들은

sat down / right behind him. / ❽ Then, / they started to talk / to each
앉았다　　　그의 바로 뒤에　　　　그 후　　그들은 이야기를 하기 시작했다　서로에게

other. / ❾ ⓒ He tried / to pay attention to the movie, / but they kept
　　　　　그는 노력했다　영화에 집중하기 위해　　　　　　하지만 그들은

talking loudly. / ❿ Finally, / Oliver turned around. / ⓫ "Excuse me,
계속해서 크게 이야기했다　마침내　Oliver는 뒤돌아보았다　　　실례합니다

but I can't hear," / ⓓ he whispered. / ⓬ The couple stared at him. / ⓭ "I
하지만 제가 들을 수 없네요　그가 속삭였다　　그 연인은 그를 쳐다봤다　　　저는

hope not, sir," / ⓔ the man responded / angrily. / ⓮ "This is a private
듣지 못하셨으면 하는데요　그 남자가 대답했다　　화가 난 채로　이건 사적인 대화입니다

conversation!" /

구문 해설

❶ love는 목적어로 동명사와 to부정사 모두 쓸 수 있다.
　　ex. Kate **loves to watch** the sun set. (Kate는 해가 지는 것을 보는 것을 좋아한다.)

❸ when은 부사절을 이끄는 접속사로, '~할 때'라는 의미이다.

❹ **"How lucky I am!"**, he said.
　　→ How 감탄문 「How + 형용사/부사 + 주어 + 동사!」는 '~는 얼마나 …한가!'라는 의미이다. 이 문장에서는 '나는 얼마나 운이 좋은가!'라고 해석한다. 이때 뒤의 주어와 동사를 생략해서 How lucky!로 쓸 수도 있다.
　　= 「What + a(n) + 형용사 + 명사 + 주어 + 동사!」　*ex.* **What a lucky person I am!**

❺ could는 조동사 can(~할 수 있다)의 과거형으로, '~할 수 있었다'라는 의미이다.

❻ as soon as는 부사절을 이끄는 접속사로, '~하자마자'라는 의미이다.

문제 해설

1 이 글에 드러난 Oliver의 심경 변화로 가장 적절한 것은?

① 두려운 → 무관심한
② 만족스러운 → 짜증이 난 ✓
③ 희망적인 → 고마운
④ 행복한 → 안도한
⑤ 외로운 → 기쁜

2 이 글의 밑줄 친 ⓐ~ⓔ 중, 가리키는 대상이 나머지 넷과 다른 것은?

① ⓐ   ② ⓑ   ③ ⓒ   ④ ⓓ   ⑤ ⓔ ✓

3 이 글의 내용과 일치하면 T, 그렇지 않으면 F를 쓰시오.

(1) 영화가 시작하자마자 연인 한 쌍이 영화관에 들어왔다. 　T
(2) 연인은 큰 소리로 얘기한 것에 대해 Oliver에게 사과했다. 　F

4 이 글에서 Oliver가 밑줄 친 I can't hear를 말한 의도와 남자가 이를 이해한 의도로 가장 적절한 것은?

<Oliver가 말한 의도>		<남자가 이해한 의도>
① 영화의 내용을 이해하지 못함	……	귀가 좋지 않음
② 연인의 대화를 듣고 싶음	……	영화의 소리를 더 크게 듣고 싶음
③ 귀가 좋지 않음	……	연인이 대화를 멈췄으면 좋겠음
④ 연인이 대화를 멈췄으면 좋겠음 ✓	……	연인의 대화를 듣고 싶음
⑤ 영화의 소리를 더 크게 듣고 싶음	……	영화의 내용을 이해하지 못함

5 다음 영영 풀이에 해당하는 단어를 글에서 찾아 쓰시오.

> not for other people and only for a particular person or group
> 다른 사람들을 위한 것이 아니고 오직 특정 사람 또는 무리만을 위한

　　　private
　　사적인, 개인 소유의

1 문장 ❹-❺에서 Oliver는 조용히 영화를 즐길 수 있어 운이 좋다고 생각했다가, 문장 ❾-⓫에서 큰 소리로 얘기하는 연인 때문에 영화 소리를 들을 수 없다고 했으므로, 심경 변화로 ②가 가장 적절하다.

2 ⓔ는 연인 중 남자를 가리키고, 나머지는 모두 Oliver를 가리킨다.

3 (1) 문장 ❻에 언급되어 있다.
(2) 문장 ⓭-⓮에서 연인 중 남자가 Oliver에게 대화를 듣지 말라며 화가 난 채로 말했다고 했다.

4 문장 ❾에서 Oliver가 연인의 대화 소리 때문에 영화에 집중하기 어려웠다고 했으므로, Oliver는 연인이 대화를 멈춰주길 원했음을 알 수 있다. 반면 문장 ⓭-⓮에서 남자가 Oliver에게 사적인 대화를 나누고 있으니 듣지 말았으면 한다고 대답한 것으로 미루어 보아, 남자는 Oliver가 그들의 대화를 듣고 싶어 한다고 이해했음을 알 수 있다. 따라서 Oliver가 말한 의도와 남자가 이해한 의도로 가장 적절한 것은 ④이다.

5 '다른 사람들을 위한 것이 아니고 오직 특정 사람 또는 무리만을 위한'이라는 뜻에 해당하는 단어는 private (사적인, 개인 소유의)이다.

정답　1 ②　2 ⑤　3 (1) T (2) F　4 ④　5 private

---

❽　start는 목적어로 to부정사와 동명사 모두 쓸 수 있다.
　　ex. Monica **started talking** with new people at the party. (Monica는 파티에서 새로운 사람들과 이야기를 하기 시작했다.)

❾　He **tried to pay attention to** the movie, but they *kept talking* loudly.
　　→ 「try + to-v」는 '~하기 위해 노력하다'라는 의미이다.
　　　cf. 「try + v-ing」: (시험 삼아) ~해보다　*ex.* He **tried fixing** the TV but failed. (그는 TV를 고치려고 해봤지만 실패했다.)
　　→ 「keep + v-ing」는 '계속해서 ~하다'라는 의미이다. keep은 목적어로 동명사를 쓴다.

⓭　I hope not은 I hope you cannot hear(당신이 듣지 못하기를 바랍니다)를 의미한다.

본문 해석

❶ 수십 명의 사람들이 한 코끼리 위에 타고 있다. ❷ 다른 사람들은 8미터 길이의 거미가 돌아다니는 것을 보고 있다. ❸ 이곳은 낭트의 기계섬이라고 불리는 동물원이다. ❹ 이곳에서 가장 인기 있는 동물은 Great Elephant이다. ❺ 그것은 높이가 12미터이고 48톤의 강철과 목재로 만들어져 있다. ❻ 그것은 실내 휴게실과 테라스도 가지고 있다! ❼ 50명의 승객들이 30분 동안 그것 위에 타 있을 수 있다. ❽ 마치 실제 코끼리처럼, 그것은 코로 물을 뿜는다. ❾ 동물원에는 거대한 벌새, 개미, 그리고 한 쌍의 기러기들과 같은 다른 동물들도 있다. ❿ 그것들은 모두 기계이고, 당신은 그것들 안에 있는 움직이는 부품들을 볼 수 있다. ⓫ 또한, 그것들 중 일부를 조종할 수도 있다. ⓬ 당신은 이곳을 방문해보고 싶은가?

❶ Dozens of people / are riding on an elephant. / ❷ Others are
수십 명의 사람들이　　　한 코끼리 위에 타고 있다　　　　　　다른 사람들은

watching / an eight-meter-long spider / move around. / ❸ This place
보고 있다　　　8미터 길이의 거미가　　　　　돌아다니는 것을　　　이곳은

is a zoo / called Machines of the Isle of Nantes. / ❹ The most popular
동물원이다　Machines of the Isle of Nantes(낭트의 기계섬)라고 불리는　가장 인기 있는 동물은

animal / here / is the Great Elephant. / ❺ It stands 12 meters tall /
　　　이곳에서　Great Elephant이다　　　　　그것은 높이가 12미터이다

and is made of / 48 tons of steel and wood. / ❻ It even has / an indoor
그리고 ~으로 만들어져 있다　48톤의 강철과 목재　　　　　그것은 심지어 가지고 있다

lounge and a terrace! / ❼ Fifty passengers can take a ride on it / for 30
실내 휴게실과 테라스를　　　50명의 승객들이 그것 위에 탈 수 있다　　　　30분 동안

minutes. / ❽ Just like a real elephant, / it sprays water / with its trunk. /
　　　　　마치 실제 코끼리처럼　　　　그것은 물을 뿜는다　그것의 코로

(④ ❾ There are also other animals / in the zoo, / such as / a giant
　　　　　다른 동물들도 있다　　　　　그 동물원에는　　~과 같은　거대한

hummingbird, / an ant, / and a pair of wild geese.) / ❿ They are all
벌새　　　　개미　그리고 한 쌍의 기러기들　　　　　그것들은 모두

machines, / and you can see / the moving parts inside them. / ⓫ You
기계들이다　그리고 당신은 볼 수 있다　그것들 안에 있는 움직이는 부품들을　　당신은

can control / some of them, / too. / ⓬ Would you like to visit / this place? /
조종할 수 있다　그것들 중 일부를　또한　　당신은 방문해 보고 싶은가　이곳을

구문 해설

❷ **Others** *are watching* an eight-meter-long spider move around.
→ others는 '(불특정한) 다른 사람들/것들'이라는 의미이다.
　cf. another: 또 다른 하나　the other(s): 나머지 하나/전부
→ 「be동사의 현재형 + v-ing」는 현재진행 시제로, '~하고 있다, ~하는 중이다'라고 해석한다.
→ 「watch + 목적어 + 동사원형」은 '~가 …하는 것을 보다'라는 의미이다. 진행의 의미를 강조하기 위해 동사원형 대신 현재분사를 쓸 수도 있다.

❸ This place is a zoo [**called** Machines of the Isle of Nantes].
→ [ ]는 앞에 온 a zoo를 수식하는 과거분사구이다. 이때 called는 '~이라고 불리는'이라고 해석한다.

문제 해설

1 이 글의 제목으로 가장 적절한 것은?

① How Animals Live in a Zoo 동물들은 어떻게 동물원에서 살아가는가
② The Largest Zoo in the World 세계에서 가장 큰 동물원
③ How to Make Moving Robots 움직이는 로봇을 만드는 방법
④ A New Lounge at an Amusement Park 놀이공원의 새로운 휴게실
⑤ A Special Place with Mechanical Animals 기계 동물들이 있는 특별한 장소 ✓

2 이 글의 흐름으로 보아, 다음 문장이 들어가기에 가장 적절한 곳은?

> There are also other animals in the zoo, such as a giant hummingbird, an ant, and a pair of wild geese. 동물원에는 거대한 벌새, 개미, 그리고 한 쌍의 기러기들과 같은 다른 동물들도 있다.

①   ②   ③   ④ ✓   ⑤

3 이 글에서 Great Elephant에 관해 언급되지 않은 것은?

① 높이   ② 사용된 재료   ③ 제작 기간 ✓
④ 내부 구조   ⑤ 탑승 가능한 시간

4 이 글의 내용으로 보아, 다음 빈칸에 들어갈 말을 글에서 찾아 쓰시오.

> All of the animals in the Machines of the Isle of Nantes are __machines__ . The Great Elephant is the most __popular__ animal there, and visitors can ride on it.

낭트의 기계섬에 있는 모든 동물들은 기계들이다. Great Elephant는 그곳에서 가장 인기 있는 동물이며, 방문객들은 그것을 탈 수 있다.

정답   1 ⑤   2 ④   3 ③   4 machines, popular

문제 해설

1 여러 종류의 기계로 된 동물들이 있는 동물원 낭트의 기계섬을 소개하는 글이므로, 제목으로 ⑤ '기계 동물들이 있는 특별한 장소'가 가장 적절하다.

2 주어진 문장은 앞서 언급된 Great Elephant 외에 동물원에서 볼 수 있는 기계 동물들을 소개하고 있다. 따라서 Great Elephant에 대해 설명하는 마지막 문장 ❽과 주어진 문장의 other animals를 They로 지칭하며 설명하는 문장 ❿ 사이에 오는 것이 자연스러우므로, ④가 가장 적절하다.

3 ③: Great Elephant의 제작 기간에 대한 언급은 없다.
①, ②: 문장 ❺에서 Great Elephant는 12미터 높이에, 48톤의 강철과 목재로 만들어졌다고 했다.
④: 문장 ❻에서 Great Elephant는 실내 휴게실과 테라스를 가지고 있다고 했다.
⑤: 문장 ❼에서 승객들이 Great Elephant 위에 30분 동안 타 있을 수 있다고 했다.

4 문제 해석 참고

---

❻ be made of는 '~으로 만들어지다'라는 의미의 수동태 표현이다. be made of는 재료의 성질이 변하지 않을 때 사용한다.
　cf. be made from: ~으로 만들어지다 (재료의 성질이 변함)   *ex.* Paper **is made from** wood. (종이는 나무로 만들어진다.)

❾ 세 가지 이상의 단어를 나열할 때는 콤마와 함께 마지막 단어 앞에 and[or]를 써서 「A, B, and[or] C」로 나타낸다.

❿ moving은 뒤에 온 parts를 수식하는 현재분사이다. 이때 moving은 '움직이는'이라고 해석한다.

⓬ 「would like + to-v」는 '~하고 싶다'라는 의미이다. would like는 목적어로 to부정사를 쓴다. 조동사가 있는 의문문은 「조동사 + 주어 + 동사 ~?」로 쓰므로, 이 문장에서처럼 의문문으로 쓰면 「Would + 주어 + like + to-v ~?」가 된다.

본문 해석

❶ 환경을 보호하기 위해, 새로운 종류의 전쟁이 벌어지고 있다. ❷ 적은 플라스틱 빨대이다. ❸ 그것들과 싸우기 위해, 우리는 몇몇 특별한 무기들을 사용한다!

❹ 그것들 중 하나는 대나무 빨대이다. ❺ 대부분의 나무와 달리, 대나무는 하루에 1미터까지 매우 빠르게 자란다. ❻ 우리는 빨대를 만들기 위해 그것을 베어낼 수 있고, 그것은 빠르게 다시 자랄 것이다. ❼ 게다가, 대나무로 만든 음용 빨대는 튼튼하다. ❽ 그것들은 종이 빨대처럼 쉽게 물러지지 않고, 각각 50번 넘게 사용될 수 있다.

❾ 또 다른 무기는 사과로 만들어진다. ❿ 사과 주스가 만들어질 때, 많은 껍질들이 버려진다. ⓫ 하지만 그것들은 사과 빨대를 만들기 위해 재활용될 수 있다. ⓬ 사과 빨대를 사용하면 물이 약간 단맛이 난다. ⓭ 그리고 다 마신 후에는 그것들을 먹을 수 있다!

❶ To protect the environment, / a new kind of a war / is going on. /
환경을 보호하기 위해   새로운 종류의 전쟁이   벌어지고 있다

❷ The enemy is plastic straws. / ❸ To fight them, / we use some special
적은 플라스틱 빨대이다   그것들과 싸우기 위해   우리는 몇몇 특별한 무기들을

weapons! /
사용한다

❹ One of them / is the bamboo straw. / ❺ Unlike most trees, / bamboo
그것들 중 하나는   대나무 빨대이다   대부분의 나무와 달리   대나무는

grows very fast / —up to a meter / a day. / ❻ We can cut it down / to make
매우 빠르게 자란다   1미터까지   하루에   우리는 그것을 베어낼 수 있다   빨대를

straws, / and it will quickly grow back. / ❼ Moreover, / drinking straws /
만들기 위해 그리고 그것은 빠르게 다시 자랄 것이다   게다가   음용 빨대는

made of bamboo / are strong. / ❽ They don't become soft easily / like
대나무로 만들어진   튼튼하다   그것들은 쉽게 물러지지 않는다

paper straws, / and each one can be used / more than 50 times. /
종이 빨대처럼   그리고 각각의 것은 사용될 수 있다   50번 넘게

❾ Another weapon / is made from apples. / ❿ When apple juice is
또 다른 무기는   사과로 만들어진다   사과 주스가 만들어질 때

made, / a lot of peels / are thrown away. / ⓫ But they can be recycled /
많은 껍질들이   버려진다   하지만 그것들은 재활용될 수 있다

to make apple straws. / ⓬ The water tastes slightly sweet / with apple
사과 빨대를 만들기 위해   물이 약간 단맛이 난다   사과 빨대를

straws. / ⓭ And you can eat them / after you finish drinking! /
사용하면   그리고 당신은 그것들을 먹을 수 있다 당신이 마시기를 끝낸 후에

구문 해설

❶ To protect the environment는 '환경을 보호하기 위해'라는 의미로, [목적]을 나타내는 to부정사의 부사적 용법으로 쓰였다.

❻ 「cut + 목적어 + down」은 '~을 베어내다'라는 의미이다. 목적어가 대명사인 경우 cut과 down 사이에 와야 하지만, 대명사가 아닌 경우 cut down 뒤에도 올 수 있다. *ex.* I **cut down the trees** in my backyard. (나는 뒷마당에 있는 나무들을 베었다.)

❼ Moreover, **drinking** straws [*made of* bamboo] are strong.
→ drinking은 뒤에 온 명사(straws)의 용도나 목적을 나타내는 동명사이다. 이 문장에서는 '음용(마시기 위한) 빨대'라고 해석한다.
→ [ ]는 앞에 온 drinking straws를 수식하는 과거분사구이다. 이때 made of는 '~으로 만들어진'이라고 해석한다.

❽ They don't **become soft** easily like paper straws, and *each one* can be used more than 50 times.
→ 「become + 형용사」는 '~해지다, ~하게 되다'라는 의미이다.
→ each(각각의) 뒤에는 반드시 단수명사(one)가 와야 하며, 「each + 단수명사」는 단수 취급한다.
→ can be used는 '사용될 수 있다'라는 의미이다. 조동사 뒤에는 동사원형이 오므로, 조동사가 있는 수동태는 「조동사 + be p.p.」가 된다.

1 이 글의 제목으로 가장 적절한 것은?

① The Process of Making Straws 빨대를 만드는 과정
② Straws to Replace Plastic Ones 플라스틱 빨대를 대체할 빨대들
③ How to Recycle Plastic Straws 플라스틱 빨대를 재활용하는 방법
④ Plastic Straws: The Cause of Pollution 플라스틱 빨대: 오염의 원인
⑤ Smart Methods to Reduce Food Waste 음식물 쓰레기를 줄이기 위한 현명한 방법들

2 이 글의 빈칸에 들어갈 말로 가장 적절한 것은?

① strong 튼튼한 　② slim 얇은 　③ clean 깨끗한
④ light 가벼운 　⑤ typical 일반적인

3 다음 중, 대나무 빨대와 사과 빨대 각각에 해당하는 특징을 <u>모두</u> 골라 쓰시오.

> (A) 원재료가 빠르게 자란다.
> (B) 식용이 가능하다.
> (C) 버려지는 재료로 만들어진다.
> (D) 쉽게 물러지지 않는다.

(1) 대나무 빨대: ＿＿＿＿ (A), (D) ＿＿＿＿
(2) 사과 빨대: ＿＿＿＿ (B), (C) ＿＿＿＿

4 이 글의 내용으로 보아, 다음 빈칸에 들어갈 말을 보기에서 골라 쓰시오.

보기	environmentally	wasted	sweet	reused	nationally
	환경적으로	낭비되다	(맛이) 단	재사용되다	전국적으로

There are two kinds of straws that are ＿＿ environmentally ＿＿ good. The first is a bamboo straw that can be ＿＿ reused ＿＿ many times. The second is made from apples. It makes the drink taste ＿＿ sweet ＿＿.

환경적으로 좋은 두 종류의 빨대가 있다. 첫 번째는 여러 번 재사용될 수 있는 대나무 빨대이다. 두 번째는 사과로 만들어진다. 그것은 음료가 단맛이 나게 만든다.

문제 해설

1 플라스틱 빨대와의 전쟁을 위한 무기에 빗대어 대나무 빨대와 사과 빨대를 소개하는 글이므로, 제목으로 ② '플라스틱 빨대를 대체할 빨대들'이 가장 적절하다.

2 빈칸 뒤에서 대나무 빨대는 쉽게 물러지지 않고 50번 넘게 사용될 수 있다고 했다. 따라서 빈칸에는 ① '튼튼한'이 가장 적절하다.

3 (1) 문장 ⑥에서 대나무를 자르면 빠르게 다시 자라난다고 했고, 문장 ⑧에서 대나무 빨대는 쉽게 물러지지 않는다고 했다. 따라서 대나무 빨대에 대한 특징으로 가장 적절한 것은 (A), (D)이다.
(2) 문장 ⑱에서 물을 다 마신 후에 사과 빨대를 먹을 수 있다고 했고, 문장 ⑩-⑪에서 사과 빨대는 주스를 만들 때 버려지는 사과 껍질을 재활용하여 만들어진다고 했다. 따라서 사과 빨대에 대한 특징으로 가장 적절한 것은 (B), (C)이다.

4 문제 해석 참고

---

⑨ **Another weapon** *is made from* apples.
→ 「another + 단수명사」는 '또 다른 ~'라는 의미이다. 이 문장에서는 '(문장 ④에서 언급한 무기들 중 하나(One)인 대나무 빨대와는) 또 다른 무기'라고 해석한다.
→ be made from은 '~으로 만들어지다'라는 의미의 수동태 표현이다.
⑫ 「taste + 형용사」는 '~한 맛이 나다'라는 의미이다.
⑬ 「finish + v-ing」는 '~하는 것을 끝내다'라는 의미이다. finish는 목적어로 동명사를 쓴다.

본문 해석

① 스페인에서는, 아이들이 무언가 특별한 것으로부터 크리스마스 선물을 받는다. ② 그것의 이름은 Caga Tió이다. ③ Caga Tió는 스페인어로 '응가 통나무'를 의미한다. ④ 그것은 웃고 있는 얼굴을 한 작은 통나무다. ⑤ 12월 8일에, 아이들은 그들만의 Caga Tió를 받는다. ⑥ 그들은 크리스마스 전날까지 Caga Tió를 잘 돌본다면, 그것이 선물을 줄 것이라고 믿는다! ⑦ 그래서, 그들은 통나무에게 음식을 제공하고 따뜻하게 해주기 위해 그 위에 담요를 덮어준다. ⑧ 그 후, 크리스마스 날에, 아이들은 그들의 Caga Tió를 막대기로 두드리고 그것에게 선물을 요청하기 위해 노래를 부른다. ⑨ 그들은 노래 부르는 것을 마치면, 통나무에서 담요를 치운다. ⑩ 거기에서, 그들은 잘 먹은 Caga Tió로부터 배설된 선물을 발견할 것이다. ⑪ 다행스럽게도, 그것은 고약한 냄새가 나지 않는다!

① In Spain, / children receive Christmas gifts / from something
스페인에서는   아이들이 크리스마스 선물을 받는다   무언가 특별한 것으로부터

special. / ② Its name is Caga Tió. / ③ Caga Tió means "poo log" / in
그것의 이름은 Caga Tió이다   Caga Tió는 '응가 통나무'를 의미한다

Spanish. / ④ It is a small log / with a smiling face. / ⑤ On December 8, /
스페인어로   그것은 작은 통나무다   웃고 있는 얼굴이 있는   12월 8일에

ⓐ children get their own Caga Tió. / ⑥ They believe / if they take good
아이들은 그들만의 Caga Tió를 받는다   그들은 믿는다   만약 그들이 그것을 잘

care of it / until Christmas Eve, / it will give them / presents! / ⑦ So, /
돌본다면   크리스마스 전날까지   그것이 그들에게 줄 것이라고 선물들을   그래서

ⓑ they offer their log / food / and put a blanket over it / to keep it
그들은 그들의 통나무에 제공한다 음식을 그리고 그것 위에 담요를 덮어준다   그것을 따뜻하게

warm. / ⑧ Then, / on Christmas Day, / children tap their Caga Tió / with
유지하기 위해 그 후   크리스마스 날에   아이들은 그들의 Caga Tió를 두드린다

a stick / and sing a song / to ask it for presents. / ⑨ When ⓒ they finish
막대기로   그리고 노래를 부른다   그것에게 선물을 요청하기 위해   그들이 노래 부르는 것을

singing the song, / they remove the blanket / from the log. / ⑩ There, /
마치면   그들은 담요를 치운다   통나무에서   거기에서

ⓓ they will find the gifts / that are pooped out / by the well-fed Caga Tió. /
그들은 선물들을 발견할 것이다   밖으로 배설된   잘 먹은 Caga Tió로부터

⑪ Fortunately, / ⓔ they don't smell bad! /
다행스럽게도   그것들은 고약한 냄새가 나지 않는다

구문 해설

① something과 같이 -thing으로 끝나는 대명사는 형용사가 뒤에서 수식한다.

④ smiling은 뒤에 온 face를 수식하는 현재분사이다. 이때 smiling은 '웃고 있는'이라고 해석한다.

⑥ They believe [(that) **if** they **take** good care of it *until* Christmas Eve, it will give them presents]!
  → [ ]는 believe의 목적어 역할을 하는 명사절로, 명사절 접속사 that이 생략되어 있다.
  → 조건을 나타내는 if절(만약 ~한다면)에서는 미래를 나타낼 때도 현재 시제(take)를 쓴다.
  → 전치사 until은 '~까지'라는 의미로, 특정 시점까지 어떤 행동이나 상태가 계속되는 것을 나타낸다.
    cf. 전치사 by: ~까지 [완료] *ex.* Hand in your report **by** next Monday. (다음 주 월요일까지 보고서를 제출하세요.)
  → 「give + 간접목적어 + 직접목적어」는 '~에게 …을 주다'라는 의미이다.
    = 「give + 직접목적어 + to + 간접목적어」 *ex.* it will **give presents to them**

1 이 글의 제목으로 가장 적절한 것은?

① A Song for Children in Spain 스페인의 아이들을 위한 노래
② Food That Looks like Caga Tió Caga Tió처럼 생긴 음식
③ Christmas Presents around the World 세계 곳곳의 크리스마스 선물들
④ Caga Tió Gives Children Christmas Gifts Caga Tió는 아이들에게 크리스마스 선물을 준다 ✓
⑤ Why Spanish People Call a Log Caga Tió 스페인 사람들은 왜 통나무를 Caga Tió라고 부르는가

2 이 글의 빈칸에 들어갈 말로 가장 적절한 것은?

① sleep with it 그것과 함께 잔다
② put it outside 그것을 바깥에 둔다
③ sing songs to it 그것에게 노래를 불러준다
④ hide it from others 다른 사람들로부터 그것을 숨긴다
⑤ take good care of it 그것을 잘 돌본다 ✓

3 이 글의 밑줄 친 ⓐ~ⓔ 중, 가리키는 대상이 나머지 넷과 다른 것은?

① ⓐ   ② ⓑ   ③ ⓒ   ④ ⓓ   ⑤ ⓔ ✓

4 이 글의 내용으로 보아, 다음 빈칸에 들어갈 말을 [보기]에서 골라 쓰시오.

보기	offer	blanket	tap	remove	log
	제공하다	담요	두드리다	치우다	통나무

How Children Get Christmas Gifts in Spain
스페인에서 아이들이 크리스마스 선물을 받는 방법

On December 8 12월 8일에	They receive a smiling (1) ___log___ called Caga Tió. 그들은 Caga Tió라고 불리는 웃고 있는 (1) 통나무를 받는다.
Until Christmas Eve 크리스마스 전날까지	They (2) ___offer___ food and keep Caga Tió warm. 그들은 음식을 (2) 제공하고 Caga Tió를 따뜻하게 유지한다.
On Christmas Day 크리스마스 날에	They sing a song and (3) ___tap___ Caga Tió with a stick. 그들은 노래를 부르고 막대기로 Caga Tió를 (3) 두드린다.

정답   1 ④   2 ⑤   3 ⑤   4 (1) log (2) offer (3) tap

문제 해설

1 스페인에서 크리스마스에 아이들이 Caga Tió라는 통나무에게서 선물을 받는 문화를 소개하는 글이므로, 제목으로 ④ 'Caga Tió는 아이들에게 크리스마스 선물을 준다'가 가장 적절하다.

2 빈칸 뒤에서 아이들이 크리스마스 전날까지 Caga Tió에게 음식을 주고 담요를 덮어 따뜻하게 해준다고 했다. 따라서 빈칸에는 ⑤ '그것을 잘 돌본다'가 가장 적절하다.

3 ⓔ는 Caga Tió로부터 배설된 선물을 가리키고, 나머지는 모두 스페인의 아이들을 가리킨다.

4 문제 해석 참고

---

❼ So, they **offer their log food** and put a blanket over it *to keep it warm*.
→ 「offer + 간접목적어 + 직접목적어」는 '~에게 …을 제공하다'라는 의미이다.
= 「offer + 직접목적어 + to + 간접목적어」 *ex.* they **offer food to their log**
→ to keep it warm은 '그것을 따뜻하게 유지하기 위해'라는 의미로, [목적]을 나타내는 to부정사의 부사적 용법으로 쓰였다.
→ 「keep + 목적어 + 형용사」는 '~을 …하게 유지하다'라는 의미로, 여기서는 '그것(=their log)을 따뜻하게 유지하다'라고 해석한다.

❽ 「ask A for B」는 'A에게 B를 요청하다'라는 의미이다. 이 문장에서는 '그것(=their Caga Tió)에게 선물을 요청하다'라고 해석한다.

❾ 「finish + v-ing」는 '~하는 것을 마치다, 끝내다'라는 의미이다.

❿ There, they will find the gifts [that are pooped out by the well-fed Caga Tió].
→ [ ]는 앞에 온 선행사 the gifts를 수식하는 주격 관계대명사절이다.

⓫ 「smell + 형용사」는 '~한 냄새가 나다'라는 의미이다.

본문 해석

❶ 당신은 아침 식사로 시리얼을 먹는 가? ❷ 그렇다면, 당신은 아마 매번 철을 섭취하고 있을 것이다! ❸ 사실, 많은 종류의 시리얼이, 심지어 당신의 것도 철가루를 함유하고 있다. ❹ 당신은 간단한 실험으로 이것을 확인할 수 있다.

❺ 먼저, 약간의 시리얼을 작은 조각들로 부숴라. ❻ 그것들을 플라스틱병 안에 넣고 병을 물로 반 정도 채워라. ❼ 그 다음, 자석을 가져와라. ❽ 그것을 병 안에 들어 있는 시리얼 조각들에 가까이 들어라. ❾ 당신이 자석을 천천히 움직이면, 시리얼에서 나온 작은 철 조각들이 그것을 따라다니는 것을 볼 것이다!

❿ 이제, 당신은 철을 섭취하는 것에 대해 걱정할지도 모르겠지만, 그럴 필요가 없다. ⓫ 시리얼에 있는 철은 깨끗하고 먹기에 안전하다. ⓬ 그것은 에너지를 만들어 내는 것을 돕기 때문에 사실 당신의 몸에 필요하다. ⓭ 그것이 충분하지 않으면 당신은 힘이 없거나 어지럽다고 느낄 수 있다.

❶ Do you eat cereal / for breakfast? / ❷ Then, / you are probably
당신은 시리얼을 먹는가　　　아침 식사로　　　그렇다면　당신은 아마 철을 섭취하고

eating iron / every time! / ❸ In fact, / many kinds of cereal / contain iron
있을 것이다　　매번　　　사실　　　많은 종류의 시리얼이　　철가루를 함유하고 있다

powder, / even yours. / ❹ You can check this / with a simple test. /
　　심지어 당신의 것도　당신은 이것을 확인할 수 있다　간단한 실험으로

❺ First, / crush up some cereal / into small pieces. / ❻ Put them / inside
먼저　약간의 시리얼을 부숴라　　작은 조각들로　　　그것들을 넣어라

a plastic bottle / and fill it halfway / with water. / ❼ Next, / get a magnet. /
플라스틱병 안에　그리고 그것을 반 정도 채워라　물로　　　그 다음　자석을 가져와라

❽ Hold it close / to the cereal pieces / that are inside the bottle. /
그것을 가까이 들어라　시리얼 조각들에　　병 안에 들어 있는

❾ When you move the magnet / slowly, / you will see / small iron
당신이 자석을 움직이면　　　천천히　　당신은 볼 것이다　시리얼에서 나온

pieces from the cereal / follow it! /
작은 철 조각들이　　　그것을 따라다니는 것을

❿ Now, / you may worry / about eating iron, / but you don't have to. /
이제　당신은 걱정할지도 모른다　철을 섭취하는 것에 대해　하지만 당신은 그럴 필요가 없다

⓫ The iron in cereal is clean / and safe to eat. / ⓬ It's actually necessary /
시리얼에 있는 철은 깨끗하다　　그리고 먹기에 안전하다　그것은 사실 필요하다

for your body / because it helps / produce energy. / ⓭ You can feel weak
당신의 몸에　　그것이 돕기 때문에　에너지를 만들어 내는 것을　당신은 힘이 없거나

or dizzy / without enough of it. /
어지럽다고 느낄 수 있다　그것의 충분한 양이 없으면

구문 해설

❸ yours는 '당신의 것'이라는 의미의 2인칭 소유대명사이다. 소유대명사는 「소유격 + 명사」를 대신하며, 이 문장에서 yours는 your cereal을 대신하고 있다.

❽ Hold it **close** to the cereal pieces [that are inside the bottle].
→ close가 '가까이'라는 의미의 부사로 쓰였다. close는 -ly를 붙이면 의미가 다른 부사가 된다.　*cf.* closely: 면밀히
→ [ ]는 앞에 온 선행사 the cereal pieces를 수식하는 주격 관계대명사절이다.

❾ **When** you **move** the magnet slowly, you will *see small iron pieces from the cereal follow* it!
→ 시간을 나타내는 when절(~할 때)에서는 미래를 나타낼 때도 현재 시제(move)를 쓴다.
→ 「see + 목적어 + 동사원형」은 '~가 …하는 것을 보다'라는 의미이다. 진행의 의미를 강조하기 위해 동사원형 대신 현재분사를 쓸 수도 있다.

문제 해설

1 이 글의 빈칸에 들어갈 말로 가장 적절한 것은?

✔ ① eating iron every time 매번 철을 섭취하고 있는
② looking for a healthier meal 더 건강에 좋은 식사를 찾고 있는
③ getting too many nutrients 너무 많은 영양분을 얻고 있는
④ not producing enough energy 충분한 에너지를 만들어 내지 못하고 있는
⑤ losing some weight 체중이 줄고 있는

2 이 글의 밑줄 친 a simple test의 과정과 일치하지 않는 것은?

① 시리얼을 작은 조각으로 부순다.
↓
② 플라스틱병 안에 시리얼 조각들을 넣는다.
↓
③ 병에 물을 반쯤 채운다.
↓
✔ ④ 병 안에 자석을 넣고 병을 흔든다.
↓
⑤ 철 조각들이 자석을 따라다니는 것을 관찰한다.

3 다음 영영 풀이에 해당하는 단어를 글에서 찾아 쓰시오.

a piece of metal that attracts objects made of iron 철로 만들어진 물체들을 끌어당기는 금속 조각

_____ magnet _____ 자석

4 이 글의 내용으로 보아, 다음 빈칸에 들어갈 말을 글에서 찾아 쓰시오.

Cereal contains ____iron____ powder. It is ____safe____ to eat, clean, and even necessary for our bodies to produce ____energy____.

시리얼은 철가루를 함유하고 있다. 그것은 먹기에 안전하고, 깨끗하며, 심지어 우리 몸이 에너지를 만들어 내는 데 필요하다.

정답 1 ① 2 ④ 3 magnet 4 iron, safe, energy

---

1 빈칸 앞에서 아침 식사로 시리얼을 먹는지 물었고, 빈칸 뒤에서 많은 종류의 시리얼이 철가루를 함유하고 있다고 했다. 따라서 빈칸에는 ① '매번 철을 섭취하고 있는'이 가장 적절하다.

2 ④: 문장 ❽에서 자석을 병 안에 든 시리얼 조각들에 가까이 들라고 했다. ①은 문장 ❺에, ②, ③은 문장 ❻에, ⑤는 문장 ❾에 언급되어 있다.

3 '철로 만들어진 물체들을 끌어당기는 금속 조각'이라는 뜻에 해당하는 단어는 magnet(자석)이다.

4 문제 해석 참고

---

❿ Now, you may worry about **eating iron**, but you *don't have to* (worry about eating iron).
→ eating iron은 전치사 about(~에 대해)의 목적어 역할을 하는 동명사구이다.
→ don't have to는 have to(~해야 한다)의 부정형으로, '~할 필요가 없다, ~하지 않아도 된다'라고 해석한다. 이때 don't have to 뒤에 앞에서 언급한 worry about eating iron이 생략되어 있다.

⓫ to eat은 '먹기에'라는 의미로, to부정사의 부사적 용법으로 쓰여 형용사 safe를 수식하고 있다.

⓬ 「help + 동사원형」은 '~하는 것을 돕다'라는 의미이다. = 「help + to-v」 *ex.* it **helps to produce** energy

⓭ You can **feel weak** or **dizzy** *without* enough of it.
→ 「feel + 형용사」는 '~하다고 느끼다, 기분이 ~하다'라는 의미이다. 이 문장에서는 feel 뒤에 형용사 weak와 dizzy가 접속사 or로 연결되어 쓰였다.
→ 전치사 without은 '~ 없이'라는 의미이다.

본문 해석

❶ 당신은 가위바위보를 잘하는가? ❷ 개미, 사람, 코끼리 놀이를 해보는 것은 어떤가? ❸ 이것은 인도네시아에서 나온 가위바위보의 또 다른 버전이다. ❺ 하지만, 동작들이 다르다. ❹ '개미'라는 뜻으로 새끼손가락을 내민다. ❻ '사람'이라는 뜻으로는, 검지를 내민다. ❼ 마지막으로, 엄지를 내밀어서 '코끼리'를 나타낸다.

❽ 여기에 놀이를 하는 방법이 있다. ❾ 사람은 개미를 밟기 때문에 그것을 이긴다. ❿ 코끼리는 사람을 밟을 수 있어서, 그것은 사람을 이긴다. ⓫ 하지만, 코끼리와 개미가 싸우면, 개미가 이긴다! ⓬ 이것은 개미가 코끼리의 귓속으로 들어가 코끼리를 약 오르게 할 수 있기 때문이다. ⓭ 이제, 친구들과 그 놀이를 한번 해봐라. ⓮ 준비, 시작!

❶ Are you good at / Rock, Paper, Scissors? / ❷ How about trying /
당신은 ~을 잘하는가   가위바위보   해보는 것은 어떤가

Ant, Person, and Elephant? / (A) ❸ This is another version of the
개미, 사람, 코끼리를   이것은 그 놀이(가위바위보)의 또 다른 버전이다

game / from Indonesia. / (C) ❺ However, / the gestures are different. /
              인도네시아에서 나온   하지만   동작들이 다르다

(B) ❹ You stick out / your little finger / for "ant." / ❻ For "person," /
        당신은 ~을 내민다   당신의 새끼손가락   '개미'라는 뜻으로   '사람'이라는 뜻으로는

you stick out / your pointer finger. / ❼ Finally, / you show "elephant" /
당신은 ~을 내민다   당신의 검지   마지막으로   당신은 '코끼리'를 나타낸다

by sticking out your thumb. /
당신의 엄지를 내밀어서

❽ Here is / how to play the game. / ❾ The person beats the ant /
여기에 ~이 있다   그 놀이를 하는 방법   사람은 개미를 이긴다

because they step on it. / ❿ An elephant can step on a human, / so it beats
그들이 그것을 밟기 때문에   코끼리는 사람을 밟을 수 있다   그래서 그것은

the person. / ⓫ However, / when an elephant and an ant fight, / the ant
사람을 이긴다   하지만   코끼리와 개미가 싸우면   개미가

wins! / ⓬ This is because / the ant can go in the elephant's ear / and annoy
이긴다   이것은 ~ 때문이다   개미가 코끼리의 귓속으로 들어갈 수 있기   그리고 그것을 약 오르게

it. / ⓭ Now, / try playing the game / with your friends. / ⓮ Ready, set, go! /
할 수 있기 이제   그 놀이를 한번 해봐라   당신의 친구들과   준비, 시작

구문 해설

❷ 「How about + v-ing ~?」는 상대방에게 어떤 것을 제안하거나 권유하기 위해 쓰는 표현으로, '~하는 게 어때?'라는 의미이다. 이 문장에서는 How about 뒤에 trying이 쓰여 '~해보는 것은 어떤가'라고 해석한다.

❼ 「by + v-ing」는 '~해서, ~함으로써'라는 의미로 수단이나 방법을 나타낸다.

❽ **Here is** *how to play* the game.
→ 「here + be동사 + 주어」는 '여기에 ~이 있다, 이것이 ~이다'라는 의미이다.
→ 「how + to-v」는 '~하는 방법, 어떻게 ~할지'라는 의미로, 문장의 주어 역할을 하고 있다. 「의문사 + to-v」는 문장의 주어, 보어 또는 목적어 역할을 한다.
= 「how + 주어 + should + 동사원형」 *ex.* Here is **how you should play** the game.

❾ because는 부사절을 이끄는 접속사로, '~ 때문에'라는 의미이다.

문제 해설

1 이 글의 주제로 가장 적절한 것은?

① 개미, 사람, 코끼리 놀이의 유래
② 개미, 사람, 코끼리 놀이의 규칙 ✓
③ 개미, 사람, 코끼리 놀이를 하는 나라들
④ 개미, 사람, 코끼리 놀이가 인기 있는 이유
⑤ 개미, 사람, 코끼리 놀이와 가위바위보의 공통점

2 이 글의 문장 (A)~(C)를 순서에 맞게 배열한 것으로 가장 적절한 것은?

① (A) – (B) – (C)
② (A) – (C) – (B) ✓
③ (B) – (A) – (C)
④ (C) – (A) – (B)
⑤ (C) – (B) – (A)

3 개미, 사람, 코끼리 놀이에서 각 손동작이 의미하는 대상을 우리말로 쓰시오.

(1)
코끼리

(2)
사람

(3)
개미

4 개미, 사람, 코끼리 놀이에서 개미가 이길 수 있는 대상과 그 이유를 우리말로 쓰시오.

(1) 이길 수 있는 대상: 코끼리
(2) 이유: 개미가 코끼리의 귓속으로 들어가 코끼리를 약 오르게 할 수 있기 때문에

1 개미, 사람, 코끼리 놀이의 동작과 이기는 방식 등 놀이의 규칙을 설명하는 글이므로, 주제로 ②가 가장 적절하다.

2 개미, 사람, 코끼리 놀이를 가위바위보와 비교하여 소개하는 부분으로, 이 놀이는 가위바위보의 인도네시아 버전이라고 소개하는 (A), 하지만 가위바위보와 동작들이 다르다는 내용의 (C), 구체적인 동작 중 하나로, 개미를 내려면 새끼손가락을 내민다고 설명하는 (B)의 흐름이 가장 적절하다.

3 (1) 문장 ❼에서 엄지를 내밀어 코끼리를 나타낸다고 했다.
(2) 문장 ❻에서 사람이라는 뜻으로 검지를 내민다고 했다.
(3) 문장 ❹에서 개미라는 뜻으로 새끼손가락을 내민다고 했다.

4 (1) 문장 ⓫에서 코끼리와 개미가 싸우면 개미가 이긴다고 했다.
(2) 문장 ⓬에서 개미가 코끼리의 귓속으로 들어가 코끼리를 약 오르게 할 수 있기 때문이라고 했다.

정답 1 ② 2 ② 3 (1) 코끼리 (2) 사람 (3) 개미
4 (1) 코끼리 (2) 개미가 코끼리의 귓속으로 들어가 코끼리를 약 오르게 할 수 있기 때문에

⓬ **This is because** the ant *can go* in the elephant's ear and *annoy* it.
→ This is because는 '이것은 ~ 때문이다'라는 의미로, because 뒤에 오는 내용이 앞 문장에 대한 이유가 된다.
→ 조동사 can은 '~할 수 있다'라는 의미로, 가능성을 나타낸다. 여기서는 can 뒤에 동사원형 go와 annoy가 접속사 and로 연결되어 쓰였다.

⓭ Now, **try playing** the game with your friends.
→ 「try + v-ing」는 '(시험 삼아) ~해보다'라는 의미이다.
cf. 「try + to-v」: ~하려고 노력하다 *ex.* **Try to become** a better person. (더 나은 사람이 되기 위해 노력해라.)

본문 해석

❶ 3월의 마지막 주 토요일 오후 8시 30분에, 파리의 에펠탑은 불을 끈다. ❷ 시드니의 오페라 하우스와 서울의 N서울타워 또한 그것들의 불을 끈다. ❸ 일 년마다 한 번씩, 전 세계의 지역들이 Earth Hour를 위해 어두워진다.

❹ 전 세계 대부분의 도시들은 밤새도록 밝은 상태를 유지한다. ❺ 이것은 많은 전력을 소비하고 빛 공해를 초래한다. ❻ Earth Hour는 이러한 문제들에 사람들의 관심을 끌기 위해 시작되었다. ❼ 매년, 180개 이상의 나라들의 사람들은 한 시간 동안 불을 끈다.

❽ 그렇다면 그들 모두가 이것을 할 때 무슨 일이 일어나는가? ❾ Earth Hour에 참여하는 나라들에서, 전력 사용량은 평균적으로 4퍼센트만큼 감소한다. ❿ 그러나 더 중요하게, 그것은 모든 사람에게 전력을 아끼는 것이 우리의 행성을 구할 수 있다는 것을 상기시킨다.

---

❶ At 8:30 p.m. / on the last Saturday of March, / the Eiffel Tower
오후 8시 30분에 3월의 마지막 주 토요일에 파리의 에펠탑은

in Paris / turns off its lights. / ❷ The Opera House in Sydney / and N
그것의 불을 끈다 시드니의 오페라 하우스 그리고

Seoul Tower in Seoul / switch off their lights / as well. / ❸ Once a year, /
서울의 N서울타워는 그것들의 불을 끈다 또한 일 년마다 한 번씩

places / all over the world / go dark / for Earth Hour. /
지역들이 전 세계의 어두워진다 Earth Hour를 위해

❹ Most cities / around the world / stay bright / all night long. / ❺ This
대부분의 도시들은 전 세계의 밝은 상태를 유지한다 밤새도록 이것은

consumes a lot of electricity / and causes light pollution. / ❻ Earth Hour
많은 전력을 소비한다 그리고 빛 공해를 초래한다 Earth Hour는

was started / to draw people's attention / to these problems. / ❼ Each year, /
시작되었다 사람들의 관심을 끌기 위해 이러한 문제들에 매년

people / in more than 180 nations / turn off their lights / for an hour. /
사람들은 180개 이상의 나라들의 그들의 불을 끈다 한 시간 동안

❽ What happens / when they all do this / then? / ❾ In countries /
무슨 일이 일어나는가 그들 모두가 이것을 할 때 그렇다면 나라들에서

that participate in Earth Hour, / electricity usage decreases / by 4% / on
Earth Hour에 참여하는 전력 사용량은 감소한다 4퍼센트만큼

average. / ❿ But more importantly, / it reminds everyone / that saving
평균적으로 그러나 더 중요하게 그것은 모든 사람에게 상기시킨다 전력을 아끼는

electricity / can save our planet. /
것이 우리의 행성을 구할 수 있다는 것을

구문 해설

❸ **Once a year**, places all over the world *go dark* for Earth Hour.
→ a(n)는 횟수를 나타내는 표현과 함께 쓰여, '~마다, ~당'이라는 의미로 빈도를 나타낼 수 있다. 이때 횟수는 「숫자 + times」로 표현한다. 단, 일반적으로 '한 번'은 once로, '두 번'은 twice로 표현한다.
　　ex. I exercise **four times a week**. (나는 일주일마다 네 번 운동한다.)
　　　　I go to the museum **twice a month**. (나는 한 달마다 두 번 박물관에 간다.)
→ 「go + 형용사」는 '~지다, ~하게 되다'라는 의미이다. 여기서는 go 뒤에 형용사 dark가 쓰여 '어두워진다'라고 해석한다.

❹ 「stay + 형용사」는 '~한 상태를 유지하다'라는 의미이다. 여기서는 stay 뒤에 형용사 bright가 쓰여 '밝은 상태를 유지한다'라고 해석한다.

❺ a lot of[lots of]는 '많은'이라는 의미로, 셀 수 없는 명사와 셀 수 있는 명사의 복수형을 모두 수식할 수 있다. 이 문장에서는 a lot of가 뒤에 오는 셀 수 없는 명사 electricity(전력)를 수식하고 있다.

1 이 글의 제목으로 가장 적절한 것은?

① One Hour to Protect Our Planet 우리의 행성을 보호하기 위한 한 시간
② Important Uses of Electric Energy 전기 에너지의 중요한 용도
③ Time Differences among Countries 나라들 간의 시차
④ Serious Light Pollution in Some Cities 몇몇 도시들에서의 심각한 빛 공해
⑤ Earth Hour: Sharing Electricity with the World Earth Hour: 전 세계와 전력을 공유하기

2 이 글의 빈칸에 들어갈 말로 가장 적절한 것은?

① busy 바쁜　　② dark 어두운　　③ slow 느린
④ silent 조용한　　⑤ clear 투명한

3 이 글의 밑줄 친 This가 의미하는 내용을 우리말로 쓰시오.

전 세계 대부분의 도시들이 밤새도록 밝은 상태를 유지하는 것

4 Earth Hour를 통해 얻을 수 있는 두 가지 효과를 우리말로 쓰시오.

(1) 전력 사용량이 평균적으로 4퍼센트만큼 감소한다.
(2) 모든 사람에게 전력을 아끼는 것이 우리의 행성을 구할 수 있다는 것을 상기시킨다.

5 이 글의 내용으로 보아, 다음 빈칸에 공통으로 들어갈 말을 글에서 찾아 쓰시오.

Earth Hour helps people pay attention to the problems of ___electricity___ usage and light pollution. Participating countries actually consume less ___electricity___ during Earth Hour.

Earth Hour는 사람들이 전력 사용량과 빛 공해 문제에 관심을 가지는 데 도움이 된다. 참여하는 나라들은 실제로 Earth Hour 동안 더 적은 전력을 소비한다.

---

1 전력 소비량과 빛 공해를 줄이기 위해 전 세계적으로 일 년에 한 번씩 1시간 동안 불을 끄는 행사인 Earth Hour를 소개하는 글이므로, 제목으로 ① '우리의 행성을 보호하기 위한 한 시간'이 가장 적절하다.

2 빈칸 앞에서 에펠탑, 오페라 하우스, N서울타워 등 세계 곳곳에서 불을 끈다고 하였으므로, 빈칸에는 ② '어두운'이 가장 적절하다.

3 문장 ④에 언급된 내용을 의미한다. 전 세계 대부분의 도시들이 밤새도록 밝은 상태를 유지하는 것(= This)이 많은 전력을 소비하고 빛 공해를 초래한다는 의미이다.

4 문장 ⑨-⑩에서 Earth Hour에 참여하는 나라들의 전력 사용량이 평균적으로 4퍼센트만큼 감소한다고 했고, Earth Hour가 모든 사람에게 전력을 아끼는 것이 우리의 행성을 구할 수 있다는 것을 상기시킨다고 했다.

5 문제 해석 참고

정답 | **1** ①　**2** ②　**3** 전 세계 대부분의 도시들이 밤새도록 밝은 상태를 유지하는 것
4 (1) 전력 사용량이 평균적으로 4퍼센트만큼 감소한다. (2) 모든 사람에게 전력을 아끼는 것이 우리의 행성을 구할 수 있다는 것을 상기시킨다.　**5** electricity

---

⑥　to draw 이하는 '이러한 문제들에 사람들의 관심을 끌기 위해'라는 의미로, [목적]을 나타내는 to부정사의 부사적 용법으로 쓰였다.

⑨　In countries [that participate in Earth Hour], electricity usage decreases **by** 4% on average.
→ [ ]는 앞에 온 선행사 countries를 수식하는 주격 관계대명사절이다.
→ 전치사 by는 '~만큼'이라는 의미로, 수량, 정도, 비율을 나타낼 수 있다.

⑩　But more importantly, it **reminds everyone** [that *saving electricity* can save our planet].
→ 「remind + 목적어 + that절」은 '~에게 …을 상기시키다'라는 의미이다.　= 「remind + 목적어 + of + (동)명사」
cf. 「remind + 목적어 + to-v」: ~에게 …할 것을 상기시키다
ex. I **reminded my parents to come** to school today. (나는 부모님께 오늘 학교에 오실 것을 상기시켰다.)
→ saving electricity는 문장의 주어 역할을 하는 동명사구이다.

본문 해석

❶ Jessica와 Amber는 가장 친한 친구이다. ❷ Jessica는 말을 매우 빠르게 하는데, Amber도 역시 그렇다. ❸ 그들이 웃을 때는 둘 다 입을 가린다. ❹ 사실, 그들은 다른 많은 비슷한 습관들을 공유한다.

❺ Jessica와 Amber처럼, 우리는 가끔 우리 주변의 사람들처럼 행동한다. ❻ 만약 우리가 그들과 가깝다면 그것은 더 자주 일어난다. ❼ 그리고 흥미롭게도, 우리는 보통 그것을 의식하지도 못한다. ❽ 심리학자들은 이 현상을 카멜레온 효과라고 부른다. ❾ 카멜레온은 그것들의 환경에 맞추기 위해 색을 바꾼다. ❿ 같은 방식으로, 우리는 종종 우리의 사회적 환경에 맞추기 위해 행동을 바꾼다.

⓫ 본래, 사람들은 그들과 비슷한 누군가에게 마음이 끌린다. ⓬ 이것이 우리가 자연스럽게 다른 사람들이 하는 것을 따라 하는 이유인데, 왜냐하면 그들이 우리를 더 많이 좋아하도록 만들 수 있기 때문이다! ⓭ 당신의 짝사랑 상대나 친구들이 주변에 있을 때 당신이 어떻게 행동하는지 한번 생각해보아라. ⓮ 당신은 당신답게 행동하는가?

❶ Jessica and Amber / are best friends. / ❷ Jessica talks very fast,
Jessica와 Amber는   가장 친한 친구이다   Jessica는 말을 매우 빠르게 한다

and Amber does too. / ❸ They both cover their mouths / when they
그리고 Amber도 역시 그렇다   그들 둘 다 그들의 입을 가린다   그들이 웃을 때

laugh. / ❹ In fact, / they share / many other similar habits. /
               사실   그들은 공유한다   다른 많은 비슷한 습관들을

❺ Like Jessica and Amber, / we sometimes act / like the people /
Jessica와 Amber처럼   우리는 가끔 행동한다   사람들처럼

around us. / ❻ It happens more often / if we are close to them. / ❼ And
우리 주변의   그것은 더 자주 일어난다   만약 우리가 그들과 가깝다면   그리고

interestingly, / we usually don't even notice it. / ❽ Psychologists call this
흥미롭게도   우리는 보통 그것을 의식하지도 못한다   심리학자들은 이 현상을 부른다

phenomenon / the Chameleon Effect. / (④ ❾ Chameleons change their
                카멜레온 효과라고   카멜레온은 그것들의 색을 바꾼다

colors / to match their surroundings. /) ❿ In the same way, / we often
         그것들의 환경에 맞추기 위해   같은 방식으로   우리는 종종

change our behavior / to match our social environments. /
우리의 행동을 바꾼다   우리의 사회적 환경에 맞추기 위해

⓫ By nature, / people are attracted / to someone / who is similar to
    본래   사람들은 마음이 끌린다   누군가에게   그들과 비슷한

them. / ⓬ This is why / we naturally follow / what others do, / because
         이것이 ~한 이유이다 우리가 자연스럽게 따라 하는 다른 사람들이 하는 것을   그것이

it can cause / them / to like us more! / ⓭ Just think / how you act /
만들 수 있기 때문에 그들이 우리를 더 많이 좋아하도록   한번 생각해보아라   당신이 어떻게 행동하는지

when your crush or friends are around. / ⓮ Do you act / like yourself? /
당신의 짝사랑 상대나 친구들이 주변에 있을 때   당신은 행동하는가 당신 자신처럼

구문 해설

❷ 대동사 does가 동사(구)의 반복을 피하기 위해 쓰였다. 여기서는 앞에서 언급된 **talks very fast**를 대신하고 있다. 대동사는 동사의 수와 시제에 따라 **do, does, did**로 쓴다. *ex.* I know him better than you **do**. (난 너가 그를 아는 것보다 그를 더 잘 알아.)

❹ many는 '많은'이라는 의미로, 뒤에 오는 셀 수 있는 명사의 복수형(habits)을 수식한다.

❽ 「call A B」는 'A를 B라고 부르다'라는 의미이다.

❾ to match their surroundings는 '그것들의 환경에 맞추기 위해'라는 의미로, [목적]을 나타내는 to부정사의 부사적 용법으로 쓰였다.

⓫ By nature, people are attracted to someone [who is similar to them].
→ [ ]는 앞에 온 선행사 someone을 수식하는 주격 관계대명사절이다.

1 이 글의 요지로 가장 적절한 것은?

① 가까운 사이일수록 서로 존중해야 한다.
② 사람들은 자신과 반대되는 사람을 좋아한다.
③ 사람들은 주변 사람들과 비슷하게 행동한다.
④ 다른 사람의 시선을 너무 의식하는 것은 좋지 않다.
⑤ 주변 사람들과 원만한 관계를 유지하는 것이 중요하다.

2 이 글의 흐름으로 보아, 다음 문장이 들어가기에 가장 적절한 곳은?

> Chameleons change their colors to match their surroundings.
> 카멜레온은 그것들의 환경에 맞추기 위해 색을 바꾼다.

①   ②   ③   ④   ⑤

3 이 글의 빈칸에 들어갈 말로 가장 적절한 것은?

① who is good-looking 잘생긴   ② who is kind to everyone 모두에게 친절한
③ who has many friends 많은 친구를 가진   ④ who is similar to them 그들과 비슷한
⑤ who makes them feel good 그들을 기분 좋게 만드는

4 다음 중, 카멜레온 효과를 바르게 이해한 사람을 모두 고른 것은?

> 민우: 사람들에게 주목을 받기 위해 필요한 거야.
> 다영: 우리는 보통 이것을 의식하지 못해.
> 현수: 다른 사람들이 내 생각에 동의하도록 만드는 방법이지.
> 은지: 친한 친구와 있을 때 더 많이 발생할 수 있어.

① 민우, 다영   ② 민우, 현수   ③ 다영, 현수
④ 다영, 은지   ⑤ 현수, 은지

1 사람들이 주변 사람들과 비슷하게 행동하는 현상인 카멜레온 효과를 소개하는 글이므로, 요지로 ③이 가장 적절하다.

2 주어진 문장은 문장 ❽에서 언급한 카멜레온 효과에 대한 보충 설명에 해당하며, 문장 ❿에서 언급한 같은 방식은 주어진 문장에서 설명한 카멜레온의 행동 방식을 가리킨다. 따라서 주어진 문장은 문장 ❽과 ❿ 사이에 오는 것이 자연스러우므로, ④가 가장 적절하다.

3 빈칸이 있는 문장에서 사람들은 본래 누군가에게 마음이 끌린다고 했고, 빈칸 뒤에서 다른 사람들이 하는 행동을 따라 하는 것이 그들이 더 좋아하도록 만들 수 있다고 한 것으로 미루어 보아, 빈칸에는 ④ '그들과 비슷한'이 가장 적절하다.

4 문장 ❻-❼에서 가까운 사이일 때 카멜레온 효과가 더 자주 일어나고, 보통 카멜레온 효과가 일어나는 것을 의식하지 못한다고 했으므로, 카멜레온 효과를 바르게 이해한 사람은 다영, 은지이다.

정답 1 ③   2 ④   3 ④   4 ④

❶ **This is why** we naturally follow [what others do], because it can *cause them to like* us more!
→ This is why는 '이것이 ~한 이유이다'라는 의미로, why 뒤에 오는 내용이 앞 문장에 대한 결과가 된다.
→ [ ]는 follow의 목적어 역할을 하는 관계대명사절이다. 관계대명사 what은 선행사를 포함하고 있으며, '~하는 것'이라는 의미이다.
→ 「cause + 목적어 + to-v」는 '~가 …하도록 만들다, 야기하다'라는 의미이다. 이 문장에서는 조동사 can과 함께 쓰여 '그들이 좋아하도록 만들 수 있다'라고 해석한다.

❷ Just think [how you act] when your crush or friends are around.
→ [ ]는 「의문사 + 주어 + 동사」의 간접의문문으로, think의 목적어 역할을 하고 있다.

❸ 전치사 like의 목적어가 주어(you)와 같은 대상이므로 재귀대명사 yourself가 쓰였다.

본문 해석

❶ 당신은 아카데미상 또는 오스카상에 대해 들어본 적이 있는가? ❷ 그것들은 어떻게 다른가? ❸ 사실, 그것들은 같은 영화상이다! ❹ 오스카상은 아카데미상의 별명이다. ❺ 이것은 수상자들이 받는 트로피가 오스카상으로 알려져 있기 때문이다. ❻ 그리고 여기에 오스카라는 이름 뒤의 재미있는 이야기가 있다.

❼ Margaret Herrick은 아카데미상을 수여하는 조직의 사서였다. ❽ 1931년 어느 날, 그녀는 도서관 책상 위의 아카데미상 트로피를 보았다. ❾ 그녀는 "그건 우리 Oscar 삼촌처럼 생겼어!"라고 말했다. ❿ 그때, 한 기자가 그녀의 옆에 서 있었다. ⓫ 기자는 이를 듣고는 기사에서 그것에 대해 썼다. ⓬ 그 이후로, 오스카는 트로피의 별명이 되었고, 사람들은 아카데미상을 오스카상이라고 불러왔다.

❶ Have you heard of / the Academy Awards / or the Oscars? / ❷ How
당신은 ~에 대해서 들어본 적이 있는가   아카데미상   또는 오스카상

are they different? / ❸ Actually, / they are the same film awards! / ❹ The
그것들은 어떻게 다른가   사실   그것들은 같은 영화상들이다

Oscars is a nickname / for the Academy Awards. / ❺ This is because / the
오스카상은 별명이다   아카데미상의   이것은 ~ 때문이다

trophy / that the winners get / is known as an Oscar. / ❻ And here is /
트로피가   수상자들이 받는   오스카상으로 알려져 있기   그리고 여기에 ~이 있다

the funny story / behind the name of the Oscar. /
재미있는 이야기   오스카라는 이름 뒤에

❼ Margaret Herrick was a librarian / at the organization / that
Margaret Herrick은 사서였다   조직의

presents the Academy Awards. / ❽ One day / in 1931, / she saw the
아카데미상을 수여하는   어느 날   1931년에   그녀는

Academy Award trophy / on a library desk. / ❾ She said, / "ⓐ It looks like
아카데미상 트로피를 보았다   도서관 책상 위의   그녀는 말했다   그것은 나의 삼촌

my uncle Oscar!" / ❿ At that time, / a reporter was standing / beside her. /
Oscar처럼 보여   그때   한 기자가 서 있었다   그녀의 옆에

⓫ ⓑ She heard this / and wrote about it / in an article. / ⓬ Since then,
그녀(기자)는 이것을 들었다   그리고 그것에 대해 썼다   한 기사에서   그 이후로

that has been the trophy's nickname, / and people have called / the
그것(오스카)은 그 트로피의 별명이 되어 왔다   그리고 사람들은 불러왔다

Academy Awards / the Oscars. /
아카데미상을   오스카상이라고

구문 해설

❶ 「Have/Has + 주어 + p.p. ~?」의 현재완료 시제가 쓰인 의문문으로, 과거의 [경험]을 물을 때 쓴다.

❺ **This is because** the trophy [that the winners get] *is known as* an Oscar.
→ This is because는 '이것은 ~ 때문이다'라는 의미로, because 뒤에 오는 내용이 앞 문장에 대한 이유가 된다.
→ [ ]는 앞에 온 선행사 the trophy를 수식하는 목적격 관계대명사절이다. 이때 목적격 관계대명사 that은 생략하거나 which로 바꿔 쓸 수 있다.
→ be known as는 '~으로 알려지다'라는 의미의 수동태 표현이다.
 cf. be known for: ~으로 유명하다   *ex.* Daegu **is known for** its hot weather. (대구는 더운 날씨로 유명하다.)
  be known to: ~에게 알려지다   *ex.* Jeju **is known to** a lot of foreign travelers. (제주는 많은 해외 관광객들에게 알려져 있다.)

❻ 「here + be동사 + 주어」는 '여기에 ~이 있다, 이것이 ~이다'라는 의미이다.

❾ 「look like + 명사」는 '~처럼 보이다'라는 의미이다.   *cf.* 「look + 형용사」: ~하게 보이다

1 이 글의 주제로 가장 적절한 것은?

① 다양한 종류의 영화상
② 오스카상이 지니는 가치
③ 아카데미상을 시상하는 기준
④ 아카데미상의 별칭에 대한 배경
⑤ 아카데미상이 만들어지게 된 이유

2 이 글의 밑줄 친 문장의 이유를 우리말로 쓰시오.

(아카데미상의) 수상자가 받는 트로피가 오스카상으로 알려져 있기 때문에

3 이 글의 밑줄 친 ⓐ와 ⓑ가 가리키는 것을 글에서 찾아 쓰시오.

ⓐ: the Academy Award trophy 아카데미상 트로피

ⓑ: a reporter 기자

4 다음 영영 풀이에 해당하는 단어를 글에서 찾아 쓰시오.

> a funny or cute name that is not the real name of someone or something
> 어떤 사람이나 어떤 것의 진짜 이름이 아닌 재미있거나 귀여운 이름

nickname 별명

5 이 글의 내용과 일치하는 것은?

① 오스카상은 아카데미상과 다르다.
② Margaret은 1931년에 아카데미상을 수상했다.
③ Oscar는 도서관 책상에 놓인 책을 발견했다.
④ Margaret은 자신이 삼촌과 닮았다고 말했다.
⑤ 한 기자가 Margaret이 한 말을 기사에 썼다.

정답 1 ④ 2 (아카데미상의) 수상자가 받는 트로피가 오스카상으로 알려져 있기 때문에
3 ⓐ the Academy Award trophy ⓑ a reporter   4 nickname   5 ⑤

1 아카데미상이 오스카상이라는 별명으로 불리게 된 계기인 Margaret의 일화를 소개하는 글이므로, 주제로 ④가 가장 적절하다.

2 문장 ⑤에서 아카데미상의 수상자가 받는 트로피가 오스카상으로 알려져 있기 때문이라고 했다.

3 ⓐ는 문장 ⑧의 the Academy Award trophy(아카데미상 트로피)를 가리키고, ⓑ는 문장 ⑩의 a reporter(기자)를 가리킨다.

4 '어떤 사람이나 어떤 것의 진짜 이름이 아닌 재미있거나 귀여운 이름'이라는 뜻에 해당하는 단어는 nickname(별명)이다.

5 ⑤: 문장 ⑩-⑪에서 Margaret의 옆에서 있던 기자가 그녀가 한 말에 대해 기사를 썼다고 했다.
①: 문장 ③에서 오스카상과 아카데미상은 같은 영화상이라고 했다.
②: Margaret이 아카데미상을 수상했다는 것에 대한 언급은 없다.
③: 문장 ⑧에서 Margaret이 도서관 책상 위의 트로피를 봤다고 했다.
④: 문장 ⑨에서 Margaret이 트로피가 자신의 삼촌 Oscar처럼 생겼다고 말했다고 했다.

⑩ At that time, a reporter **was standing** *beside* her.
→ 「be동사의 과거형+ v-ing」는 과거진행 시제로, '~하고 있었다, ~하는 중이었다'라고 해석한다.
→ 전치사 beside는 '~의 옆에'라는 의미이다.

⑫ **Since** then, that *has been* the trophy's nickname, and people *have called* the Academy Awards the Oscars.
→ 전치사 since는 '~ 이후로'라는 의미이다.
→ has been과 have called는 현재완료 시제(have p.p.)로, 이 문장에서는 과거에 시작된 일이 현재까지 이어지는 [계속]을 나타낸다. 기사가 쓰인 이후로 지금까지 오스카가 트로피의 별명이 되었고, 사람들이 계속해서 오스카라고 불러왔다는 의미이다.
→ 「call A B」는 'A를 B라고 부르다'라는 의미이다. 이 문장에서는 the Academy Awards가 A에, the Oscars가 B에 해당한다.

본문 해석

❶ 에티오피아의 한 산골 마을에서, 사람들은 물을 얻기 위해 매일 4시간 동안 걸어야 했다. ❷ 대부분의 경우, 그 물은 심지어 깨끗하지도 않았다. ❹ 건축가인 Arturo Vittori는 마을 사람들을 돕기를 원했다. ❺ 그는 물을 모으기 위해 9미터 높이의 타워를 지었다. ❸ 그 타워는 그물망과 바닥에 있는 빈 물탱크로 이루어졌다. ❻ 그는 그것을 와카 타워라고 불렀다. ❼ 그것은 에티오피아에 자생하는 나무의 이름을 따서 이름 지어졌다.

❽ 대체로, 에티오피아의 밤은 서늘하다. ❾ 밤 기온이 낮 시간 동안보다 섭씨 10도에서 15도만큼 더 낮다. ❿ 기온이 떨어질 때, 공기 중의 수증기는 물방울로 변한다. ⓫ 와카 타워는 망에 물방울이 형성되어 물탱크 안에 떨어질 수 있도록 설계되었다. ⓬ 이렇게 하여, 그것은 하루에 50에서 100리터의 깨끗한 물을 모을 수 있다!

❶ In a mountain village / in Ethiopia, / people had to walk / for four
한 산골 마을에서　에티오피아의　사람들은 걸어야 했다　4시간 동안

hours / every day / to get water. / ❷ Most times, / the water was not even
매일　물을 얻기 위해　대부분의 경우　그 물은 심지어 깨끗하지도 않았다

clean. / (B) ❹ Arturo Vittori, / an architect, / wanted to help / the villagers. /
Arturo Vittori는　건축가인　돕기를 원했다　마을 사람들을

(C) ❺ He built / a nine-meter-high tower / to collect water. / (A) ❸ The
그는 지었다　9미터 높이의 타워를　물을 모으기 위해　그 타워는

tower consisted of / a mesh net / and an empty water tank at the bottom. /
~으로 이루어졌다　그물망　그리고 바닥에 있는 빈 물탱크

❻ He called it / the Warka Tower. / ❼ It was named / after a native tree /
그는 그것을 불렀다 Warka Tower(와카 타워)라고　그것은 이름 지어졌다　자생하는 나무의 이름을 따서

in Ethiopia. /
에티오피아에

❽ Usually, / nights in Ethiopia / are cool. / ❾ The temperature / at
대체로　에티오피아의 밤은　서늘하다　기온이

night / is lower than during the daytime / by 10 to 15 degrees Celsius. /
밤에　낮 시간 동안보다 더 낮다　섭씨 10도에서 15도만큼

❿ When the temperature drops, / the water vapor in the air / turns into
기온이 떨어질 때　공기 중의 수증기는　물방울로

water drops. / ⓫ The Warka Tower was designed / so that the water
변한다　와카 타워는 설계되었다　물방울이 형성될 수

drops could form / on its net / and then fall into the tank. / ⓬ This way, /
있도록　그것의 망에　그리고 (물)탱크 안에 떨어질 수 있도록　이렇게 하여

it can collect / 50 to 100 liters of clean water / per day! /
그것은 모을 수 있다　50에서 100리터의 깨끗한 물을　하루에

구문 해설

❶ In a mountain village in Ethiopia, people **had to** walk for four hours every day *to get water*.
→ had to는 have to(~해야 한다)의 과거형으로, '~해야 했다'라고 해석한다.
→ to get water는 '물을 얻기 위해'라는 의미로, [목적]을 나타내는 to부정사의 부사적 용법으로 쓰였다.

❹ **Arturo Vittori, an architect**, *wanted to help* the villagers.
→ Arturo Vittori와 an architect는 콤마로 연결된 동격 관계이다.
→ 「want + to-v」는 '~하기를 원하다'라는 의미이다.

❻ 「call A B」는 'A를 B라고 부르다'라는 의미이다. 이 문장에서는 it이 A에, the Warka Tower가 B에 해당하므로, '그것을 와카 타워라고 불렀다'라고 해석한다.

❼ 「A be named after B」는 'A는 B의 이름을 따서 이름 지어지다'라는 의미로, 「name A after B(B의 이름을 따서 A의 이름을 짓다)」의 수동태 표현이다. *ex.* I **named** my son **after** my father. (나는 아버지의 이름을 따서 아들의 이름을 지었다.)

1 이 글의 제목으로 가장 적절한 것은?

① A Local Tree That Provides Water 물을 제공하는 현지의 나무
② A New Way to Get Water for Villagers 마을 사람들에게 물을 구해 주는 새로운 방법
③ The Architect Who Built a Village in Ethiopia 에티오피아에 마을을 지은 건축가
④ Warka Tower: An Effort to Keep the Air Clean 와카 타워: 공기를 깨끗하게 유지하기 위한 노력
⑤ Countries Solving the Water Pollution Problem 수질 오염 문제를 해결하고 있는 나라들

2 이 글의 문장 (A)~(C)를 순서에 맞게 배열한 것으로 가장 적절한 것은?

① (A) – (B) – (C) ② (A) – (C) – (B)
③ (B) – (A) – (C) ④ (B) – (C) – (A)
⑤ (C) – (A) – (B)

3 와카 타워의 원리를 다음과 같이 나타낼 때, 빈칸에 알맞은 내용을 우리말로 쓰시오.

> 밤이 되어 기온이 크게 떨어진다.
>
> ↓
>
> 공기 중의 수증기가 물방울로 변한다.
>
> ↓
>
> 와카 타워의 그물망에 물방울이 맺혀 물탱크 안으로 떨어진다.

4 이 글의 내용과 일치하면 T, 그렇지 않으면 F를 쓰시오.

(1) 와카 타워라는 명칭은 에티오피아에서 자라는 나무의 이름에서 유래했다. ___ T
(2) 에티오피아의 밤 평균 기온은 10도에서 15도 사이이다. ___ F
(3) 와카 타워는 하루에 50리터 이상의 물을 사용한다. ___ F

문제 해설

1 낮과 밤의 온도 차이를 이용하여 마을 사람들을 위한 물을 모으는 와카 타워를 소개하는 글이므로, 제목으로 ② '마을 사람들에게 물을 구해 주는 새로운 방법'이 가장 적절하다.

2 물을 구하기 어려운 에티오피아의 마을 사람들에 대한 설명 이후에, 이들을 돕고 싶어 하는 건축가가 있었다는 내용의 (B), 그가 물을 모으기 위해 타워를 지었다는 내용의 (C), 그 타워가 그물망과 물탱크로 이루어졌다는 내용의 (A)의 흐름이 가장 적절하다.

3 문장 ⑩에서 기온이 떨어지면 공기 중의 수증기가 물방울로 변한다고 했고, 문장 ⑪에서 그 물방울이 와카 타워의 망에 형성되어 물탱크 안에 떨어질 수 있다고 했다. 따라서 빈칸에는 공기 중의 수증기가 물방울로 변한다는 내용이 들어가야 한다.

4 (1) 문장 ⑦에 언급되어 있다.
(2) 문장 ⑨에서 에티오피아는 낮 시간보다 밤의 온도가 10~15도 낮다고는 했지만, 밤 평균 온도에 대한 언급은 없다.
(3) 문장 ⑫에서 와카 타워는 하루에 50~100리터의 깨끗한 물을 모을 수 있다고는 했지만, 물의 사용량에 대한 언급은 없다.

⑨ 「비교급(-er) + than」은 '~보다 더 …한/하게'라는 의미로, lower than during the daytime은 '낮 시간 동안보다 더 낮은'이라고 해석한다.

⑪ The Warka Tower **was designed** *so that* the water drops could form on its net and then fall into the tank.
→ 「be동사 + p.p.」의 수동태는 '~되다, ~받다'라는 의미로, was designed는 '설계되었다'라고 해석한다. 이 문장에서는 by Arturo Vittori 가 생략되어 있다.
→ so that은 부사절을 이끄는 접속사로, '~하도록'이라는 의미이다. 이 문장에서는 '그것(=The Warka Tower)의 망에 물방울이 형성되어 물탱크 안에 떨어질 수 있도록'이라고 해석한다.
cf. 「so + 형용사/부사 + that절」: 매우/너무 ~해서 …하다
ex. The puppy is **so cute that** everyone loves it. (그 강아지는 매우 귀여워서 모든 사람이 그것을 좋아한다.)

UNIT 09
3

본문 해석

❶ 웸블리 스타디움은 런던에 있는 유명한 축구 경기장이다. ❷ 그곳은 영국 축구의 본고장이다. ❸ 당신이 그 장소를 방문할 때, 첫 번째로 알아차리는 것은 315미터의 아치이다. ❹ 골이 득점되면, 아치에 있는 색이 입혀진 LED 전등이 번쩍인다. ❺ 또한, 그 경기장은 유럽 전체에서 두 번째로 가장 크다. ❻ 그곳은 9만 석의 좌석과 2만 5천 명을 위한 입석을 가지고 있을 만큼 충분히 크다. ❼ 그곳에는 심지어 2,618개의 변기가 있다!

❽ 웸블리 스타디움은 대중음악 팬들 사이에서도 인기가 있다. ❾ 그곳은 세계에서 가장 큰 음악 콘서트들을 주최했다. ❿ 에드 시런과 테일러 스위프트 같은 가수들이 그곳에서 공연을 했다. ⓫ 2019년에는, 한국 그룹 BTS가 무대에 올랐다!

---

❶ Wembley Stadium is a famous football stadium / in London. /
웸블리 스타디움은 유명한 축구 경기장이다   런던에 있는

❷ It is the home / of English football. / ❸ When you visit the place, /
그곳은 본고장이다   영국 축구의   당신이 그 장소를 방문할 때

the first thing / you notice / is the 315-meter arch. / ❹ When a goal is
첫 번째 것은   당신이 알아차리는 315미터의 아치이다   골이 득점되면

scored, / colored LED lights in the arch / flash. / ❺ Also, / the stadium is
           아치에 있는 색이 입혀진 LED 전등이   번쩍인다   또한   그 경기장은

the second largest / in all of Europe. / ❻ It is (A) big enough / to have /
두 번째로 가장 크다   유럽 전체에서   그곳은 충분히 크다   가질 만큼

90,000 seats / and standing space for 25,000 people. / ❼ It even has 2,618
9만 석의 좌석을   그리고 2만 5천 명을 위한 입석을   그곳은 심지어 2,618개의

toilets! /
변기를 가지고 있다

❽ Wembley Stadium is also (B) popular / among fans of pop music. /
웸블리 스타디움은 또한 인기가 있다   대중음악의 팬들 사이에서

❾ It has hosted / the world's biggest music concerts. / ❿ Singers / such as
그곳은 주최했다   세계의 가장 큰 음악 콘서트들을   가수들이   같은

Ed Sheeran and Taylor Swift / have performed / there. / ⓫ In 2019, / the
에드 시런과 테일러 스위프트 같은   공연을 했다   그곳에서   2019년에는

Korean group BTS / was on the stage! /
한국 그룹 BTS가   무대에 올랐다

구문 해설

❸ When you visit the place, the first thing [(**that**) you notice] is the 315-meter arch.
→ [ ]는 앞에 온 선행사 the first thing을 수식하는 목적격 관계대명사절로, 목적격 관계대명사 that이 생략되어 있다. 선행사에 서수(first, second, third 등)가 포함되어 있다면 주로 that을 쓴다.
ex. The **second** rule **that** you should follow is to always wear your school uniform. (당신이 따라야 하는 두 번째 규칙은 항상 교복을 입는 것이다.)

❹ colored는 뒤에 온 LED lights를 수식하는 과거분사이다. 이때 colored는 '색이 입혀진, 색깔이 있는'이라고 해석한다.

❺ 「the + 서수(first, second, …) + 형용사의 최상급」은 '~번째로 가장 …한'이라는 의미이다. 이 문장에서는 서수 second와 최상급 largest가 함께 쓰여 '두 번째로 가장 큰'이라고 해석한다.
ex. Which river is **the third longest** in the world? (어떤 강이 세계에서 세 번째로 가장 긴가?)

1 이 글의 제목으로 가장 적절한 것은?

① The History of English Football 영국 축구의 역사
② Wembley: England's First Concert Hall 웸블리: 영국 최초의 콘서트 홀
③ A Large Stadium for Sports and Music 스포츠와 음악을 위한 큰 경기장 ✓
④ Famous Football Events Held in Europe 유럽에서 열린 유명한 축구 행사들
⑤ A Great Goal Scored at Wembley Stadium 웸블리 스타디움에서 득점된 위대한 골

2 이 글의 빈칸 (A)와 (B)에 들어갈 말로 가장 적절한 것은?

	(A)		(B)
①	heavy	……	new 무거운 … 새로운
②	bright	……	common 밝은 … 흔한
③	big	……	popular 큰 … 인기 있는 ✓
④	safe	……	different 안전한 … 다른
⑤	huge	……	comfortable 거대한 … 편안한

3 이 글에서 웸블리 스타디움에 관해 언급된 것을 모두 고르시오.

① 완공 시기　　　② 좌석 수 ✓　　　③ LED 조명의 크기
④ 공연을 한 가수 ✓　　　⑤ 최초로 개최한 경기

4 이 글의 내용으로 보아, 다음 빈칸에 들어갈 말을 글에서 찾아 쓰시오.

> Wembley Stadium is the second ___largest___ stadium in Europe. It is the home of English ___football___, but it is also used for concerts by some ___singers___.

웸블리 스타디움은 유럽에서 두 번째로 가장 큰 경기장이다. 그곳은 영국 축구의 본고장이지만, 몇몇 가수들의 콘서트를 위해 사용되기도 한다.

정답 1 ③　2 ③　3 ②, ④　4 largest, football, singers

문제 해설

1 유럽에서 두 번째로 큰 축구 경기장이자 대형 콘서트가 개최되는 웸블리 스타디움을 소개하는 글이므로, 제목으로 ③ '스포츠와 음악을 위한 큰 경기장'이 가장 적절하다.

2 (A) 빈칸 앞에서 웸블리 스타디움이 유럽 전체에서 두 번째로 가장 크다고 했고, 빈칸이 있는 문장에서 총 11만 5천 명을 위한 자리를 가지고 있을 만큼이라고 했으므로, 빈칸 (A)에는 '큰'이 가장 적절하다.
(B) 빈칸 뒤에서 웸블리 스타디움이 세계에서 가장 큰 음악 콘서트들을 주최해 왔다고 했고, 이곳에서 공연을 했던 유명한 가수들의 예시를 들고 있는 것으로 미루어 보아, 빈칸 (B)에는 '인기 있는'이 가장 적절하다.

3 ②: 문장 ❻에서 웸블리 스타디움에는 9만 석의 좌석과 2만 5천 석의 입석이 있다고 했다.
④: 문장 ❿-⓫에서 에드 시런, 테일러 스위프트, BTS가 웸블리 스타디움에서 공연을 했다고 했다.

4 문제 해석 참고

---

❻ It is **big enough to have** 90,000 seats and *standing* space for 25,000 people.
→「형용사/부사 + enough + to-v」는 '~할 만큼 충분히 …한/하게'라는 의미이다. 이 문장에서는 '가질 만큼 충분히 큰'이라고 해석한다.
= 「so + 형용사/부사 + that + 주어 + can + 동사원형」 *ex.* It is **so big that it can have** 90,000 seats ~.
→ standing은 뒤에 온 명사(space)의 용도나 목적을 나타내는 동명사이다. 이 문장에서는 '입석(=서 있기 위한 자리)'이라고 해석한다.

❽ 전치사 among은 '~ 사이에서'라는 의미이다. 주로 셋 이상의 사이를 가리킬 때 among을 쓰고, 둘 사이를 가리킬 때는 between을 쓴다.
cf.「between A and B」: A와 B 사이의 *ex.* The bank is **between the hospital and the library**. (은행은 병원과 도서관 사이에 있다.)

❾ has hosted는 현재완료 시제(have p.p.)로, 이 문장에서는 과거에 시작된 일이 현재에 끝난 [완료]를 나타낸다. 웸블리 스타디움이 세계에서 가장 큰 음악 콘서트들을 주최했다는 의미이다.

❿ have performed는 현재완료 시제(have p.p.)로, 이 문장에서는 과거의 [경험]을 나타내어 '공연을 했다, 공연한 적 있다'라고 해석한다.

4

❶ The snowman Olaf / stays frozen / thanks to the snow queen. /
눈사람 올라프는   언 상태를 유지한다   눈의 여왕 덕분에

❷ But we can also save a snowman / without magical powers. / ❸ Just
하지만 우리도 눈사람을 구해줄 수 있다   마법의 힘 없이   그를

cover him / with a blanket! /
덮기만 해라   담요로

❹ Let's say / there are two snowmen. / ❺ One is covered / with a
가정해보자   두 개의 눈사람이 있다고   하나는 덮여 있다   담요로

blanket. / ❻ The other is wearing nothing. / ❼ After about an hour, / one
나머지 하나는 아무것도 입고 있지 않다   약 한 시간 후   그것들

of them melts / and falls apart. / (❹ ❽ Surprisingly, / it is the snowman /
중 하나는 녹는다   그리고 허물어진다   놀랍게도   그것은 눈사람이다

without the blanket. /) ❾ How come? / ❿ Heat always flows / from a hot
담요가 없는   왜일까   열은 항상 흐른다   더운 부분에서

area / to a colder one. / ⓫ If there is no blanket, / the warm air reaches the
더 찬 곳으로   만약 담요가 없다면   따뜻한 공기는 눈사람에 닿는다

snowman / and melts it. / ⓬ However, / the blanket prevents / the warm
그리고 그것을 녹인다   하지만   담요는 막는다   따뜻한 공기가

air / from reaching it. / ⓭ Therefore, / the snowman with the blanket /
그것(눈사람)에 닿는 것을   따라서   담요가 있는 눈사람이

stays (A) cold longer / and melts more (B) slowly. /
더 오랫동안 차가운 상태를 유지한다   그리고 더 천천히 녹는다

본문 해석

❶ 눈사람 올라프는 눈의 여왕 덕분에 언 상태를 유지한다. ❷ 하지만 우리도 마법의 힘 없이 눈사람을 구해줄 수 있다. ❸ 그를 담요로 덮기만 해라! ❹ 두 개의 눈사람이 있다고 가정해보자. ❺ 하나는 담요로 덮여 있다. ❻ 나머지 하나는 아무것도 걸치고 있지 않다. ❼ 약 한 시간 후, 그것들 중 하나는 녹아서 허물어진다. ❽ 놀랍게도, 그것은 담요가 없는 눈사람이다. ❾ 왜일까? ❿ 열은 항상 더운 곳에서 더 찬 곳으로 흐른다. ⓫ 만약 담요가 없다면, 따뜻한 공기는 눈사람에 닿아서 그것을 녹인다. ⓬ 하지만, 담요는 따뜻한 공기가 눈사람에 닿는 것을 막는다. ⓭ 따라서, 담요가 있는 눈사람이 더 오랫동안 차가운 상태를 유지하고 더 천천히 녹는다.

구문 해설

❶ The snowman Olaf **stays frozen** *thanks to* the snow queen.
  → 「stay + 형용사」는 '~한 상태를 유지하다'라는 의미이다.
  → thanks to는 '~ 덕분에'라는 의미의 전치사이다.

❹ **Let's say** [(that) there are two snowmen].
  → 「Let's say + that절」은 '~이라고 가정해보자'라는 의미이다. 이때 that절은 say의 목적어 역할을 하는 명사절로, 여기서는 that이 생략되어 있다.

❺ be covered with는 '~으로 덮여 있다'라는 의미의 수동태 표현이다.

❻ **The other** *is wearing* nothing.
  → the other는 '나머지 하나'를, the others는 '나머지 모두'를 의미한다. 이 문장에서는 두 개의 눈사람 중 담요로 덮여 있는 하나(One) 외 아무것도 걸치고 있지 않은 나머지 하나를 가리키기 위해 The other가 쓰였다.   *cf.* another: 또 다른 하나
  → 「be동사의 현재형 + v-ing」는 현재진행 시제로 '~하고 있다, ~하는 중이다'라고 해석한다.

1 이 글의 흐름으로 보아, 다음 문장이 들어가기에 가장 적절한 곳은?

> Surprisingly, it is the snowman without the blanket. 놀랍게도, 그것은 담요가 없는 눈사람이다.

①   ②   ③   ④✓   ⑤

2 다음 빈칸에 공통으로 들어갈 단어를 글에서 찾아 쓰시오.

> - The sunlight did not ___reach___ the other side of the wall.
>   햇빛이 벽의 반대편에 닿지 않았다.
> - He tried to ___reach___ his hand over the table to get a spoon.
>   그는 숟가락을 받기 위해 탁자 너머로 손을 뻗으려 했다.

3 (A), (B)의 각 네모 안에서 문맥에 알맞은 말을 골라 쓰시오.

(A): ___cold___ 차가운   (B): ___slowly___ 천천히

4 이 글에서 설명하는 원리와 동일하면 T, 그렇지 않으면 F를 쓰시오.

(1) 보온병은 외부 공기가 내부로 들어오는 것을 막아 음식의
온도를 유지시킨다.   T

(2) 다리미 내부에 있는 장치는 일정 온도가 되면 자동으로
전기를 끊어 다리미가 계속해서 뜨거워지지 않도록 한다.   F

5 이 글의 내용으로 보아, 다음 빈칸에 들어갈 말을 글에서 찾아 쓰시오.

> ___Heat___ moves from warm areas to colder ones. This causes snowmen to melt. However, a blanket ___prevents___ this.

열은 따뜻한 곳에서 더 찬 곳으로 이동한다. 이것은 눈사람이 녹게 한다. 하지만, 담요는 이것을 막는다.

정답   **1** ④   **2** reach   **3** (A) cold (B) slowly   **4** (1) T (2) F   **5** Heat, prevents

---

문제 해설

1 주어진 문장에서 it은 문장 ❼에서 언급한 먼저 녹아서 허물어지는 눈사람을 가리키며, 문장 ❾는 담요가 없는 이 눈사람이 먼저 녹아 허물어진 이유를 묻고 있다. 따라서 주어진 문장은 문장 ❼과 ❾ 사이에 오는 것이 자연스러우므로, ④가 가장 적절하다.

2 빈칸에 공통으로 들어갈 알맞은 단어는 '~에 닿다; (손을) 뻗다'라는 뜻을 가진 reach이다.

3 문장 ⑪-⑫에서 담요가 없으면 따뜻한 공기가 눈사람에 닿아 녹는 반면, 담요가 있으면 따뜻한 공기가 눈사람에 닿는 것을 막는다고 했으므로, 담요가 있는 눈사람은 더 오래 차갑고 더 천천히 녹는다는 것을 알 수 있다. 따라서 네모 (A)에는 '차가운'이, 네모 (B)에는 '천천히'가 문맥상 적절하다.

4 (1) 문장 ⑪-⑫에서 담요는 따뜻한 공기가 눈사람에 닿아 눈사람이 녹는 것을 막는다고 했으므로, 외부 공기가 내부의 음식에 닿는 것을 막아 음식의 온도를 유지시키는 보온병의 원리도 이와 동일하다.
(2) 이 글에서는 담요로 열의 이동을 막아 차가운 온도를 유지하는 원리에 대해 설명하고 있다. 다리미 장치의 원리는 이와 관계 없다.

5 문제 해석 참고

---

❼ 「one of + 복수명사」는 '~ 중 하나'라는 의미이다. 「one of + 복수명사」는 단수 취급하므로, 뒤에 단수동사(구) melts와 falls apart가 접속사 and로 연결되어 쓰였다.

❾ 「How come + 주어 + 동사 ~?」는 '왜/어째서 ~는 …인가?'라는 의미로, 의문을 나타내는 표현이다. 이때 How come 뒤를 생략해서 쓸 수도 있다. 이 문장에서는 it is the snowman without the blanket이 생략되어 있다.

❿ Heat always flows **from a hot area to a colder *one***.
→ 「from A to B」는 'A에서 B로, A부터 B까지'라는 의미이다.
→ 부정대명사 one은 앞에서 언급한 명사와 같은 종류의 불특정한 대상을 가리킨다. 여기서는 앞에 나온 area와 같은 종류의 불특정한 대상을 가리킨다. *cf.* it, they/them: 앞에서 언급한 특정한 대상 *ex.* I bought a bag. I like **it**. (나는 가방을 샀다. 나는 그것이 마음에 든다.)

⑫ However, the blanket **prevents the warm air from reaching** it.
→ 「prevent A from v-ing」는 'A가 ~하는 것을 막다'라는 의미이다. 이 문장에서는 '따뜻한 공기가 닿는 것을 막는다'라고 해석한다.

본문 해석

❶ 만약 당신이 로스앤젤레스의 한인타운에 간다면, 시내 도처에서 한 남자의 이름을 볼 수 있다. ❷ 교차로 표지판이 그의 이름을 포함하고 있다. ❸ 우체국과 광장도 그의 이름을 따서 이름 지어졌다. ❹ 이 남자는 누구인가? ❺ 그는 한국의 독립운동가인 도산 안창호 선생이다.

❻ 1902년에, 안창호 선생은 공부를 하기 위해 미국으로 갔다. ❼ 그곳에서, 그는 한인 학생들과 노동자들이 열악한 환경하에 살고 있었다는 것을 알게 되었다. ❽ 그들에게는 성공할 수 있는 기회가 많지 않았다. ❾ 그래서, 안창호 선생은 한인 공동체를 만들어서 그들을 교육하고 그들에게 일자리를 찾아 주기 위해 노력했다.

❿ 안창호 선생은 또한 일본이 한국을 점령했을 때 한국의 독립을 위해 투쟁했다. ⓫ 한인타운의 사람들도 동참해서 그와 함께 투쟁했다. ⓬ 지금까지도, 한인타운의 사람들은 여전히 안창호 선생의 업적을 기억하고 기념한다.

❶ If you go to Korea Town / in Los Angeles, / you can see one man's
만약 당신이 한인타운에 간다면   로스앤젤레스의   당신은 한 남자의 이름을 볼 수 있다
name / throughout the town. / ❷ An interchange sign / includes his
시내 도처에서   교차로 표지판이   그의 이름을 포함하고 있다
name. / ❸ A post office and square / are also named / after him. / ❹ Who
우체국과 광장이   또한 이름 지어졌다   그의 이름을 따서
is this man? / ❺ He is Dosan Ahn Chang-ho, / the Korean independence
이 남자는 누구인가   그는 도산 안창호 선생이다   한국의 독립운동가인
activist. /

❻ In 1902, / Ahn went to the United States / to study. / ❼ There, / he
1902년에   안 선생은 미국으로 갔다   공부하기 위해   그곳에서   그는
found / that Korean students and workers / were living / under poor
알게 되었다   한인 학생들과 노동자들이   살고 있었다는 것을
conditions. / ❽ They didn't have / many opportunities / to become
열악한 환경하에   그들은 가지지 못했다   많은 기회들을   성공할 수 있는
successful. / ❾ Therefore, / Ahn created a Korean community / and tried /
그래서   안 선생은 한인 공동체를 만들었다   그리고 노력했다
to educate them / and find them jobs. /
그들을 교육하기 위해   그리고 그들에게 일자리를 찾아 주기 위해

❿ Ahn also fought / for Korea's independence / when Japan took
안 선생은 또한 투쟁했다   한국의 독립을 위해   일본이 한국을 점령했을 때
over Korea. / ⓫ The people in Korea Town / joined / and fought with
                한인타운의 사람들은   동참했다   그리고 그와 함께
him. / ⓬ To this day, / the people in Korea Town / still remember and
투쟁했다   지금까지도   한인타운의 사람들은   여전히 기억하고 기념한다
celebrate / Ahn's achievements. /
            안 선생의 업적들을

구문 해설

❶ 전치사 throughout은 '~의 도처에, ~의 구석구석까지'라는 의미이다.

❸ 「A be named after B」는 'A는 B의 이름을 따서 이름 지어지다'라는 의미로, 「name A after B(B의 이름을 따서 A의 이름을 짓다)」의 수동태 표현이다.

❺ Dosan Ahn Chang-ho와 the Korean independence activist는 콤마로 연결된 동격 관계이다.

❻ to study는 '공부하기 위해'라는 의미로, [목적]을 나타내는 to부정사의 부사적 용법으로 쓰였다.

❼ There, he found [that Korean students and workers **were living** under poor conditions].
→ [ ]는 found의 목적어 역할을 하는 명사절이다. 이때 명사절 접속사 that은 생략할 수 있다.
→ 「be동사의 과거형 + v-ing」는 과거진행 시제로, '~하고 있었다, ~하는 중이었다'라고 해석한다.

1 이 글의 제목으로 가장 적절한 것은?

① How Korea Gained Its Independence 한국은 어떻게 독립을 얻게 되었는가
② Why Ahn Chang-ho Was Called Dosan 안창호 선생은 왜 도산이라고 불렸는가
③ A Korean Activist Remembered in America 미국에서 기억되는 한인 운동가
④ Korea Town: The Best Place to Visit in Los Angeles
　한인타운: 로스앤젤레스에서 방문하기 가장 좋은 장소
⑤ The Difficulties of Ahn Chang-ho's Life as an Activist
　운동가로서 안창호 선생의 삶의 고난들

2 이 글의 내용과 일치하면 T, 그렇지 않으면 F를 쓰시오.

(1) 로스앤젤레스의 한인타운에는 안창호 선생의 이름을 딴 병원이 있다.　　F
(2) 1900년대 초 미국에는 열악한 환경에 처한 한인들이 있었다.　　T
(3) 안창호 선생은 독립운동을 위해 한인 공동체를 설립했다.　　F

3 다음 영영 풀이에 해당하는 단어를 글에서 찾아 쓰시오.

> to help someone learn about something by giving them information
> 누군가에게 정보를 줌으로써 그들이 어떤 것에 대해 배우도록 돕다

　　educate　　교육하다

4 이 글의 내용으로 보아, 빈칸 (A)와 (B)에 들어갈 말로 가장 적절한 것은?

> Dosan Ahn Chang-ho ____(A)____ a community for people from Korea. He also fought for the ____(B)____ of Korea with people in the community.

도산 안창호 선생은 한국에서 온 사람들을 위한 공동체를 (A) 만들었다. 그는 또한 그 공동체의 사람들과 함께 한국의 (B) 독립을 위해 투쟁했다.

	(A)		(B)
①	created	......	independence 만들었다 … 독립
②	created	......	wealth 만들었다 … 부
③	named	......	town 명명했다 … 도시
④	celebrated	......	activists 기념했다 … 운동가들
⑤	celebrated	......	education 기념했다 … 교육

문제 해설

1 로스앤젤레스의 한인타운에는 도산 안창호 선생의 이름을 딴 곳들이 있으며, 한인타운의 사람들이 지금까지도 선생의 업적을 기념한다는 점을 설명하는 글이므로, 제목으로 ③ '미국에서 기억되는 한인 운동가'가 가장 적절하다.

2 (1) 문장 ❷-❸에서 교차로 표지판, 우체국, 광장의 이름이 안창호 선생의 이름에서 따왔다고는 했지만, 병원에 대한 언급은 없다.
(2) 문장 ❻-❼을 통해 1902년 미국에서 살던 한인 학생들과 노동자들이 열악한 환경에 처해 있었다는 것을 알 수 있다.
(3) 문장 ❾에서 안창호 선생은 한인들을 교육하고 그들에게 일자리를 찾아 주기 위해 한인 공동체를 만들었다고 했다.

3 '누군가에게 정보를 줌으로써 그들이 어떤 것에 대해 배우도록 돕다'라는 뜻에 해당하는 단어는 educate (교육하다)이다.

4 문제 해석 참고

정답　**1** ③　**2** (1) F (2) T (3) F　**3** educate　**4** ①

---

❽ They didn't have **many** opportunities *to become successful*.
→ many는 '많은'이라는 의미로, 뒤에 오는 셀 수 있는 명사의 복수형(opportunities)을 수식한다.
→ to become successful은 '성공할 수 있는'이라는 의미로, to부정사의 형용사적 용법으로 쓰여 many opportunities를 수식하고 있다.

❾ Therefore, Ahn created a Korean community and **tried to educate** them and *find* them jobs.
→ 「try + to-v」는 '~하기 위해 노력하다'라는 의미이다. 이 문장에서는 tried 뒤에 to educate와 (to) find가 접속사 and로 연결되어 쓰였다.
　cf. 「try + v-ing」: (시험 삼아) ~해보다
　ex. He **tried exercising** and **dieting** to lose weight. (그는 체중을 줄이기 위해 운동하는 것과 식이요법을 하는 것을 시도해봤다.)
→ 「find + 간접목적어 + 직접목적어」는 '~에게 …을 찾아 주다'라는 의미이다.
　= 「find + 직접목적어 + for + 간접목적어」　ex. Therefore, Ahn ~ tried to educate them and **find jobs for them**.

UNIT 10 | 75

본문 해석

❶ Helper 박사님,

❷ 저는 어제 여동생과 싸웠어요. ❸ 저는 너무 화가 나서 제 전화기를 던지기까지 했어요. ❹ 지금 저는 화를 낸 것을 후회해요. ❺ 저는 무엇이 문제일까요?

❻ 걱정하지 말아요. ❼ 당신에게는 아무런 문제가 없어요! ❽ 많은 사람들이 금방 화를 내고 나중에 그것을 후회해요. ❾ 화가 났을 때, 당신의 몸은 더 많은 양의 분노 호르몬인 코르티솔을 만들어 내요. ❿ 보통, 그것은 단 90초 후면 정상 수준으로 돌아가요. ⓫ 이것은 분노에 대한 신체 반응이 사실상 오래 지속되지 않는다는 것을 의미해요. ⓬ 하지만, 만약 계속 그 싸움에 대해 생각한다면, 당신은 계속 스스로를 화나게 만들 거예요. ⓭ 그리고 당신의 코르티솔 수치는 낮아지지 않을 거예요! ⓮ 당신이 할 수 있는 가장 좋은 것은 그냥 그 장소를 떠나서 마음을 비우는 거예요. ⓯ 이것을 하는 동안 90까지 세어보세요. ⓰ 곧, 기분이 나아질 거예요.

❶ Dr. Helper, /
Helper 박사님

❷ I had a fight / with my sister / yesterday. / ❸ I was very angry / and
저는 싸웠어요   제 여동생과   어제   저는 너무 화가 났어요   그리고

even threw my phone. / ❹ Now / I feel bad for / losing my temper. /
제 전화기를 던지기까지 했어요   지금   저는 ~을 후회해요   화를 낸 것

❺ What's wrong with me? /
저는 무엇이 문제일까요

❻ Don't worry. / ❼ Nothing is wrong with you! / ❽ Many people
걱정하지 말아요   당신에게는 아무런 문제가 없어요   많은 사람들이

become angry / quickly / and regret it later. / ❾ When you get upset, /
화가 나게 돼요   금방   그리고 나중에 그것을 후회해요   당신이 화가 나게 됐을 때

your body produces / a greater amount of cortisol, / the anger
당신의 몸은 만들어 내요   더 많은 양의 코르티솔을   분노 호르몬인

hormone. / ❿ Usually, / it goes back to a normal level / after only 90
보통   그것은 정상 수준으로 돌아가요   단 90초 후면

seconds. / ⓫ This means / the physical reaction to anger / doesn't
이것은 의미해요   분노에 대한 신체의 반응은   사실 오래

actually last long. / ⓬ However, / if you keep thinking about the
지속되지 않는다는 것을   하지만   만약 당신이 계속해서 그 싸움에 대해 생각한다면

fight, / you'll keep making / yourself / angry. / ⓭ And your cortisol level /
당신은 계속해서 만들 거예요 스스로를   화나게   그리고 당신의 코르티솔 수치는

won't go down! / ⓮ The best thing / to do / is to just leave the area / and
낮아지지 않을 거예요   가장 좋은 것은   할 수 있는   그냥 그 장소를 떠나는 거예요   그리고

clear your mind. / ⓯ Count to 90 / while you do this. / ⓰ Soon, / you
당신의 마음을 비우는 거예요 90까지 세어보세요 당신이 이것을 하는 동안   곧   당신은

should feel better. /
기분이 나아질 거예요

구문 해설

❹ losing my temper는 전치사 for(~을, ~에 대해)의 목적어 역할을 하는 동명사구이다.

❽ 「become + 형용사」는 '~하게 되다'라는 의미이다.

❾ When you **get upset**, your body produces a greater amount of *cortisol, the anger hormone.*
→ 「get + 형용사」는 '~하게 되다'라는 의미이다.
→ cortisol과 the anger hormone은 콤마로 연결된 동격 관계이다.

⓫ This means [(that) the physical reaction to anger doesn't actually last long].
→ [ ]는 means의 목적어 역할을 하는 명사절로, 명사절 접속사 that이 생략되어 있다.

1 이 글의 밑줄 친 I가 걱정하는 것은?

① 동생과 자주 다투는 것
② 화가 났을 때 참지 못하는 것 ✓
③ 지난 일을 계속해서 후회하는 것
④ 급하게 서두르다가 일을 망치는 것
⑤ 동생에게 잘못을 사과하지 못하는 것

2 코르티솔이 분비되는 과정을 다음과 같이 나타낼 때, 빈칸에 들어갈 말을 우리말로 쓰시오.

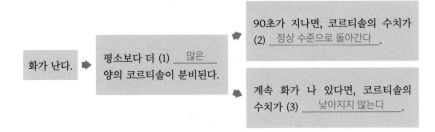

화가 난다. → 평소보다 더 (1) _많은_ 양의 코르티솔이 분비된다.

90초가 지나면, 코르티솔의 수치가 (2) _정상 수준으로 돌아간다_.

계속 화가 나 있다면, 코르티솔의 수치가 (3) _낮아지지 않는다_.

3 이 글의 밑줄 친 leave와 의미가 가장 비슷한 것은?

① set 설정하다
② block 막다
③ exit 떠나다 ✓
④ remove 치우다
⑤ forget 잊다

4 이 글에 따르면, Helper 박사가 화가 났을 때 대처하는 방법으로 제안하는 것은?

① 지나간 일을 문제 삼지 말아라.
② 화가 난 원인을 빠르게 파악하고 해결책을 찾아라.
③ 자신의 솔직한 감정을 상대방에게 전하라.
④ 상대방의 입장에서 다시 한번 생각해 보아라.
⑤ 잠시 다른 장소로 가서 마음을 비워라. ✓

정답 **1** ②   **2** (1) 많은 (2) 정상 수준으로 돌아간다 (3) 낮아지지 않는다   **3** ③   **4** ⑤

---

1 문장 ④에서 본인이 (참지 못하고) 화를 낸 것을 후회하고 있다고 했으므로, 걱정하는 것은 ②이다.

2 (1) 문장 ⑨에서 화가 났을 때 더 많은 양의 코르티솔이 만들어진다고 했다. (2) 문장 ⑩에서 90초 이후엔 코르티솔이 정상 수준으로 돌아간다고 했다. (3) 문장 ⑫-⑬에서 계속 싸움에 대해 생각하면 스스로 계속 화가 나서 코르티솔 수치가 낮아지지 않는다고 했다.

3 문장 ⑭에서 leave (the area)는 '(그 장소를) 떠나다'라고 해석하므로, 의미가 가장 가까운 것은 ③ 'exit(떠나다)'이다.

4 문장 ⑪에서 분노에 대한 신체 반응은 오래가지 않는다고 말하면서, 문장 ⑭에서 (화를 참는) 가장 좋은 방법으로 싸움이 일어난 장소를 떠나서 90까지 세며 마음을 비우라고 했으므로, Helper 박사가 제안하는 방법으로 ⑤가 가장 적절하다.

---

⑫ However, if you **keep thinking** about the fight, you'll **keep *making* *yourself*** angry.
→ 「keep + v-ing」는 '계속해서 ~하다'라는 의미이다.
→ 「make + 목적어 + 형용사」는 '~를 …하게 만들다'라는 의미이다.
→ 동명사 making의 목적어가 주어(you)와 같은 대상이므로 재귀대명사 yourself가 쓰였다.

⑭ The best thing **to do** is *to just leave the area and clear your mind*.
→ to do는 '할 수 있는'이라는 의미로, to부정사의 형용사적 용법으로 쓰여 The best thing을 수식하고 있다.
→ to just leave the area and (to) clear your mind는 '그냥 그 장소를 떠나서 마음을 비우는 것'이라는 의미로, to부정사의 명사적 용법으로 쓰여 is의 보어 역할을 하고 있다.

본문 해석

❶ 만약 누군가 당신의 귀를 잡아당긴다면, 당신은 화가 날 수도 있다. ❷ 하지만 브라질에서는, 사람들이 당신을 축하하기 위해 이것을 한다. ❸ 그들은 생일을 맞은 사람의 귀를 그 또는 그녀의 나이만큼 많이 잡아당긴다. ❹ 그래서 만약 당신이 14살이라면, 친구들과 가족은 당신의 귀를 14번 잡아당길 것이다. ❺ 그들은 이렇게 하면서, 당신이 오래 살기를 바란다.

❻ 헝가리 사람들도 비슷한 이유로 생일을 맞은 사람의 귓불을 잡아당긴다. ❼ 하지만, 동시에 그들은 "매우 오래 살아서 귀가 발목에 닿게 되어라."를 의미하는 가사가 있는 노래를 부른다.

❽ 최근에, 과학자들은 귀를 잡아당기는 것이 마사지와 비슷한 이점들을 가지는 것을 발견했다. ❾ 그것은 스트레스를 완화하고 몸의 긴장을 푸는 것을 돕는다. ❿ 그러므로, 귀를 잡아당기는 것은 실제로 건강에 좋다!

❶ If someone pulls on your ear, / you might get upset. / ❷ But in
만약 누군가 당신의 귀를 잡아당긴다면 당신은 화가 날 수도 있다 하지만
Brazil, / people do this / (A) to congratulate you. / ❸ They pull on / a
브라질에서는 사람들이 이것을 한다 당신을 축하하기 위해 그들은 잡아당긴다
birthday person's ear / as many times as his or her age. / ❹ So / if you are
생일을 맞은 사람의 귀를 그 또는 그녀의 나이만큼 많은 횟수로 그래서 만약 당신이
14 years old, / friends and family / will pull on your ears / 14 times. / ❺ As
14살이라면 친구들과 가족은 당신의 귀를 잡아당길 것이다 14번 그들은
they do so, / they hope / you will have a long life. /
이렇게 하면서 그들은 바란다 당신이 오래 살기를

❻ Hungarians also pull on / the birthday person's earlobes / for a
헝가리 사람들도 잡아당긴다 생일을 맞은 사람의 귓불을
similar reason. / ❼ However, / they sing a song / with lyrics / that mean /
비슷한 이유로 하지만 그들은 노래를 부른다 가사가 있는 의미하는
"Live so long / that your ears reach your ankles" / at the same time. /
매우 오래 살아서 네 귀가 네 발목에 닿게 되어라 동시에

❽ Recently, / scientists have found / that ear-pulling has similar
최근에 과학자들은 발견했다 귀를 잡아당기는 것이 비슷한 이점들을
benefits / to massage. / ❾ It helps / to relieve stress / and relax the body. /
가지는 것을 마사지와 그것은 돕는다 스트레스를 완화하는 것을 그리고 몸의 긴장을 푸는 것을
❿ (B) Therefore, / ear-pulling is actually good / for your health! /
그러므로 귀를 잡아당기는 것은 실제로 좋다 당신의 건강에

구문 해설

❶ 조동사 might는 '~할 수도 있다, ~할지도 모른다'라는 의미로, may보다 불확실한 추측을 나타낸다.

❷ to congratulate you는 '당신을 축하하기 위해'라는 의미로, [목적]을 나타내는 to부정사의 부사적 용법으로 쓰였다.

❸ 「as many + 명사 + as」는 '~만큼 많은 …'라는 의미이다. 이 문장에서는 명사 times(횟수)와 함께 쓰여 '~만큼 많은 횟수로'라고 해석한다.

❺ **As** they *do so*, they hope [(that) you will have a long life].
→ As는 '~하면서, ~하고 있을 때'라는 의미로, 부사절을 이끄는 접속사로 쓰여 뒤에 「주어 + 동사」의 절이 왔다.
  cf. 「전치사 as + 명사」: ~으로서   *ex.* I worked **as a manager** at this restaurant last year. (나는 작년에 이 식당에서 관리자로 일했다.)
→ do so가 동사(구)의 반복을 피하기 위해 쓰였다. 여기서는 앞 문장에서 언급된 pull on your ears를 대신하고 있다.
→ [ ]는 hope의 목적어 역할을 하는 명사절로, 명사절 접속사 that이 생략되어 있다.

1 이 글의 빈칸 (A)에 들어갈 말로 가장 적절한 것은?

① to scare 겁주기 위해　　　② to bother 귀찮게 하기 위해
③ to thank 고마워하기 위해　　④ to wake 깨우기 위해
⑤ to congratulate 축하하기 위해 ✓

2 이 글의 내용과 일치하면 T, 그렇지 않으면 F를 쓰시오.

(1) 브라질과 헝가리에서는 서로 다른 이유로 귀를 잡아당긴다.　　F
(2) 브라질에서는 귀를 잡아당길 때 노래를 부른다.　　F

3 이 글의 빈칸 (B)에 들어갈 말로 가장 적절한 것은?

① Instead 대신에　　　　　② Therefore 그러므로 ✓
③ However 하지만　　　　　④ Otherwise 그렇지 않으면
⑤ On the other hand 반면에

4 이 글의 내용으로 보아, 다음 빈칸에 들어갈 말을 글에서 찾아 쓰시오.

In Brazil and Hungary, people ___pull___ ___on___ a birthday person's ear to wish him or her a ___long___ life. Interestingly, this has actual ___benefits___ for health.

브라질과 헝가리에서, 사람들은 생일을 맞은 사람이 오래 살기를 기원하기 위해 귀를 잡아당긴다. 흥미롭게도, 이것은 건강에 대한 실제 이점이 있다.

1 빈칸 뒤에서 생일을 맞은 사람의 귀를 나이만큼 잡아당김으로써 오래 살기를 바란다고 했다. 따라서 빈칸 (A)에는 ⑤ '축하하기 위해'가 가장 적절하다.

2 (1) 문장 ❺-❻에서 브라질에서는 생일인 사람이 오래 살기를 바라며 귀를 잡아당긴다고 했고, 헝가리 사람들도 비슷한 이유로 생일인 사람의 귓불을 잡아당긴다고 했다.
(2) 문장 ❼에서 브라질 사람들과 달리 헝가리 사람들은 귓불을 잡아당기면서 동시에 노래를 부른다고 했다.

3 빈칸 앞에서 귀를 잡아당기는 것이 마사지와 비슷하게 스트레스를 완화하고 몸의 긴장을 푸는 것을 돕는다고 했고, 이러한 점들은 빈칸이 있는 문장에서 귀를 잡아당기는 것이 건강에 실제로 좋다고 언급한 이유에 해당하므로, 빈칸 (B)에는 ② '그러므로'가 가장 적절하다.

4 문제 해석 참고

정답 **1** ⑤　**2** (1) F (2) F　**3** ②　**4** pull on, long, benefits

❼ However, they sing a song with lyrics [that mean "Live **so long that** your ears reach your ankles"] at the same time.
→ [ ]는 앞에 온 선행사 lyrics를 수식하는 주격 관계대명사절이다.
→ 「so + 형용사/부사 + that절」은 '매우/너무 ~해서 …하다'라는 의미이다.

❽ Recently, scientists **have found** [that ear-pulling has similar benefits to massage].
→ have found는 현재완료 시제(have p.p.)로, 이 문장에서는 과거에 시작된 일이 현재에 끝난 [완료]를 나타낸다. 현재완료 시제로 완료를 나타낼 때는 주로 recently, just, already, yet, lately 등이 함께 쓰인다.
→ [ ]는 have found의 목적어 역할을 하는 명사절이다. 이때 명사절 접속사 that은 생략할 수 있다.

❾ 「help + to-v」는 '~하는 것을 돕다'라는 의미이다. 여기서는 to relieve와 (to) relax가 접속사 and로 연결되어 쓰였다.

UNIT 10
4

본문 해석

❶ 마침내 여름 방학이 되었고, Tom은 고모 Jane을 정말 방문하고 싶었다. ❷ Jane은 Tom이 방문할 때 항상 그를 위해 재미있는 수수께끼를 준비한다. ❸ 방학 첫날, Tom은 고모의 집에 도착했지만, 그곳에는 아무도 없었다. ❹ 대신, 그는 서랍 위에 있는 쪽지를 발견했다.

❺ 나는 쌀과 계란을 좀 사기 위해 가게에 갔단다.

❻ 간식들이 숨겨져 있으니, 나를 기다리는 동안 먹으렴.

❼ 맛있는 간식이 어디에 있을까? ❽ 곧 보자, Tom!

❾ 그는 주위를 둘러보았지만 간식을 볼 수 없었다. ❿ 그때, 그는 쪽지에 있는 글자들 중 일부가 굵고 대문자라는 것을 알아차렸다. ⓫ 그는 그것들을 신중히 쳐다보았고, "그것이 어디에 있는지 알겠어!"라고 소리쳤다.

⓬ 그의 고모가 집에 돌아왔을 때, 그녀는 Tom이 침대 위에서 행복하게 초콜릿 칩 쿠키를 먹고 있는 것을 보았다.

---

❶ It was finally summer vacation, / and Tom couldn't wait / to visit /
마침내 여름 방학이 되었다　　　그리고 Tom은 기다릴 수 없었다　방문하는 것을

his aunt Jane. / ❷ Jane always prepares a fun riddle / for Tom / when
그의 고모 Jane을　　　Jane은 항상 재미있는 수수께끼를 준비한다　　Tom을 위해

he visits. / ❸ On the first day of vacation, / Tom arrived / at his aunt's
그가 방문할 때　방학의 첫날에　　　　　　　　Tom은 도착했다　　그의 고모의 집에

house, / but no one was there. / ❹ Instead, / he found a note / on the
하지만 그곳에는 아무도 없었다　　　대신　　　그는 쪽지를 발견했다

drawer: /
서랍 위에 있는

❺ I weNt to the Store / to buy some rIce anD Eggs. /
나는 가게에 갔단다　　　쌀과 계란을 좀 사기 위해

❻ ⓐ snacks are hidden, / so have Them / wHile you wait for mE. /
간식들이 숨겨져 있단다　　그러니 그것들을 먹으렴　네가 나를 기다리는 동안에

❼ where Could the deLiciOus snacks be? / ❽ SEe you soon, / Tom! /
맛있는 간식들이 어디에 있을까　　　　　　곧 보자　　　Tom

❾ He looked around / but couldn't see ⓑ the treats. / ❿ Then, / he
그는 주위를 둘러보았다　　그러나 간식들을 볼 수 없었다　　　　그때　　그는

noticed / some of the letters / in the note / were bold and capital. / ⓫ He
알아차렸다　글자들 중 일부가　　　쪽지에 있는　　굵고 대문자였다는 것을　　　그는

looked at ⓒ them carefully, / and he shouted, / "I know / where ⓓ they
그것들을 신중히 쳐다보았다　　　　그리고 그는 소리쳤다　나는 알겠어　그것들이 어디에

are!" /
있는지

⓬ When his aunt came back home, / she saw / Tom / happily eating /
그의 고모가 집에 돌아왔을 때　　　　　그녀는 보았다　Tom이　행복하게 먹고 있는 것을

ⓔ chocolate-chip cookies / on the bed. /
초콜릿 칩 쿠키를　　　　　침대 위에서

구문 해설

❶ **It** was finally summer vacation, and Tom *couldn't wait to visit* his aunt Jane.
　→ It은 시간, 날짜, 요일, 계절, 날씨, 거리 등을 나타낼 때 사용되는 비인칭주어로, 따로 해석하지 않는다.
　→ 「can't wait + to-v」는 '~할 것을 기다릴 수 없다, 정말 ~하고 싶다'라는 의미로, 바람이나 기대를 나타내는 표현이다. 이 문장에서는 can't의 과거형인 couldn't가 to visit과 함께 쓰여 '방문하는 것을 기다릴 수 없었다, 정말 방문하고 싶었다'라고 해석한다.

❷ when은 부사절을 이끄는 접속사로, '~할 때'라는 의미이다.

❸ no one은 '아무도[누구도] ~하지 않다'라는 의미로, [전체 부정]을 나타낸다. 또한 no one은 단수 취급하므로 뒤에 단수동사 was가 쓰였다.

❺ to buy some rice and eggs는 '쌀과 계란을 좀 사기 위해'라는 의미로, [목적]을 나타내는 to부정사의 부사적 용법으로 쓰였다.

❻ Snacks are hidden, so have them **while** you *wait for* me.
　→ while은 부사절을 이끄는 접속사로, '~하는 동안'이라는 의미이다.
　→ 동사 wait는 전치사 for와 함께 쓰여 '~를 기다리다'라는 의미를 가진다.

1 이 글의 밑줄 친 ⓐ~ⓔ 중, 가리키는 대상이 나머지 넷과 <u>다른</u> 것은?

① ⓐ   ② ⓑ   ③ ⓒ   ④ ⓓ   ⑤ ⓔ

2 이 글을 읽고 답할 수 <u>없는</u> 질문은?

① Tom은 여름 방학에 어디에 갔는가?
② Tom은 어디에서 쪽지를 발견했는가?
③ Jane은 언제 집으로 돌아왔는가?
④ Jane은 무엇을 사러 가게에 갔는가?
⑤ Jane은 어떤 간식을 숨겨두었는가?

3 다음 영영 풀이에 해당하는 단어를 글에서 찾아 쓰시오.

| a period of time when schools are closed 학교가 문을 닫고 있는 기간 |

<u>   vacation   </u> 방학

4 이 글의 내용에 따라 다음 질문에 답하시오.

(1) Jane이 남긴 쪽지에 숨겨진 메시지를 찾아 쓰시오.
    <u>INSIDE THE CLOSET</u> 옷장 안에

(2) 다음 중, Jane이 간식을 숨겨둔 장소로 가장 적절한 곳은?

① A   ② B   ③ C   ④ D   ⑤ E

정답   1 ③   2 ③   3 vacation   4 (1) INSIDE THE CLOSET (2) ①

문제 해설

1 ⓒ는 쪽지에 있는 굵은 대문자 글자들을 가리키고, 나머지는 모두 Jane이 숨겨둔 간식을 가리킨다.

2 ③: Jane이 집에 돌아온 시간에 대한 언급은 없다.
①: 문장 ❸에서 Tom이 여름 방학 첫날에 고모 Jane의 집에 갔다고 했다.
②: 문장 ❹에서 Tom이 서랍 위에서 쪽지를 발견했다고 했다.
④: 문장 ❻에서 Jane은 쌀과 계란을 사기 위해 가게에 갔다고 했다.
⑤: 문장 ❻과 ⓬를 통해 Jane이 숨겨둔 간식이 초콜릿 칩 쿠키임을 알 수 있다.

3 '학교가 문을 닫고 있는 기간'이라는 뜻에 해당하는 단어는 vacation(방학)이다.

4 (1) 문장 ❿에서 언급한 대로 쪽지에서 굵은 대문자인 글자들만 적어보면 INSIDE THE CLOSET(옷장 안에)이라는 메시지가 완성된다.
(2) 숨겨진 메시지가 '옷장 안에'이므로, 간식을 숨겨둔 장소로 가장 적절한 곳은 ①이다.

---

❿ Then, he noticed [(that) some of the letters in the note were bold and capital].
→ [ ]는 noticed의 목적어 역할을 하는 명사절로, 명사절 접속사 that이 생략되어 있다.

⓫ He looked at them carefully, and he shouted, "I know [where they are]!"
→ [ ]는 「의문사 + 주어 + 동사」의 간접의문문으로, know의 목적어 역할을 하고 있다.

⓬ When his aunt came back home, she **saw Tom** happily **eating** chocolate-chip cookies on the bed.
→ 「see + 목적어 + 현재분사」는 '~가 …하고 있는 것을 보다'라는 의미이다. 이 문장에서는 현재분사 eating과 이를 수식하는 부사 happily가 함께 쓰여 'Tom이 행복하게 초콜릿 칩 쿠키를 먹고 있는 것을 보았다'라고 해석한다.

Review Test

UNIT 01 본책 p.16

1 ② **2** ④ **3** ③ **4** ③ **5** balance **6** popular **7** go away **8** provide **9** Marilyn은 디저트에 대해 무언가 새로운 것을 떠올리기 위해 노력했다. **10** 그리고 그것은 다른 사람들을 해치지 않도록 부드러운 깃털이나 솜으로 채워져 있어야 한다.

1 ② participate in의 올바른 뜻은 '~에 참가하다'이다.

① 당신에게 도움이 되는 조언을 드릴게요.
② 많은 학생들이 여름 학교에 참가할 것이다.
③ 이 셔츠들을 접어서 서랍 안에 넣어주세요.
④ 그녀는 아마 이번 주에 하이킹을 하러 갈 것이다.
⑤ Jack은 그의 강아지가 아파서 속상했다.

2 ①, ②, ③, ⑤는 감정의 종류를 나타내므로 ④ 'emotion(감정)'이 나머지를 포함할 수 있다.

① 불안(감)　　　② 안도(감)　　　③ 행복　　　⑤ 놀라움

3 ①, ②, ④, ⑤는 동사 - 명사 관계이고, ③ 'gentle(부드러운) - gently(부드럽게)'는 형용사 - 부사 관계이다.

① 축하하다 - 축하 행사　　② 움직이다 - 움직임　　④ 반복하다 - 반복　　⑤ 경쟁하다 - 경쟁

4 ③ cross: 교차하다; 건너다

> - 만약 앉을 때 다리를 교차하면[꼬면], 나중에 허리가 아플 것이다.
> - 길을 건널 때 손을 들어라.

① 도착하다　　　② 유지하다　　　④ 주문하다; 명령하다　　　⑤ 돌아오다

[5-8]

보기		인기 있는	국제적인	균형	사라지다	제공하다

5 배에서 균형을 유지하는 것은 어려울 수 있다.

6 Lisa는 친절한 사람이어서, 모든 사람에게 인기 있다.

7 이 약을 먹는 것은 당신의 두통이 사라지도록 만들 것이다.

8 많은 선생님들이 그들의 학생들에게 연필을 제공한다.

[9-10]

9 think of: ~을 떠올리다

10 be filled with: ~으로 채워지다, 가득 차다

1 ⓒ   2 ⓐ   3 ⓑ   4 ④   5 ①   6 interested in   7 take care of   8 harmful   9 그러면, 눈물이 그들의 눈물샘에서 저절로 나와 떨어지기 시작한다!   10 그녀는 엄마를 찾았지만, 그녀(엄마)는 집에 없었다.

[1-3]

1 traditional(전통적인) - ⓒ 사회의 오래된 믿음과 행동들에 관련된

2 improve(향상시키다) - ⓐ 어떤 사람 또는 어떤 것을 더 낫게 만들다

3 similar(유사한) - ⓑ 공통점들이 있지만, 정확히 똑같은 것은 아닌

4 ④ rest: 쉬다; 나머지

> • Sam은 긴 여행 후 피곤해서, 쉬어야 했다.
> • 우리는 그날의 나머지 시간 동안 한가할 것이다.

① 맞추다; 성냥   ② 집중하다; 집중   ③ 세다; 계산   ⑤ 끝나다; 끝

5 affect(영향을 끼치다)와 가장 비슷한 의미의 단어는 ① 'influence(영향을 주다)'이다.

> 지구 온난화는 날씨에 영향을 끼칠 수 있다.

② 보여주다   ③ 알아맞히다   ④ 알아차리다   ⑤ 확인하다

[6-8]

보기	~에 관심이 있는 ~를 돌보다 해로운 완화하다

6 Sally는 패션에 관심이 있기 때문에 옷을 잘 입는다.

7 제가 없는 동안 제 개를 돌봐주세요.

8 몇몇 공장들은 많은 해로운 가스를 만들어 낸다.

[9-10]

9 come out of: ~에서 나오다

10 look for: ~를 찾다

UNIT 03 본책 p.40

1 ③   **2** ②   **3** ①   **4** ③   **5** healthy   **6** invite   **7** lack   **8** choose   **9** 에스프레소를 팔던 카페는 겨우 몇 개뿐이었다.
10 그들은 동물들과 함께 살고 있었지만, 그것들(동물들)에 대해 신경 쓰지 않았다.

1   ①, ②, ④, ⑤는 상의어 - 하의어 관계이고, ③ 'problem(문제) - solution(해결책)'은 반의어 관계이다.
　　① 음식 - 견과(류)　　　　② 장르 - 힙합　　　　④ 언어 - 한국어　　　　⑤ 장소 - 협곡

2   ② jealous: 질투하는

> 어떤 사람이 당신이 갖기를 원하는 것을 갖고 있기 때문에 불행하게 느끼는

　　① 훌륭한　　　　③ 외로운　　　　④ 정확한　　　　⑤ 졸린

[3-4]

3   unique(독특한)와 가장 반대되는 의미의 단어는 ① 'common(흔한)'이다.

> 새로운 스마트폰의 독특한 디자인은 많은 고객들의 마음을 끈다.

　　② 최신의　　　　③ 자연스러운, 천연의　　　　④ 흥미로운　　　　⑤ 비싼

4   previously(이전에)와 가장 반대되는 의미의 단어는 ③ 'later(나중에)'이다.

> 내 영어 선생님은 이전에 호주에 사셨다.

　　① 빠르게　　　　② 갑자기　　　　④ 마지막으로　　　　⑤ 다행히

[5-8]

보기	건강한　　고전의　　부족(함)　　초대하다　　고르다

5   나는 건강한 상태를 유지하기 위해 매일 운동한다.

6   내일 우리 집에 몇몇 친구들을 초대하자.

7   주차 공간의 부족은 많은 문제들을 야기한다.

8   제가 컴퓨터를 잘 알지 못하니 컴퓨터를 고르는 것을 도와주세요.

[9-10]

9   a few: 몇 개의, 약간의

10   care about: ~에 대해 신경[마음] 쓰다

1 ③   2 ②   3 donate/기부하다   4 weapon/무기   5 filled with   6 afraid of   7 sharp   8 tiny   9 그 구멍에서 나온 여분의 반죽을 버리는 것 대신, 누군가 그것을 사용하기로 결심했다.   10 하지만 당신은 그 캐릭터가 실제 동물을 바탕으로 한 것을 알고 있었는가?

1   ①, ②, ④, ⑤는 부사이고, ③ 'friendly(친숙한)'는 형용사이다.
   ① 불행하게도   ② 마침내   ④ 매우   ⑤ 일반적으로

2   ①, ③, ④, ⑤는 명사 - 형용사 관계이고, ② 'regular(정기적인) - regularly(정기적으로)'는 형용사 - 부사 관계이다.
   ① 시초 - 원래의   ③ 힘 - 강력한   ④ 위험 - 위험한   ⑤ 두려움 - 두려운

[3-4]

보기		무기	연결하다	중앙	기부하다	회복하다

3   개인 또는 조직을 돕기 위해 그들에게 어떤 것을 주다 - donate/기부하다

4   어떤 사람과 싸우거나 그를 공격하기 위해 쓰일 수 있는 것 - weapon/무기

[5-8]

보기		날카로운	~으로 가득 차 있는	상쾌한	(아주) 작은	~을 두려워하는

5   콘서트 후에 쓰레기통들은 쓰레기로 가득 차 있었다.

6   나는 몇몇 뱀에 독이 있기 때문에 그것들을 두려워한다.

7   그 칼은 매우 날카로워서 깡통을 자를 수 있다.

8   내 귀걸이가 너무 작아서 나는 그것들을 잃어버렸다.

[9-10]

9   instead of: ~ 대신에

10 be based on: ~을 바탕으로 하다

UNIT 05 본책 p.64

1 ⓑ 2 ⓐ 3 ⓒ 4 ③ 5 reply 6 various 7 already 8 ② 9 사람들은 그들의 길에 있는 장애물들을 극복하고 그들의 신체적 한계를 넘어서기 위해 그것을 연습한다. 10 이것은 브라질 여성들의 시선을 사로잡았고, 놀랍게도, 그들은 그것을 좋아했다!

[1-3]

1 train(단련시키다) – ⓑ 활동이나 스포츠를 하기 위한 준비를 하다

2 leap(도약하다, 뛰어오르다) – ⓐ 어떤 것을 뛰어넘다

3 native(원주민) – ⓒ 특정 지역 또는 나라에서 태어난 사람

4 ③ brush: 빗다

> 머리가 더 깔끔해 보이도록 만들기 위해 머리를 빗어야 한다.

① 치료하다   ② 잃다   ④ 유지하다   ⑤ 흔들다

[5-7]

5 이 이메일을 받자마자 (데리고 다녀 / 답장해) 주세요.

6 Kenneth's 정비소는 (다양한 / 종교적인) 종류의 차량을 수리한다.

7 우리는 제시간에 공항에 도착하기 위해 노력했지만, 비행기는 (항상 / 이미) 떠났다.

8 hard(혱단단한; 어려운 튀세게, 열심히)는 다음 문장에서 '단단한'이라는 의미로 쓰였으므로, 이와 같은 의미로 쓰인 문장은 ②이다.

> 이 기둥들은 단단한 목재로 만들어졌다.

① Richard는 시험에 통과하기 위해 열심히 공부했다.
② 이 침대는 너무 단단하기 때문에 나는 이 위에서 잠을 제대로 잘 수 없다.
③ 그 퀴즈 쇼의 진행자는 많은 어려운 문제들을 물어봤다.
④ 당신이 열심히 일한다면 어떤 것에서든 성공할 수 있다.
⑤ 아무도 그 어려운 퍼즐을 풀 수 없었다.

[9-10]

9 go beyond: ~을 넘어서다

10 catch the eye of: ~의 시선을 사로잡다

1 ② 2 © 3 ⓑ 4 ⓐ 5 along 6 positive 7 spicy 8 huge 9 어느 날, 많은 잠수부들은 일본 근처의 해저에서 무언가 낯선 것을 발견했다. 10 우리는 클리셰에 이미 익숙하기 때문에 클리셰가 있는 이야기들을 더 빠르고 쉽게 이해한다.

1 ② lay: (알을) 낳다; 놓다

> • 닭은 6개월이 되면 알을 낳기 시작한다.
> • 제 책상 위에 우편물을 놓아주세요.

① 열다   ③ 섞다   ④ 당기다   ⑤ 걸다

[2-4]

2 지하철을 타는 것은 대기 오염을 줄일 좋은 방법이다. - © decrease(줄이다)

3 만약 당신이 올바른 약을 먹지 않는다면, 그것은 해로울 수 있다. - ⓑ right(올바른)

4 내가 파티에 신고 갔던 신발은 너무 꽉 죄였다. - ⓐ small(작은)

[5-6]

5 '~을 따라'라는 우리말과 일치하는 단어는 'along'이다.

6 '긍정적인'이라는 우리말과 일치하는 단어는 'positive'이다.

[7-8]

보기	거대한	창의적인	현대식의	매운

7 A: 이 국물 맛이 어때?
B: 조금 매워. 난 물이 좀 필요해.

8 A: 이 박물관은 거대하네.
B: 맞아. 하루에 모든 것을 다 보기는 힘들어.

[9-10]

9 a number of: 많은, 다수의

10 be familiar with: ~에 익숙하다, 친숙하다

UNIT 07 본책 p.88

1 ② 　2 ④ 　3 ② 　4 ⑤ 　5 taste 　6 turn around 　7 cut down 　8 present 　9 그는 영화에 집중하기 위해 노력했지만, 그들은 계속해서 크게 이야기했다. 　10 환경을 보호하기 위해, 새로운 종류의 전쟁이 벌어지고 있다.

1 ② conversation의 올바른 뜻은 '대화'이다. ① recycle의 올바른 뜻은 '재활용하다', ③ control의 올바른 뜻은 '조종하다', ④ indoor의 올바른 뜻은 '실내의', ⑤ enemy의 올바른 뜻은 '적'이다.

① 우리는 지구를 돕기 위해 쓰레기를 재활용해야 한다.
② Jesse는 새로운 사람들과 대화하는 것을 잘한다.
③ 나는 드론을 조종하는 방법을 배우고 싶다.
④ 그 호텔은 실내 수영장을 가지고 있다.
⑤ 그 군대는 밤에 적을 공격했다.

2 ①, ②, ③, ⑤는 명사이고, ④ 'replace(대체하다)'는 동사이다.

① 청중 　　　② 관용구 　　　③ 혀 　　　⑤ 울타리

3 ② whisper: 속삭이다

> 다른 사람들이 듣지 못하도록 어떤 것을 조용하고 부드럽게 말하다

① 묘사하다 　　　③ 냄새가 나다 　　　④ 웃다 　　　⑤ 찾다

4 receive(받다)와 가장 비슷한 의미의 단어는 ⑤ 'get(받다)'이다.

> 나는 매년 이모로부터 크리스마스 카드를 받는다.

① 보내다 　　　② 재사용하다 　　　③ 만들다 　　　④ 치우다

[5-8]

> **보기** 　　뒤돌아보다 　베어내다 　맛이 나다 　선물 　~를 쳐다보다

5 이 감자 칩들에서 매우 짠맛이 나기 때문에 나는 이것들을 다 먹을 수 없다.

6 의사가 당신의 등을 확인할 수 있도록 뒤돌아봐야 합니다.

7 작업자가 도끼로 나무들을 베어낼 것이다.

8 Jane은 그녀의 생일에 가족으로부터 특별한 선물을 받았다.

[9-10]

9 pay attention to: ~에 집중하다, ~에 관심을 두다

10 go on: 벌어지다, 일어나다

1 ② 2 ⓐ 3 ⓒ 4 ⓑ 5 habit/습관, 버릇 6 annoy/약 오르게 하다 7 good at 8 check 9 시드니의 오페라 하우스와 서울의 N서울타워 또한 그것들의 불을 끈다. 10 본래, 사람들은 그들과 비슷한 누군가에게 마음이 끌린다.

1 ①, ③, ④, ⑤는 물체의 종류를 나타내므로 ② 'object(물체)'가 나머지를 포함할 수 있다.

① 화분 ③ 베개 ④ 막대기 ⑤ 병

[2-4]

2 나는 인공적인 맛을 함유한 음료들을 좋아하지 않는다. - ⓐ include(포함하다)

3 러시아는 세계에서 가장 큰 국가이다. - ⓒ country(국가)

4 내 할아버지는 말씀을 많이 안 하시던 조용한 분이었다. - ⓑ quiet(조용한)

[5-6]

보기	약 오르게 하다	관심, 주의	상기시키다	습관, 버릇

5 알아차리지 못하고 자주 하는 어떤 것 - habit/습관, 버릇

6 어떤 사람을 약간 화나고 기분 나쁘다고 느끼게 만들다 - annoy/약 오르게 하다

[7-8]

보기	~을 잘하는	확인하다	체중을 줄이다	아끼다

7 A: Ryan은 수학을 매우 잘해.
B: 맞아. 그는 수학 시험을 잘 봤어.

8 A: 비행기가 몇 시에 도착하니?
B: 지금 인터넷으로 확인할 거야.

[9-10]

9 switch off: (전등·동력 등을) 끄다

10 by nature: 본래

UNIT 09 본책 p.112

1 ④ award: 상

대회나 행사의 우승자에게 주어지는 트로피 또는 상

① 아치   ② 힘   ③ 기법   ⑤ 노력

[2-3]

2 ③ design: 설계하다

그 회사는 새로운 사무실을 설계하기 위해 건축가를 이용했다.

① 따라다니다   ② 주최하다   ④ 공연하다   ⑤ 공유하다

3 ⑤ pollution: 오염

강의 수질 오염은 그것 주변의 많은 식물들을 손상시켰다.

① 행동   ② 행성   ③ 바닥   ④ 역사

[4-6]

4 새로운 공장은 이 자리에 지어질 것이다. - ⓒ place(장소)

5 이 커튼은 차가운 공기가 방으로 들어오는 것을 막을 수 있다. - ⓑ block(막다)

6 정부는 군인들에게 메달을 수여할 것이다. - ⓐ give(주다)

[7-8]

7 '기사'라는 우리말과 일치하는 단어는 'article'이다.

8 '모으다'라는 우리말과 일치하는 단어는 'collect'이다.

[9-10]

9 be known as: ~으로 알려지다

10 turn into: ~으로 변하다

1 ④ throw의 올바른 뜻은 '던지다'이다.

① 나는 네가 어제 말한 것에 대해 신중히 생각해봤어.

② Tinsley 코치는 경기장에 있는 선수들에게 소리쳤다.

③ 그 학생은 해외로 여행을 갈 좋은 기회를 가졌다.

④ John은 쓰레기통 안으로 빈 병을 던졌다.

⑤ 새해를 기념하기 위해 파티를 하자.

2 ①, ②, ④, ⑤는 명사 - 형용사 관계이고, ③ 'recent(최근의) - recently(최근에)'는 형용사 - 부사 관계이다.

① 분노, 화 - 화가 난　　　② 이점 - 유익한　　　④ 어려움 - 어려운　　　⑤ 성공 - 성공한

3 wish(바라다, 기원하다)와 가장 비슷한 의미의 단어는 ② 'hope(바라다)'이다.

나는 네가 좋은 방학을 보내길 바란다.

① 고마워하다　　　③ 축하하다　　　④ 후회하다　　　⑤ 잊다

[4-5]

4 나는 당신의 목 통증에 대해 (메시지 / 마사지)를 받는 것을 추천해요.

5 내가 시험을 (준비하는 / 겁주는) 것을 도와줄 수 있니?

[6-8]

보기	글자　　부, 재산　　광장　　(노래의) 가사　　(특별한) 간식

6 광장에 많은 사람들이 있다.

7 Jake는 그가 가장 좋아하는 노래의 가사를 전부 기억한다.

8 이 재킷은 등 뒤에 글자 'V'가 크게 있다.

[9-10]

9 be named after: ~의 이름을 따서 이름 지어지다

10 lose one's temper: 화를 내다

Workbook

직독직해

◀ QR로 정답 확인하기

* 해설집 pp.2~80에 실린 지문 끊어읽기 해석으로 정답을 확인하거나, 정답 PDF를 해커스북(HackersBook.com)에서 다운받을 수 있습니다.

서술형 추가 문제

UNIT 01 — 1   p.3

A

(1) think of
(2) flavor
(3) eventually

B

(1) A boy named George
(2) something special for Sam's Christmas gift
(3) one of the most expensive hotels

C

(1) cooking
(2) contest[competition]
(3) royal

UNIT 01 — 2   p.5

A

(1) upset
(2) technique
(3) tap

B

(1) make people laugh
(2) start to sneeze
(3) To enjoy the sunshine
(4) will go camping

C

(1) deep breaths
(2) chest

(3) relief
(4) ⓑ, ⓐ, ⓒ

UNIT 01 — 3   p.7

A

(1) Half
(2) quite
(3) slip

B

(1) helped Alex carry the boxes
(2) saw a sloth hanging on the tree
(3) paying without cash

C

(1) short
(2) bottom
(3) long
(4) body length
(5) folded

UNIT 01 — 4   p.9

A

(1) harm
(2) take place
(3) participate in

B

(1) after she had
(2) who like animals
(3) are filled with honey

C

(1) feathers
(2) hitting
(3) don't have
(4) clean up

UNIT 02 — 1   p.11

A

(1) entire

(2) except for
(3) wear

B

(1) the bag that is underneath the table
(2) Playing video games is a great way
(3) You look like your father

C

(1) harmful
(2) prevent
(3) mouth
(4) robber

UNIT 02 — 2   p.13

A

(1) meaning
(2) chew
(3) trick

B

(1) cause us to have
(2) pretend to sleep
(3) Have you heard the song

C

(1) pretending
(2) fake
(3) mouths
(4) tear ducts
(5) automatically

UNIT 02 — 3   p.15

A

(1) instead
(2) remember
(3) get up

B

(1) What do you want to eat
(2) to finish my homework
(3) is going to join

C

(1) mother
(2) speak[talk]
(3) appointment
(4) sticky note
(5) looked for
(6) note

UNIT 02
4 p.17

A

(1) briefly
(2) take care of
(3) concentration

B

(1) helped Claire find
(2) Exercising every day
(3) was given a free ticket

C

(1) Two groups
(2) counted
(3) baby animals
(4) food
(5) increased

UNIT 03
1 p.19

A

(1) mild
(2) language
(3) fortunately

B

(1) calls Gina a comedian
(2) bought many presents during the trip
(3) the cup broken by my dog

C

(1) did not like to drink
(2) was too bitter
(3) added some hot water
(4) had a mild taste

UNIT 03
2 p.21

A

(1) monitor
(2) temperature
(3) respond

B

(1) don't have to go
(2) It, to make a snowman
(3) have time, will call
(4) exercise, will lose

C

(1) has a lack of water
(2) doesn't get enough sunlight
(3) has enough sunlight and water

UNIT 03
3 p.23

A

(1) feast
(2) punish
(3) huge

B

(1) a rock that looks like a dragon
(2) asked his son to come
(3) My family has lived in this town since

C

(1) care
(2) punish the giants
(3) magical spell
(4) stone

UNIT 03
4 p.25

A

(1) posture
(2) express
(3) eye-catching

B

(1) am listening
(2) makes me happy
(3) is interested in

C

(1) classical ballet[hip-hop dance]
(2) hip-hop dance[classical ballet]
(3) techniques
(4) motions

UNIT 04
1 p.27

A

(1) decide
(2) center
(3) famous

B

(1) Angela wants something sweet
(2) is the most difficult subject
(3) much brighter than mine

C

(1) smaller
(2) short
(3) nickname
(4) extra

UNIT 04
2 p.29

A

(1) powerful
(2) fierce
(3) crush

B

(1) long enough to cover
(2) to buy cheese
(3) stopped playing

C

(1) weapons
(2) claws
(3) bears

(4) threaten

UNIT 04
3
p.31

A

(1) produce
(2) relaxed
(3) connect

B

(1) Mina felt upset
(2) The weather is nice, isn't it
(3) The singer's voice sounds beautiful

C

(1) pure oxygen[air]
(2) scents
(3) breathe

UNIT 04
4
p.33

A

(1) Unfortunately
(2) pleasant
(3) tool

B

(1) is filled with visitors
(2) need to use
(3) has known

C

(1) scary places
(2) medical equipment
(3) teddy bear
(4) covers up
(5) friendlier places

UNIT 05
1
p.35

A

(1) spread
(2) unusual
(3) sail

B

(1) A comic book called
(2) to write with
(3) had never tried scuba diving

C

(1) European explorers
(2) natives
(3) name

UNIT 05
2
p.37

A

(1) floor
(2) ripen
(3) increase

B

(1) made some people angry
(2) a hat that has a ribbon
(3) before the hurricane arrived

C

(1) rub[drop]
(2) drop[rub]
(3) ethylene
(4) sugar level

UNIT 05
3
p.39

A

(1) exercise
(2) climb
(3) path

B

(1) as simply as possible
(2) enough to wake up
(3) to become

C

(1) obstacles
(2) quickly
(3) jumping
(4) gymnastics

(5) physical limits

UNIT 05
4
p.41

A

(1) conquer
(2) escape
(3) imagine

B

(1) people thought the sun moved
(2) The guests had to wait
(3) Sue wants to learn Spanish

C

(1) fashion trend
(2) head lice
(3) turbans
(4) Brazil
(5) ©, ⓑ, ⓐ

UNIT 06
1
p.43

A

(1) similar
(2) invent
(3) prefer

B

(1) proud of winning
(2) easy to send pictures
(3) have practiced

C

(1) intended
(2) touch
(3) pull
(4) tidier[cleaner]
(5) hidden

UNIT 06
2
p.45

A

(1) discover

(2) species
(3) mysterious

B

(1) What a smart dog Coco is
(2) drink something cold
(3) a country that has many deserts

C

(1) circle
(2) nest
(3) lay
(4) valleys
(5) ⓐ, ⓒ, ⓑ

UNIT 06
3 p.47

A

(1) look for
(2) lower
(3) release

B

(1) a secret to tell you
(2) send chocolate to her uncle
(3) Playing the guitar

C

(1) stressed
(2) signal
(3) hormones
(4) positive feeling

UNIT 06
4 p.49

A

(1) scene
(2) explode
(3) situation

B

(1) We are going to buy snacks
(2) a plant that lives in dry places
(3) has raised a chicken

C

(1) appear
(2) quickly[easily]
(3) easily[quickly]
(4) popular[loved]

UNIT 07
1 p.51

A

(1) lucky
(2) loudly
(3) private

B

(1) could play
(2) try to finish
(3) kept barking

C

(1) quiet
(2) talk to each other
(3) private conversation

UNIT 07
2 p.53

A

(1) ride
(2) spray
(3) passenger

B

(1) watched dolphins swim
(2) Would you like to have some soup
(3) is made of iron

C

(1) steel
(2) wood
(3) real elephant
(4) animals
(5) control

UNIT 07
3 p.55

A

(1) taste
(2) peel
(3) recycle

B

(1) finish reading the book
(2) can be used
(3) cookie has

C

(1) strong
(2) soft
(3) 50 times
(4) peels
(5) sweet

UNIT 07
4 p.57

A

(1) warm
(2) well-fed
(3) smell

B

(1) give me your phone number
(2) watched the movie until midnight
(3) believe everyone plays an important role

C

(1) a smiling face
(2) put a blanket over it
(3) tapped her Caga Tió
(4) sang a song
(5) removed the blanket
(6) pooped out gifts

UNIT 08
1
p.59

A

(1) follow
(2) halfway
(3) dizzy

B

(1) this beautiful ring that Peter bought
(2) see Jennifer dance
(3) help improve your health

C

(1) small pieces
(2) follow
(3) plastic bottle
(4) magnet
(5) ⓐ, ⓒ, ⓓ, ⓑ

UNIT 08
2
p.61

A

(1) be good at
(2) step
(3) beat

B

(1) How about going
(2) can run
(3) by using this key

C

(1) person
(2) elephant
(3) ant
(4) step on
(5) ear

UNIT 08
3
p.63

A

(1) bright
(2) consume
(3) remind

B

(1) turned on the computer to play
(2) Brad stays healthy
(3) the apple juice that was in the fridge

C

(1) turn off their lights
(2) Electricity usage
(3) most cities stay bright
(4) saving electricity

UNIT 08
4
p.65

A

(1) close
(2) share
(3) notice

B

(1) Susie does
(2) the person who invented
(3) cause buildings to fall apart

C

(1) act
(2) social environments
(3) colors

UNIT 09
1
p.67

A

(1) award
(2) winner
(3) beside

B

(1) looks like a mushroom
(2) was cooking
(3) is known as
(4) have played

C

(1) uncle
(2) article
(3) nickname

(4) Academy Awards

UNIT 09
2
p.69

A

(1) bottom
(2) architect
(3) consist of

B

(1) want to watch an action movie tonight
(2) is faster than a horse
(3) so that we could catch the bus
(4) had to go to the hospital

C

(1) water
(2) collect
(3) night
(4) water vapor
(5) net

UNIT 09
3
p.71

A

(1) score
(2) host
(3) perform

B

(1) tall enough to ride
(2) locked door
(3) have eaten

C

(1) football
(2) second
(3) music concerts
(4) pop music

UNIT 09
4
p.73

A

(1) melt

(2) fall apart

(3) reach

B

(1) from the school to the public library

(2) stay warm inside

(3) One of the most popular musicals is

C

(1) blanket

(2) warm

(3) cold

(4) slowly

(5) heat

(6) hot

(7) prevents

UNIT 10
1　　p.75

A

(1) educate

(2) celebrate

(3) include

B

(1) found Jiwoo a book about

(2) was taking a shower

(3) was named after

C

(1) activist

(2) opportunities

(3) Korean community

(4) independence

(5) achievements

UNIT 10
2　　p.77

A

(1) last

(2) physical

(3) count

B

(1) This song makes me cry

(2) When Subin gets sick

(3) should trust yourself

C

(1) regret

(2) mind

(3) 90

(4) normal

UNIT 10
3　　p.79

A

(1) recently

(2) benefit

(3) health

B

(1) do so

(2) help to reduce

(3) a mammal that[which] lives

C

(1) wish you a long life

(2) your age

(3) sing a song

(4) reach your ankles

UNIT 10
4　　p.81

A

(1) carefully

(2) prepare

(3) shout

B

(1) I can't wait to go

(2) While John was on vacation

(3) Sara saw a snake climbing

C

(1) store

(2) buy

(3) bold[capital]

(4) capital[bold]

MEMO

MEMO

HACKERS
READING
SMART 1

해설집

LEVEL 1

나에게 맞는 교재 선택!

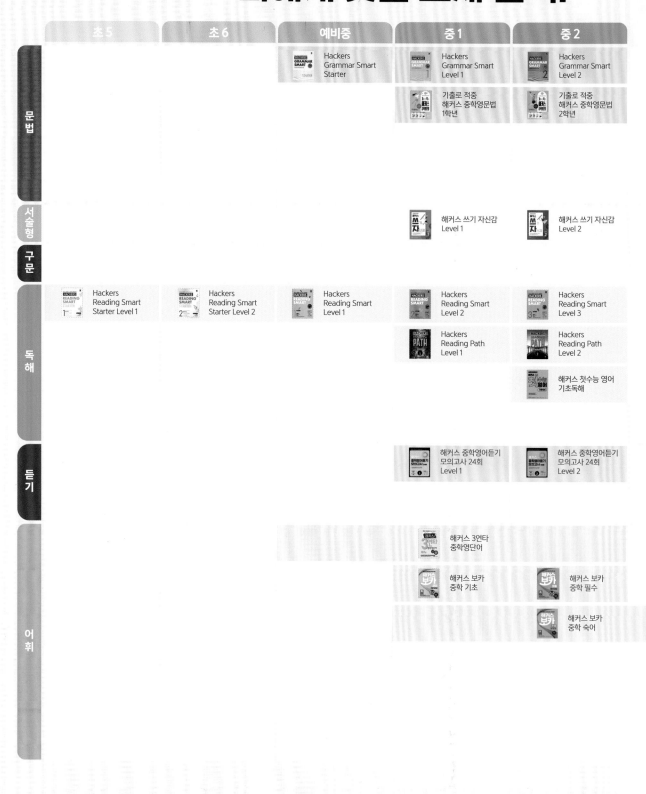

	초5	초6	예비중	중1	중2
문법			Hackers Grammar Smart Starter	Hackers Grammar Smart Level 1	Hackers Grammar Smart Level 2
				기출로 적중 해커스 중학영문법 1학년	기출로 적중 해커스 중학영문법 2학년
서술형				해커스 쓰기 자신감 Level 1	해커스 쓰기 자신감 Level 2
구문					
독해	Hackers Reading Smart Starter Level 1	Hackers Reading Smart Starter Level 2	Hackers Reading Smart Level 1	Hackers Reading Smart Level 2	Hackers Reading Smart Level 3
				Hackers Reading Path Level 1	Hackers Reading Path Level 2
					해커스 첫수능 영어 기초독해
듣기				해커스 중학영어듣기 모의고사 24회 Level 1	해커스 중학영어듣기 모의고사 24회 Level 2
어휘				해커스 3연타 중학영단어	
				해커스 보카 중학 기초	해커스 보카 중학 필수
					해커스 보카 중학 숙어

	READING	LISTENING	VOCA
토플	HACKERS APEX READING for the TOEFL iBT Basic/Intermediate/Advanced/Expert	HACKERS APEX LISTENING for the TOEFL iBT Basic/Intermediate/Advanced/Expert	HACKERS APEX VOCA for the TOEFL iBT HACKERS VOCABULARY

HACKERS
READING SMART
1
LEVEL 1

WORKBOOK

HACKERS

실력을 올리는 **직독직해**

끊어 읽기 한 표시를 따라 문장 구조에 유의하여 해석을 쓰고, 각 문장의 주어에는 밑줄을, 동사에는 동그라미를 쳐보세요.

❶ The royal family / of England / had an important event / in 1973. /

❷ It was Princess Anne's wedding. / ❸ The family / wanted to provide /

the best dessert / for the celebration, / so they held a competition. / ❹ In

this contest, / a young student / named Marilyn Ricketts / participated. /

❺ She was studying cooking / at South Devon College. / ❻ Marilyn tried /

to think of / something new / for the dessert. / ❼ So she created an ice

cream / called Mint Royale. / ❽ It was the first ice cream / with a mix / of

mint and chocolate. / ❾ Marilyn eventually won the contest / with Mint

Royale, / and it became the main dessert / for the wedding. / ❿ Now, /

mint chocolate is one of the most popular flavors. / ⓫ Do you like this

flavor? /

실력을 더 올리는 **서술형 추가 문제**

A 우리말과 일치하도록 빈칸에 알맞은 단어나 표현을 주어진 철자로 시작하여 쓰시오.

(1) 나는 쿠키를 만들 때 나의 할머니를 자주 떠올린다.

⇒ I often t_____ _____ my grandmother when I make cookies.

(2) "네가 가장 좋아하는 아이스크림 맛은 무엇이니?" "바닐라야."

⇒ "What is your favorite f_____ of ice cream?" "It's vanilla."

(3) 그 애벌레는 마침내 나비로 변했다.

⇒ The caterpillar e_____ turned into a butterfly.

B 우리말과 일치하도록 괄호 안의 말을 알맞게 배열하시오.

(1) George라는 이름의 한 소년이 우리 학교 밴드에 가입했다. (a boy / George / named)

⇒ _____ joined our school band.

(2) 나는 Sam의 크리스마스 선물로 무언가 특별한 것이 필요하다.

(for Sam's Christmas gift / special / something)

⇒ I need _____.

(3) Lovely Seasons는 가장 비싼 호텔 중 하나이다. (one / expensive hotels / the / of / most)

⇒ The Lovely Seasons is _____.

C 우리말과 일치하도록 다음 빈칸에 들어갈 말을 글에서 찾아 쓰시오.

> 요리를 공부하는 중이었던 한 젊은 학생이 민트 초콜릿 아이스크림을 만들어 냈다. 그녀는 왕실에 의해 열린 대회에서 이 디저트로 우승했다.

A young student who was studying (1) _____ created mint chocolate ice cream. She won a(n) (2) _____ held by the (3) _____ family with the dessert.

실력을 올리는 직독직해

끊어 읽기 한 표시를 따라 문장 구조에 유의하여 해석을 쓰고, 각 문장의 주어에는 밑줄을, 동사에는 동그라미를 쳐보세요.

❶ If you are feeling / upset or stressed, / try the Butterfly Hug. /

❷ It is an easy and effective technique / which can help with your

anxiety. / ❸ To do it, / you move your hands / like the wings of a

butterfly. / ❹ This is why / it is named / the Butterfly Hug. /

❺ First, / cross your hands / and place them / on your chest. / ❻ You

can also place them / on each shoulder / if you want. / ❼ Then, / gently

tap / the left side and then the right. / ❽ Repeat this movement. / ❾ While

you are doing this, / take some deep breaths. / ❿ You can stop and

relax / when you start / to feel some relief. / ⓫ This simple self-hug /

will make / your stress / go away / in just a few minutes. /

실력을 더 올리는 **서술형 추가 문제**

A 다음 영영 풀이에 해당하는 단어를 보기에서 골라 쓰시오.

> 보기   tap   place   upset   relief   technique

(1) _____ : feeling unhappy or disappointed

(2) _____ : a method that is used to do something

(3) _____ : to hit something quickly and lightly

B 우리말과 일치하도록 괄호 안의 말을 활용하여 문장을 완성하시오.

(1) 농담으로 사람들을 웃게 만들다 (make, laugh)

⇒ _____ _____ _____ with a joke

(2) 먼지 때문에 재채기를 하기 시작하다 (start, sneeze)

⇒ _____ _____ _____ because of the dust

(3) 햇살을 즐기기 위해, 나는 밖으로 나갔다. (enjoy, the sunshine)

⇒ _____ _____ _____ _____ , I went outside.

(4) 우리는 다음 달에 캠핑을 하러 갈 것이다. (go, camping)

⇒ We _____ _____ _____ next month.

C 글의 내용과 일치하도록 다음 빈칸에 들어갈 말을 글에서 찾아 쓰고, ⓐ~ⓒ를 알맞은 순서대로 배열하시오.

How to Do the Butterfly Hug

> ⓐ Gently tap the left side and then the right. While doing this, take some
>
> (1) _____ _____ .
>
> ⓑ Cross your hands, and put them on your (2) _____ or each shoulder.
>
> ⓒ Repeat this movement until you feel some (3) _____ .

순서: (4) _____ → _____ → _____

실력을 올리는 직독직해

끊어 읽기 한 표시를 따라 문장 구조에 유의하여 해석을 쓰고, 각 문장의 주어에는 밑줄을, 동사에는 동그라미를 쳐보세요.

❶ Think about a penguin. / ❷ What comes to your mind / first? /

❸ You may think of it / walking around / on its short legs. /

❹ However, / penguins have quite long legs. / ❺ In fact, / their legs

are about half / of their body length! / ❻ Their legs look short / because

the leg bones are folded / at a 90-degree angle. / (❼ Strong legs help /

penguins swim / for a long time / to get food. /) ❽ Their legs are mostly

hidden / within their bodies. / ❾ Therefore, / we can only see / the bottom

part of them. /

❿ When penguins walk / with their bent legs, / they can move / only

a little / with each step. / ⓫ But on the ice, / this is actually helpful / for

maintaining balance. / ⓬ That's why / penguins don't slip / on ice /

easily. /

실력을 더 올리는 **서술형 추가 문제**

A 우리말과 일치하도록 빈칸에 알맞은 단어를 주어진 철자로 시작하여 쓰시오.

(1) 학생들의 절반은 그 새로운 규칙에 대해 동의했다.

⇒ H_____ of the students agreed with the new rule.

(2) Rosie는 그녀의 그림에 꽤 만족스러워했다.

⇒ Rosie was q_____ pleased with her painting.

(3) 계단을 내려갈 때 미끄러지지 않도록 조심하라.

⇒ Be careful not to s_____ when you walk down the stairs.

B 우리말과 일치하도록 괄호 안의 말을 알맞게 배열하시오.

(1) Jason은 Alex가 상자들을 옮기는 것을 도와줬다. (carry / Alex / the boxes / helped)

⇒ Jason _____.

(2) 나는 나무에 매달려 있는 나무늘보를 봤다. (on the tree / saw / hanging / a sloth)

⇒ I _____.

(3) QR 코드는 현금 없이 돈을 지불하는 데 유용하다. (without / paying / cash)

⇒ QR codes are useful for _____.

C 글의 내용과 일치하도록 다음 빈칸에 들어갈 말을 글에서 찾아 쓰시오.

펭귄의 다리는 얼마나 길까?

오해	진실
People think penguins have (1) _____ legs because they can only see the (2) _____ part of their legs.	Penguins have quite (3) _____ legs. Their legs are about half of their (4) _____ _____. Also, their leg bones are (5) _____ at a 90-degree angle.

실력을 올리는 직독직해

끊어 읽기 한 표시를 따라 문장 구조에 유의하여 해석을 쓰고, 각 문장의 주어에는 밑줄을, 동사에는 동그라미를 쳐보세요.

❶ One afternoon, / Emily went out / on the street / with her pillow. /

❷ There were many people / around her, / and they were holding their

pillows, / too. / ❸ Then, / at three o'clock, / the siren rang, / and people

suddenly started / hitting each other! /

❹ On International Pillow Fight Day, / people have a big fight /

with pillows. / ❺ It takes place / on the first Saturday of April. /

❻ Participating in this event / is free, / but you should bring your own

pillow. / ❼ And it should be filled / with soft feathers or cotton / so that

it won't harm others. / ❽ You can go around / and start to fight /

from 3 p.m. / ❾ But don't hit people / who don't have a pillow. /

❿ This is because / they are probably just watching / the fun fight. /

⓫ Finally, / don't forget / to clean up the streets / after the fight is over. /

실력을 더 올리는 서술형 추가 문제

A 우리말과 일치하도록 빈칸에 알맞은 단어나 표현을 주어진 철자로 시작하여 쓰시오.

(1) 플라스틱 빨대를 사용하는 것은 환경을 해칠 수 있다.

⇒ Using plastic straws can h_____ the environment.

(2) 올림픽 대회는 4년마다 개최된다.

⇒ The Olympic Games t_____ _____ every four years.

(3) 너는 방과 후 활동에 참가해야 한다.

⇒ You should p_____ _____ after-school activities.

B 우리말과 일치하도록 괄호 안의 말을 활용하여 문장을 완성하시오.

(1) Sally는 저녁을 먹은 후에 설거지를 했다. (she, have)

⇒ Sally washed the dishes _____ _____ _____ dinner.

(2) 동물을 좋아하는 사람들은 친절한 경향이 있다. (like, animals)

⇒ People _____ _____ _____ tend to be friendly.

(3) 모든 병들은 꿀로 채워져 있다. (fill, honey)

⇒ All of the jars _____ _____ _____ _____ .

C 글의 내용과 일치하도록 다음 빈칸에 들어갈 말을 글에서 찾아 쓰시오.

Four Rules of International Pillow Fight Day

Dos	Don'ts
• Bring a pillow. It should be filled with soft (1) _____ or cotton. • When the siren rings, start (2) _____ each other with pillows.	• Don't hit people who (3) _____ _____ a pillow. • Don't forget to (4) _____ _____ the streets after the fight.

실력을 올리는 직독직해

끊어 읽기 한 표시를 따라 문장 구조에 유의하여 해석을 쓰고, 각 문장의 주어에는 밑줄을, 동사에는 동그라미를 쳐보세요.

❶ Do you enjoy / playing at the beach / but hate sunburns, / especially

on your face? / ❷ If you do, / you may be interested in a "facekini." /

❸ Basically, / it is a bikini / that can be worn on your face! /

❹ In China, / many people wear facekinis / at the beach. / ❺ They may

appear strange and funny / at first. / ❻ They cover the entire head /

except for the eyes, nose, and mouth, / so you look like a robber or a

wrestler. / ❼ However, / they fully protect your face / from the sun's

harmful rays. / (❽ Wearing sunglasses / is necessary / to protect your

eyes. /) ❾ Facekinis can also prevent / stings from jellyfish. / ❿ In

addition, / they can be a great fashion item. / ⓫ They are made / in many

different colors and patterns. / ⓬ So, / some people like / to match their

facekinis / with their swimsuits / to show off their styles! /

실력을 더 올리는 서술형 추가 문제

A 다음 빈칸에 알맞은 단어나 표현을 보기에서 골라 쓰시오.

보기   except for   match   entire   prevent   wear

(1) _____ : whole of something, nothing missing

(2) _____ : not including something or someone

(3) _____ : to place clothing, jewelry, etc., on your body

B 우리말과 일치하도록 괄호 안의 말을 알맞게 배열하시오.

(1) 탁자 밑에 있는 그 가방을 옮겨주세요. (is / the table / the bag / underneath / that)

⇒ Please move _____.

(2) 비디오 게임을 하는 것은 스트레스를 해소하기 위한 좋은 방법이다.

(playing / a great way / is / video games)

⇒ _____ to relieve stress.

(3) 너는 그 코트를 입으니 네 아버지처럼 보인다. (look / your father / like / you)

⇒ _____ with that coat.

C 글의 내용과 일치하도록 다음 빈칸에 들어갈 말을 글에서 찾아 쓰시오.

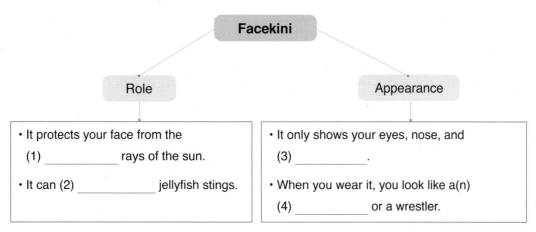

Facekini

Role

Appearance

- It protects your face from the
  (1) _____ rays of the sun.
- It can (2) _____ jellyfish stings.

- It only shows your eyes, nose, and
  (3) _____.
- When you wear it, you look like a(n)
  (4) _____ or a wrestler.

실력을 올리는 **직독직해**

끊어 읽기 한 표시를 따라 문장 구조에 유의하여 해석을 쓰고, 각 문장의 주어에는 밑줄을, 동사에는 동그라미를 쳐보세요.

❶ Have you heard / the term *crocodile tears*? / ❷ It is used / to describe

a person / who cries fake tears / to look sad or sorry. /

   ❸ A long time ago, / people observed / crocodiles crying / while they

ate. / ❹ They thought / crocodiles were pretending to feel sorry / for

their prey, / so the tears seemed fake. /

   ❺ In fact, / crocodiles do cry / when they are not sad / at all. /

❻ However, / this is not a trick / and doesn't have any meaning. / ❼ It

is just a natural physical reaction. / ❽ To chew their prey, / crocodiles

open their mouths wide. / ❾ This causes / their jaw muscles / to move

a lot / and put pressure / on their tear ducts. / ❿ Then, / the tears /

automatically come out of their tear ducts / and start to fall! /

실력을 더 올리는 서술형 추가 문제

A 다음 빈칸에 알맞은 단어를 보기에서 골라 쓰시오.

> 보기   trick   pretend   chew   prey   meaning

(1) You can find the _____ of words in the dictionary.

(2) Students shouldn't _____ gum in the classroom.

(3) The audience wanted to know the magician's _____ .

B 우리말과 일치하도록 괄호 안의 말을 활용하여 문장을 완성하시오.

(1) 스트레스는 우리가 다양한 건강 문제를 지니게 만들 수 있다. (cause, have)

⇒ Stress can _____ _____ _____ _____ various health problems.

(2) 나의 부모님이 집에 돌아오셨을 때 난 자는 척을 할 것이다. (pretend, sleep)

⇒ I'll _____ _____ _____ when my parents come home.

(3) 당신은 "비밀정원"이라는 노래를 들어본 적이 있는가? (hear, the song)

⇒ _____ _____ _____ _____ "Secret Garden"?

C 글의 내용과 일치하도록 다음 빈칸에 들어갈 말을 글에서 찾아 쓰시오.

오해	진실
People thought that crocodiles were (1) _____ to feel sorry for their prey, so the tears seemed (2) _____ .	When crocodiles chew their prey, they open their (3) _____ wide. This causes their jaw muscles to put pressure on their (4) _____ _____ , so tears (5) _____ start to fall.

실력을 올리는 **직독직해**

끊어 읽기 한 표시를 따라 문장 구조에 유의하여 해석을 쓰고, 각 문장의 주어에는 밑줄을, 동사에는 동그라미를 쳐보세요.

❶ A girl had a fight / with her mother. / ❷ They didn't speak / to each other / all day. / ❸ Then, / that night, / the girl remembered / that she had an appointment / the next day. / ❹ She was going to meet her friend / early in the morning, / but she was a heavy sleeper. / ❺ She needed / her mother's help / to get up. / ❻ However, / she didn't want to talk / first. / ❼ What could she do? / ❽ After much thought, / she wrote a message / on a sticky note. / ❾ "Please wake me up / at 8 a.m." / ❿ She put it on her mother's phone / and went to sleep. / ⓫ The next day, / she woke up / at 11 a.m.! / ⓬ She looked for her mother, / but she wasn't home. / ⓭ Instead, / she found a note. / ⓮ It said, / "It's 8 a.m. / ⓯ Wake up." /

실력을 더 올리는 **서술형 추가 문제**

A 우리말과 일치하도록 빈칸에 알맞은 단어나 표현을 주어진 철자로 시작하여 쓰시오.

(1) "택시를 타는 게 어때?" "나는 대신에 버스를 타고 싶어."

⇒ "Why don't you take a taxi?" "I'd like to take the bus i_____."

(2) 너는 우리가 어제 봤던 영화의 제목이 기억나니?

⇒ Do you r_____ the name of the movie we saw yesterday?

(3) Anthony는 주말에 늦게 일어나는 것을 좋아한다.

⇒ Anthony likes to g_____ _____ late on weekends.

B 우리말과 일치하도록 괄호 안의 말을 알맞게 배열하시오.

(1) 너는 점심 식사로 무엇을 먹기를 원하니? (want / do / to / you / eat / what)

⇒ _____ for lunch?

(2) 나는 목요일까지 내 숙제를 끝내기 위해 열심히 노력했다. (homework / finish / my / to)

⇒ I tried hard _____ by Thursday.

(3) Freddie는 내년에 축구 팀에 가입할 계획이다. (to / going / join / is)

⇒ Freddie _____ the football team next year.

C 글의 내용과 일치하도록 다음 빈칸에 들어갈 말을 글에서 찾아 쓰시오.

A girl had a fight with her (1) _____, and they didn't (2) _____ to each other for a while. However, the girl had a(n) (3) _____ the next day. She needed her mother's help to get up early.

The girl didn't want to talk first, so she wrote a message on a(n) (4) _____ _____ and put it on her mother's phone. The next day, the girl woke up and (5) _____ _____ her mother, but instead, she only found a(n) (6) _____.

실력을 올리는 직독직해

끊어 읽기 한 표시를 따라 문장 구조에 유의하여 해석을 쓰고, 각 문장의 주어에는 밑줄을, 동사에는 동그라미를 쳐보세요.

❶ A cute puppy or some delicious pasta / can make / us / feel good /

when we see them. / ❷ Surprisingly, / one of them can even help / you

focus better! / ❸ Can you guess / which one? /

❹ In one experiment, / two groups were given a task. / ❺ They counted /

how many times / a certain number appeared / among 40 numbers. /

❻ Afterwards, / Group A looked at pictures of baby animals, / and

Group B looked at images of food. / ❼ Then, / they repeated the task. /

❽ Group B's performance / had almost no change. / ❾ However, / Group

A's success rate / increased / by 16%! /

❿ Babies or baby animals / can improve your concentration / briefly. /

⓫ This is because / when you take care of a baby, / you become extra

careful and aware. / ⓬ Even just looking at them in pictures / has a

similar effect. /

실력을 더 올리는 **서술형 추가 문제**

A 다음 영영 풀이에 해당하는 단어나 표현을 보기에서 골라 쓰시오.

> 보기　　　task　　concentration　　guess　　briefly　　take care of

(1) _____ : for a short time

(2) _____ : to provide care for someone like a baby

(3) _____ : the ability to focus on something

B 우리말과 일치하도록 괄호 안의 말을 활용하여 문장을 완성하시오.

(1) 민호는 Claire가 그녀의 지갑을 찾도록 도와줬다. (help, Claire, find)

⇒ Minho _____ _____ _____ her wallet.

(2) 매일 운동하는 것은 당신의 건강을 증진시킬 수 있다. (exercise, every day)

⇒ _____ _____ _____ can improve your health.

(3) 나는 무료 티켓을 받았다. (be, give, a free ticket)

⇒ I _____ _____ _____ _____ _____ .

C 글의 내용과 일치하도록 다음 빈칸에 들어갈 말을 글에서 찾아 쓰시오.

> (1) _____ _____ were given a task. They (2) _____ how many times a certain number appeared among 40 numbers.

> Group A looked at pictures of (3) _____ _____ , and Group B looked at images of (4) _____ .

> When they repeated the task, Group A's success rate (5) _____ , but Group B's had almost no change.

실력을 올리는 **직독직해**

끊어 읽기 한 표시를 따라 문장 구조에 유의하여 해석을 쓰고, 각 문장의 주어에는 밑줄을, 동사에는 동그라미를 쳐보세요.

❶ During World War II, / some American soldiers were in Italy. / ❷ It

was wartime, / but there was one good thing. / ❸ The food and wine were

very delicious! / ❹ However, / they did not like / the Italian coffee / called

espresso. / (❺ There were only a few cafés / that sold espresso. /) ❻ It

was too bitter / for the American soldiers. /

❼ Fortunately, / one barista found a solution. / ❽ He put espresso / in a

large cup. / ❾ Then, / he poured hot water / into it. / ❿ The coffee became

less bitter, / and the American soldiers loved it! / ⓫ Italians started to

call / this mild coffee / "Americano." / ⓬ It meant "American coffee" /

in their language. / ⓭ Now, / the Americano is enjoyed / by people /

around the world. /

실력을 더 올리는 서술형 추가 문제

A 우리말과 일치하도록 빈칸에 알맞은 단어를 주어진 철자로 시작하여 쓰시오.

(1) 어머니가 그녀의 아기를 위해 순한 로션을 샀다.

⇒ The mother bought m_____ lotion for her baby.

(2) 나는 올해 새로운 언어를 배우고 싶다.

⇒ I'd like to learn a new l_____ this year.

(3) 그 건물 안에서 화재가 났는데, 다행히, 아무도 다치지 않았다.

⇒ There was a fire in the building, but f_____, no one was hurt.

B 우리말과 일치하도록 괄호 안의 말을 알맞게 배열하시오.

(1) 그녀가 정말 웃기기 때문에 모든 사람이 Gina를 코미디언이라고 부른다. (a comedian / calls / Gina)

⇒ Everyone _____ because she is so funny.

(2) 그는 여행 동안 많은 선물들을 샀다. (many presents / during / bought / the trip)

⇒ He _____.

(3) Billy는 내 개에 의해 깨진 그 컵을 버렸다. (my dog / broken / the cup / by)

⇒ Billy threw away _____.

C 글의 내용과 일치하도록 다음 빈칸에 들어갈 말을 보기에서 찾아 쓰시오.

보기	was too bitter	did not like to drink
	added some hot water	had a mild taste

Problem	American soldiers in Italy (1) _____ espresso because it (2) _____.
Solution	One barista (3) _____ to the espresso, and this coffee (4) _____.

실력을 올리는 직독직해

끊어 읽기 한 표시를 따라 문장 구조에 유의하여 해석을 쓰고, 각 문장의 주어에는 밑줄을, 동사에는 동그라미를 쳐보세요.

❶ Growing plants / is not easy. / ❷ It's hard to know / what they need. /

❸ However, / we don't have to guess / anymore / with Lua, / the smart

flowerpot. /

❹ It has a screen and several sensors. / ❺ The sensors monitor /

moisture, the amount of sunshine, and the temperature. / ❻ Then, /

Lua shows / how your plant is feeling / on its screen. / ❼ If your plant

needs water, / a thirsty face appears. / ❽ A vampire face is shown / when

the plant has a lack of sunlight. / ❾ But if you water your plant / and

let it stay in the sun / for some time, / you will see a happy face. / ❿ In

addition, / Lua responds to movement. / ⓫ It sometimes falls asleep, /

but when you come near, / it will wake up / and look at you. / ⓬ It's just

like a pet! /

실력을 더 올리는 **서술형 추가 문제**

A 다음 영영 풀이에 해당하는 단어를 보기 에서 골라 쓰시오.

> 보기   grow   temperature   monitor   respond   moisture

(1) _____ : to check and watch something carefully

(2) _____ : a number that shows hotness or coldness

(3) _____ : to answer or react to something

B 우리말과 일치하도록 괄호 안의 말을 활용하여 문장을 완성하시오.

(1) 학생들은 토요일에 학교에 갈 필요가 없다. (have, to, go)

⇒ Students _____ _____ _____ _____ to
school on Saturdays.

(2) 눈사람을 만드는 것은 쉽다. (it, make, a snowman)

⇒ _____ is easy _____ _____ _____ _____ .

(3) 내가 시간이 있을 때, 그에게 전화할 것이다. (have, time, call)

⇒ When I _____ _____ , I _____ _____ him.

(4) 만약 네가 규칙적으로 운동을 한다면, 너는 살이 빠질 것이다. (exercise, lose)

⇒ If you _____ regularly, you _____ _____ weight.

C 글의 내용과 일치하도록 다음 빈칸에 들어갈 말을 보기 에서 찾아 쓰시오.

> 보기   doesn't get enough sunlight   has enough sunlight and water
> looks at you like a pet   has a lack of water

Face type	Meaning
A thirsty face	Your plant (1) _____ .
A vampire face	Your plant (2) _____ .
A happy face	Your plant (3) _____ .

실력을 올리는 **직독직해**

끊어 읽기 한 표시를 따라 문장 구조에 유의하여 해석을 쓰고, 각 문장의 주어에는 밑줄을, 동사에는 동그라미를 쳐보세요.

❶ A long time ago, / there were greedy giants. / ❷ They were living /

with animals, / but they didn't care about them. / ❸ They drank all the

water / and took every nut and fruit / they saw. / ❹ Eventually, / the

hungry animals asked / the god Coyote / to punish the giants. / ❺ A

few days later, / Coyote held a great feast / and invited all the animals

and the giants. / ❻ As soon as the giants arrived, / they started to eat /

like pigs. / ❼ At that moment, / Coyote used a magical spell. / ❽ Suddenly, /

every giant turned into stone! / ❾ Since that day, / they have stood there /

under the spell. /

❿ This is the legend / of Bryce Canyon, / a national park in the U.S. /

⓫ The legend is / about the park's huge stone pillars / that stand like

humans. / ⓬ If you visit the park, / you can see the giants / yourself! /

실력을 더 올리는 **서술형 추가 문제**

A 다음 빈칸에 알맞은 단어를 [보기]에서 골라 쓰시오.

> [보기]　　　　　feast　　huge　　pillar　　national　　punish

(1) There was a big _____ for the guests after the wedding.

(2) The criminal was _____(e)d for stealing a painting.

(3) You can see the _____ statue from far away.

B 우리말과 일치하도록 괄호 안의 말을 알맞게 배열하시오.

(1) 그 이야기는 용처럼 보이는 바위에 관한 것이다. (looks like / a rock / that / a dragon)

⇒ The tale is about _____.

(2) James씨는 그의 아들에게 일찍 집에 올 것을 부탁했다. (his son / to / asked / come)

⇒ Mr. James _____ home early.

(3) 나의 가족은 작년 이후로 이 동네에서 살아왔다. (lived / in this town / since / my family / has)

⇒ _____ last year.

C 글의 내용과 일치하도록 다음 빈칸에 들어갈 말을 글에서 찾아 쓰시오.

Cause	Result
The greedy giants didn't (1) _____ about the other animals that were living with them. They ate all the food they saw.	The animals asked the god Coyote to (2) _____ _____ _____. Coyote held a feast and used a(n) (3) _____ _____. All of a sudden, every giant turned into (4) _____.

실력을 올리는 **직독직해**

끊어 읽기 한 표시를 따라 문장 구조에 유의하여 해석을 쓰고, 각 문장의 주어에는 밑줄을, 동사에는 동그라미를 쳐보세요.

❶ "Boom, boom, boom!" / ❷ You hear the heavy bass / of hip-hop. /

❸ But you see / ballerinas / dancing / to the music! / ❹ They are doing

"hiplet," / a new dance genre. / ❺ Dancers use / ballet motions and

postures. / ❻ At the same time, / they bounce their bodies, / shake their

legs, / and wave their arms / to current popular songs. /

❼ Hiplet was created / by Homer Bryant. / ❽ He combined / classical

ballet and hip-hop dance. / ❾ These two dance forms / are very different. /

❿ Ballet uses / planned movements and precise postures. / ⓫ On the

other hand, / hip-hop is free-form. / ⓬ And this is / what makes hiplet

interesting. / ⓭ Hiplet ballerinas use the techniques of ballet, / and they

also move and express themselves / freely / with hip-hop motions. / ⓮ It

is the perfect mix of both! /

⓯ Hiplet now attracts people / who were not interested in classical

ballet / before. / ⓰ They say, / "Hiplet is different. / ⓱ It's new and

eye-catching." /

실력을 더 올리는 서술형 추가 문제

A 우리말과 일치하도록 빈칸에 알맞은 단어를 주어진 철자로 시작하여 쓰시오.

(1) 책상에 앉을 때 좋은 자세를 유지하기 위해 노력하라.

⇒ Try to keep good p_____ when you sit at your desk.

(2) 나는 너에게 나의 고마움을 표현하고 싶다.

⇒ I want to e_____ my thanks to you.

(3) 그 남자는 눈길을 끄는 보라색 바지를 입고 있었다.

⇒ The man was wearing e_____ purple pants.

B 우리말과 일치하도록 괄호 안의 말을 활용하여 문장을 완성하시오.

(1) 나는 지금 음악을 듣고 있다. (listen)

⇒ I _____ _____ to music right now.

(2) 선물을 받는 것은 항상 나를 행복하게 만든다. (make, happy)

⇒ Receiving presents always _____ _____ _____.

(3) Martin은 컴퓨터 프로그래밍에 관심이 있다. (be, interest)

⇒ Martin _____ _____ _____ computer programming.

C 글의 내용과 일치하도록 다음 공연 포스터의 빈칸에 들어갈 말을 글에서 찾아 쓰시오.

Hiplet Performance: When Hip-Hop Meets Ballet

What is Hiplet?

Homer Bryant combined (1) _____ _____ and
(2) _____ _____. Hiplet is the perfect mix of both!
Hiplet ballerinas use the (3) _____ of ballet and
hip-hop (4) _____. It's different, new, and eye-catching!

Enjoy both dance forms at the same time! Join us tonight!

실력을 올리는 **직독직해**

끊어 읽기 한 표시를 따라 문장 구조에 유의하여 해석을 쓰고, 각 문장의 주어에는 밑줄을, 동사에는 동그라미를 쳐보세요.

❶ In *The Wonderful Wizard of Oz,* / a tornado picks up Dorothy's

house / and takes it / to a strange place / named Munchkin Country. /

❷ There, / Dorothy meets the Munchkins. / ❸ They are excellent

farmers, / but they are much smaller / than other people. /

❹ Since then, / when people see something small, / they call it /

a "munchkin." / ❺ For example, / cats / that have very short legs /

are called munchkins. / ❻ It is also sometimes used / as a nickname

for kids. / ❼ However, / the most famous munchkin / is probably a

donut. / ❽ To make a donut, / a hole is made / in the center of some

dough. / ❾ Instead of / throwing away / the extra dough from the hole, /

someone decided to use it. / (❿ Donuts are typically round, / but some

may have other shapes. /) ⓫ This eventually became a tiny dessert ball /

and was named the Munchkin. /

실력을 더 올리는 서술형 추가 문제

A 다음 영영 풀이에 해당하는 단어를 보기에서 골라 쓰시오.

> 보기   excellent   center   decide   typically   famous

(1) _____ : to make a choice
(2) _____ : the middle point of something
(3) _____ : known by many people

B 우리말과 일치하도록 괄호 안의 말을 알맞게 배열하시오.

(1) Angela는 무언가 달콤한 것을 원한다. (wants / sweet / Angela / something)
  ⇒ _____ .

(2) 수학은 나에게 가장 어려운 과목이다. (difficult / subject / the most / is)
  ⇒ Math _____ for me.

(3) 저 램프는 나의 것보다 훨씬 더 밝다. (brighter / mine / much / than)
  ⇒ That lamp is _____ .

C 글의 내용과 일치하도록 다음 빈칸에 들어갈 말을 글에서 찾아 쓰시오.

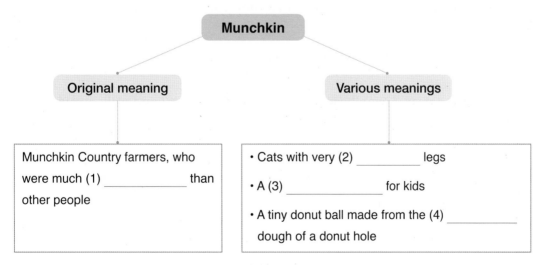

Munchkin

Original meaning

Munchkin Country farmers, who were much (1) _____ than other people

Various meanings

• Cats with very (2) _____ legs
• A (3) _____ for kids
• A tiny donut ball made from the (4) _____ dough of a donut hole

실력을 올리는 직독직해

끊어 읽기 한 표시를 따라 문장 구조에 유의하여 해석을 쓰고, 각 문장의 주어에는 밑줄을, 동사에는 동그라미를 쳐보세요.

❶ Wolverine is a popular character / from the *X-Men* superhero movies. / ❷ His sharp claws are great weapons / that are strong enough / to cut anything. / ❸ But did you know / the character is based on / a real animal? / ❹ It's called a wolverine, / too! /

❺ Wolverines look like little bears. / ❻ They are only 70 centimeters long, / but they are extremely strong / for their size. / ❼ Like the character Wolverine, / they use their powerful claws / to hunt. / ❽ They often attack and kill / large animals, / such as reindeer and sheep. / ❾ Their teeth and jaws are also so strong / that they can crush bones. / ❿ Fierce wolverines / even threaten other predators / to steal their prey. / ⓫ When they come near, / even bears and wolves stop eating / and walk away! /

실력을 더 올리는 서술형 추가 문제

A 우리말과 일치하도록 빈칸에 알맞은 단어를 주어진 철자로 시작하여 쓰시오.

(1) 상어는 튼튼한 이빨과 강력한 턱을 가지고 있다.

⇒ Sharks have strong teeth and p＿＿＿＿＿＿＿ jaws.

(2) 사나운 곰 한 마리가 숲속에서 그를 공격했다.

⇒ A f＿＿＿＿＿＿＿ bear attacked him in the forest.

(3) 이제, 쿠키들을 부수고 녹인 버터를 추가하라.

⇒ Now, c＿＿＿＿＿＿＿ the cookies and add melted butter.

B 우리말과 일치하도록 괄호 안의 말을 활용하여 문장을 완성하시오.

(1) 그 커튼은 이 창문을 가릴 만큼 충분히 길다. (long, enough, cover)

⇒ The curtain is ＿＿＿＿＿＿ ＿＿＿＿＿＿ ＿＿＿＿＿＿ ＿＿＿＿＿＿ this window.

(2) 나는 치즈를 사기 위해 슈퍼마켓에 갔다. (buy, cheese)

⇒ I went to the supermarket ＿＿＿＿＿＿ ＿＿＿＿＿＿ ＿＿＿＿＿＿.

(3) Tom은 바이올린 켜는 것을 멈췄다. (stop, play)

⇒ Tom ＿＿＿＿＿＿ ＿＿＿＿＿＿ the violin.

C 글의 내용과 일치하도록 다음 빈칸에 들어갈 말을 글에서 찾아 쓰시오.

Wolverine: The Movie Character vs. The Animal

The Movie Character

The superhero Wolverine's claws are great (1) ＿＿＿＿＿ that can cut anything.

Similarity

They use their sharp (2) ＿＿＿＿＿ to fight or hunt.

The Animal

Wolverines look like little (3) ＿＿＿＿＿, but they have strong teeth and jaws. They even (4) ＿＿＿＿＿ other predators.

끊어 읽기 한 표시를 따라 문장 구조에 유의하여 해석을 쓰고, 각 문장의 주어에는 밑줄을, 동사에는 동그라미를 쳐보세요.

Minji: ❶ How was your weekend, / Rahul? / ❷ Mine was bad! / ❸ I had to

stay home / because of the fine dust. /

Rahul: ❹ It's terrible, / isn't it? / ❺ Air pollution is a big problem / in India,

/ too. / ❻ There is even a café / that sells oxygen / in my town /

now! / ❼ It is called / Oxy Pure. /

Minji: ❽ How does a café sell oxygen? /

Rahul: ❾ Well, / it has machines / that filter the air / and produce 99%

pure oxygen. / ❿ The machines are also connected / to a diffuser /

that adds a few different scents, / like lavender and orange. /

⓫ Customers can breathe the pure air / for 15 minutes. / ⓬ I

heard / it costs four to seven dollars. /

Minji: ⓭ That sounds interesting! / ⓮ Is the café popular? /

Rahul: ⓯ Sure. / ⓰ Many people visit there. / ⓱ They say / they feel

refreshed and relaxed! /

실력을 더 올리는 서술형 추가 문제

A 다음 빈칸에 알맞은 단어를 [보기]에서 골라 쓰시오.

> [보기] produce   filter   relaxed   connect   scent

(1) Sunlight helps the body _____ Vitamin D.

(2) I felt happy and _____ after taking a hot shower.

(3) You have to _____ the printer to the computer.

B 우리말과 일치하도록 괄호 안의 말을 알맞게 배열하시오.

(1) 미나는 그녀의 지갑을 잃어버린 것에 대해 속상한 기분을 느꼈다. (felt / Mina / upset)

⇒ _____ about losing her wallet.

(2) "날씨가 좋아, 그렇지 않니?" "응, 정말 좋네." (isn't / nice / the weather / it / is)

⇒ "_____, _____?" "Yes, it's great."

(3) 그 가수의 목소리는 아름답게 들린다. (beautiful / the singer's voice / sounds)

⇒ _____.

C 다음은 Oxy Pure에서 공기를 제공하는 과정이다. 글의 내용과 일치하도록 다음 빈칸에 들어갈 말을 글에서 찾아 쓰시오.

> Machines produce 99% (1) _____ _____ by filtering the air.

> A diffuser adds some different (2) _____, like lavender and orange.

> Customers can (3) _____ the pure air for 15 minutes by paying four to seven dollars.

실력을 올리는 **직독직해**

끊어 읽기 한 표시를 따라 문장 구조에 유의하여 해석을 쓰고, 각 문장의 주어에는 밑줄을, 동사에는 동그라미를 쳐보세요.

❶ Hospitals are not pleasant places. / ❷ They are filled with /

frightening medical tools / like knives and needles. / ❸ For kids, / the fear

is bigger. / ❹ Unfortunately, / 12-year-old Ella / had to go to the hospital /

regularly. / ❺ She had a rare disease / and needed to get an IV / every

two months. / ❻ Like other children, / she was afraid of / the IV bags

and medical equipment. / ❼ So / Ella created the Medi Teddy. / ❽ It

is a cute teddy bear / with a pouch in the back, / and it fully covers up

the IV bag. / ❾ The bag doesn't look scary / anymore / this way. /

❿ So far, / Ella and her family have donated / thousands of Medi

Teddys / to children's hospitals. / ⓫ Ella's small but great idea / has made /

hospitals / friendlier places. /

실력을 더 올리는 **서술형 추가 문제**

A 우리말과 일치하도록 빈칸에 알맞은 단어를 주어진 철자로 시작하여 쓰시오.

(1) 불행하게도, 북극곰은 멸종 위기에 처해있다.

⇒ U_____, polar bears are endangered.

(2) 그 카페는 공부하기에 쾌적한 장소였다.

⇒ The café was a p_____ place to study.

(3) Brad는 창문을 고치기 위해 도구를 사용하고 있다.

⇒ Brad is using a t_____ to fix the window.

B 우리말과 일치하도록 괄호 안의 말을 활용하여 문장을 완성하시오.

(1) 그 박물관은 전 세계에서 온 방문객들로 가득 차 있다. (fill, visitors)

⇒ The museum _____ _____ _____ _____ from
all over the world.

(2) 엘리베이터가 고장 났기 때문에 당신은 계단을 이용해야 한다. (need, use)

⇒ You _____ _____ _____ the stairs because the elevator
is broken.

(3) Alex는 Sandra를 7년 동안 알고 지내왔다. (know)

⇒ Alex _____ _____ Sandra for seven years.

C 글의 내용과 일치하도록 다음 빈칸에 들어갈 말을 보기에서 찾아 쓰시오.

| 보기 | friendlier places | scary places | medical equipment |
| | teddy bear | covers up | pulls down |

Problem	For children, hospitals are (1) _____ because of the (2) _____ and IV bags.
Solution	Ella created a cute (3) _____ with a pouch, and it fully (4) _____ the IV bag. Her idea has made hospitals (5) _____.

실력을 올리는 직독직해

끊어 읽기 한 표시를 따라 문장 구조에 유의하여 해석을 쓰고, 각 문장의 주어에는 밑줄을, 동사에는 동그라미를 쳐보세요.

❶ Long ago, / European explorers sailed / to Australia. / ❷ There, /

they saw an animal / that was very unusual. / ❸ It had large ears / and

hopped around / on two legs. / ❹ It also had a pouch / on its belly / to

carry its baby. / ❺ They had never seen an animal / like this / before. /

❻ So / they asked the natives, / "What is this animal?" / ❼ The natives

replied, / "Kangaroo." / ❽ After the explorers returned / home, / they told

everyone / about the new animal / called kangaroo. / ❾ From then on, /

the name spread / all over the world. / ❿ However, / *kangaroo* meant /

"I don't know" / in the natives' language. / ⓫ The truth is, / the natives

didn't know the name, / either! /

실력을 더 올리는 서술형 추가 문제

A 다음 빈칸에 알맞은 단어를 보기 에서 골라 쓰시오.

보기   sail   unusual   spread   carry   truth

(1) The shocking news _____ quickly throughout the school.

(2) My best friend has a very _____ and unique name.

(3) The ship _____(e)d from England to New York.

B 우리말과 일치하도록 괄호 안의 말을 활용하여 문장을 완성하시오.

(1) *Kangaroo Man*이라고 불리는 만화책은 매우 잘 팔리고 있다. (a comic book, call)

⇒ _____ _____ _____ _____ *Kangaroo Man* is

selling very well.

(2) 주현이는 쓸 펜을 가지고 있다. (write, with)

⇒ Juhyun has a pen _____ _____ _____ .

(3) Maria는 제주도로 이사 오기 전에 스쿠버다이빙을 시도해본 적이 전혀 없었다.

(never, try, scuba diving)

⇒ Maria _____ _____ _____ _____

_____ before she moved to Jeju-do.

C 우리말과 일치하도록 다음 빈칸에 들어갈 말을 글에서 찾아 쓰시오.

오래전에, 유럽의 탐험가들은 호주에서 매우 특이한 동물을 보았다. 그들은 이전에 그것과 같은 것을 본 적이 전혀 없었다. 그들은 원주민들에게 그 동물의 이름을 물어봤고, 원주민들은 "캥거루"라고 말했다. 하지만, 그것은 사실 원주민들도 그 이름을 모른다는 의미였다.

Long ago, (1) _____ _____ saw a very unusual animal in

Australia. They had never seen anything like it before. They asked the (2) _____

the name of the animal, and the natives said "Kangaroo." However, it actually meant

that the natives didn't know the (3) _____ .

실력을 올리는 직독직해

끊어 읽기 한 표시를 따라 문장 구조에 유의하여 해석을 쓰고, 각 문장의 주어에는 밑줄을, 동사에는 동그라미를 쳐보세요.

❶ Have you ever heard / that you should hit a tangerine / before you

eat it? / ❷ Hitting a tangerine / makes / it / sweeter! / ❸ You can also rub

it hard / with your hands / or drop it / on the floor. /

❹ Most fruits, / including tangerines, / produce / a small amount of /

a chemical / that helps / fruits ripen. / ❺ It is called / ethylene. / ❻ More

of it / is produced / when a fruit is physically stressed. / ❼ Therefore, /

if you hit a tangerine, / it will produce / more ethylene. / ❽ Eventually, /

the tangerine will ripen faster / and taste better. / ❾ In fact, / the sugar

level can increase / up to 20%! /

❿ However, / if the tangerine is too soft, / don't hit it. / ⓫ It means /

it's already ripe, / so hitting it will only make / it / rot faster. /

실력을 더 올리는 서술형 추가 문제

A 우리말과 일치하도록 빈칸에 알맞은 단어를 주어진 철자로 시작하여 쓰시오.

(1) 바닥을 쓰는 것을 잊지 마라.
⇒ Don't forget to sweep the f_____.

(2) 올리브는 익어가면서 초록색에서 검정색으로 바뀐다.
⇒ Olives turn from green to black as they r_____.

(3) 손님들의 수가 광고 때문에 증가했다.
⇒ The number of customers i_____(e)d because of a commercial.

B 우리말과 일치하도록 괄호 안의 말을 알맞게 배열하시오.

(1) Alex의 농담들은 몇몇 사람들을 화나게 만들었다. (some people / angry / made)
⇒ Alex's jokes _____.

(2) Sally는 위에 리본이 있는 모자를 쓰고 있다. (that / a ribbon / a hat / has)
⇒ Sally is wearing _____ on it.

(3) 허리케인이 오기 전에 대부분의 사람들이 그 마을을 떠났다. (the hurricane / before / arrived)
⇒ Most people left the town _____.

C 다음은 에틸렌이 귤을 달게 만드는 원리이다. 글의 내용과 일치하도록 다음 빈칸에 들어갈 말을 글에서 찾아 쓰시오.

You hit, (1) _____, or (2) _____ tangerines.

⌄

Then, the tangerines will produce more (3) _____, which helps them ripen.

⌄

The tangerines will ripen faster. Also, the (4) _____ _____ will increase by up to 20%.

실력을 올리는 **직독직해**

끊어 읽기 한 표시를 따라 문장 구조에 유의하여 해석을 쓰고, 각 문장의 주어에는 밑줄을, 동사에는 동그라미를 쳐보세요.

❶ A man leaps / and runs up the side of a building. / ❷ He jumps

over a railing. / ❸ Then, / he climbs up and down a tree. / ❹ What is

he doing? / ❺ It is parkour, / a sport of going over obstacles / such as

walls and railings. / ❻ The goal is to move / from one place to another /

as quickly as possible. / ❼ You don't even need / any special equipment

for parkour. / ❽ A pair of sneakers is enough. / (❾ Some people

like collecting / different kinds of sneakers. /) ❿ Parkour includes

movements / like jumping, rolling, and climbing. / ⓫ People sometimes

add / various moves / from gymnastics and martial arts, / too. /

⓬ Parkour is a non-competitive sport. / ⓭ People practice it / to

overcome the obstacles / in their paths / and go beyond / their physical

limits. / ⓮ There are no time limits, no points, and no losers. / ⓯ Before

you try parkour, / however, / you should exercise enough / to train your

muscles. / ⓰ If not, / you may hurt yourself! /

실력을 더 올리는 **서술형 추가 문제**

A 다음 영영 풀이에 해당하는 단어를 보기에서 골라 쓰시오.

보기　　　　　　　overcome　　climb　　limit　　exercise　　path

(1) _____ : to do physical activities to make your body healthy

(2) _____ : to go up or to the top of something like a mountain

(3) _____ : a narrow way to walk

B 우리말과 일치하도록 괄호 안의 말을 활용하여 문장을 완성하시오.

(1) 규칙을 가능한 한 간단하게 설명하다 (simply, possible)

⇒ explain the rules _____ _____ _____ _____

(2) 유라는 알람 없이 일어날 수 있을 만큼 충분히 잠을 잤다. (enough, wake up)

⇒ Yura slept _____ _____ _____ _____ without
an alarm.

(3) 그의 꿈은 우주 비행사가 되는 것이다. (become)

⇒ His dream is _____ _____ an astronaut.

C 글의 내용과 일치하도록 다음 동아리 모집 공고의 빈칸에 들어갈 말을 글에서 찾아 쓰시오.

We are looking for new members of our parkour club!	
What parkour is	It is a non-competitive sport of going over (1) _____, such as walls and railings. The goal is moving from one place to another as (2) _____ as we can.
What we can learn	It includes movements like (3) _____, rolling, and climbing. You can add moves from (4) _____ and martial arts.
Why we do it	We want to go beyond our (5) _____ _____.
Join us now!	

실력을 올리는 **직독직해**

끊어 읽기 한 표시를 따라 문장 구조에 유의하여 해석을 쓰고, 각 문장의 주어에는 밑줄을, 동사에는 동그라미를 쳐보세요.

❶ Turbans are mostly worn / for religious reasons / today. / ❷ But they

were once very trendy clothes / in Brazil. /

❸ In the early 1800s, / Napoleon and his armies / were trying to conquer

Europe. / ❹ Nobles from Portugal / were afraid, / so they sailed to Brazil /

to escape. / ❺ On the way, / unfortunately, / everyone on the ship /

got head lice. / ❻ They had to shave their heads, / even the princess. /

❼ The princess and other ladies / didn't want to show / their bald heads. /

❽ Therefore, / they wore turbans / when they arrived / in Brazil. / ❾ This

caught the eyes of / the Brazilian women, / and surprisingly, / they liked

it! / ❿ They thought / the turbans were a fashion trend / from Europe, /

and they began to wear turbans / as well. /

⓫ Imagine that! / ⓬ The secret / to becoming a fashionista / was head

lice! /

실력을 더 올리는 서술형 추가 문제

A 다음 빈칸에 알맞은 단어를 보기에서 골라 쓰시오.

> 보기   conquer   religious   escape   trendy   imagine

(1) The king built a monument after he _____(e)d the land.

(2) It is almost impossible to _____ from the prison.

(3) Can you _____ a world without the Internet?

B 우리말과 일치하도록 괄호 안의 말을 알맞게 배열하시오.

(1) 과거에, 사람들은 태양이 지구 주위를 돈다고 생각했다. (the sun / thought / moved / people)

⇒ In the past, _____ around Earth.

(2) 그 손님들은 20분 동안 기다려야 했다. (wait / had / the guests / to)

⇒ _____ for 20 minutes.

(3) Sue는 여름방학 동안 스페인어 배우기를 원한다. (learn Spanish / wants / Sue / to)

⇒ _____ during summer vacation.

C 글의 내용과 일치하도록 다음 빈칸에 들어갈 말을 글에서 찾아 쓰고, @~ⓒ를 알맞은 순서대로 배열하시오.

How Turbans Became Popular in Brazil

ⓐ Brazilian women thought turbans were a(n) (1) _____ _____ ,
and they began to wear them, too.

ⓑ Unfortunately, everyone on the ship had to shave their heads because of
(2) _____ _____ . The ladies hid their bald heads by wearing
(3) _____ .

ⓒ Nobles from Portugal were afraid of Napoleon, so they escaped to (4) _____
by ship.

순서: (5) _____ → _____ → _____

실력을 올리는 **직독직해**

끊어 읽기 한 표시를 따라 문장 구조에 유의하여 해석을 쓰고, 각 문장의 주어에는 밑줄을, 동사에는 동그라미를 쳐보세요.

❶ When you hang / your toilet paper, / is it similar to the picture /

on the left / or the right? / ❷ Some people prefer / the way on the

right. / ❸ They say / it looks tidier / because the loose end is slightly

hidden. / ❹ But others think / the way on the left / is actually cleaner. /

❺ If the toilet paper is hung / in this way, / your hand doesn't have to

touch / the dirty wall. / ❻ Also, / it is easier / to pull the tissue down. /

❼ Modern toilet paper was invented / in 1891. / ❽ Originally, / it was

intended to hang / like the left way. / ❾ However, / some people began

to hang / the toilet paper / in the other way. / ❿ And they found no

problems / with it! / ⓫ Since then, / the debate over the correct way / of

hanging toilet paper / has continued. /

실력을 더 올리는 **서술형 추가 문제**

A 우리말과 일치하도록 빈칸에 알맞은 단어를 주어진 철자로 시작하여 쓰시오.

(1) Katie의 눈은 그녀의 아빠의 눈과 비슷하다.

⇒ Katie's eyes are s＿＿＿＿＿＿＿ to her dad's eyes.

(2) 최초의 텔레비전은 1927년에 발명됐다.

⇒ The first television was i＿＿＿＿＿＿(e)d in 1927.

(3) 너는 전자책을 읽는 것을 선호하니?

⇒ Do you p＿＿＿＿＿＿ reading e-books?

B 우리말과 일치하도록 괄호 안의 말을 활용하여 문장을 완성하시오.

(1) Rose는 노래 대회에서 우승한 것을 자랑스럽게 여겼다. (proud, of, win)

⇒ Rose was ＿＿＿＿＿ ＿＿＿＿＿ ＿＿＿＿＿ the singing contest.

(2) 이메일로 사진을 보내는 것은 쉽다. (easy, send, pictures)

⇒ It is ＿＿＿＿＿ ＿＿＿＿＿ ＿＿＿＿＿ ＿＿＿＿＿ through email.

(3) 나는 태권도를 2년 동안 연습해왔다. (practice)

⇒ I ＿＿＿＿＿ ＿＿＿＿＿ taekwondo for two years.

C 글의 내용과 일치하도록 다음 빈칸에 들어갈 말을 글에서 찾아 쓰시오.

Which is the correct way to hang toilet paper?

The Left Way	The Right Way
• When toilet paper was invented, it was (1) ＿＿＿＿＿ to hang this way. • Your hand doesn't have to (2) ＿＿＿＿＿ the dirty wall, and it is easier to (3) ＿＿＿＿＿ the tissue down.	• This looks (4) ＿＿＿＿＿ because the loose end is slightly (5) ＿＿＿＿＿.

실력을 올리는 **직독직해**

끊어 읽기 한 표시를 따라 문장 구조에 유의하여 해석을 쓰고, 각 문장의 주어에는 밑줄을, 동사에는 동그라미를 쳐보세요.

❶ One day, / a number of divers / discovered / something strange / on

the seafloor near Japan. / ❷ It was a two-meter-wide circular pattern, /

and it looked like a piece of art. / ❸ Who created / this mysterious / but

beautiful artwork? / ❹ Surprisingly, / the artist was a tiny fish! /

❺ The fish is a species of pufferfish / that is only 12 centimeters long. /

❻ It builds a structure / that is 20 times its size / by only using its fins! /

❼ First, / the male fish / creates a circle / on the seafloor. / ❽ Then, / it

waves its fins / along the circle. / ❾ This makes / small valleys and hills. /

❿ Finally, / it gathers up the sand / in the center / to make a nest. /

⓫ The entire process / takes six weeks. / ⓬ When the nest is complete, /

a female pufferfish / will lay eggs in it. / ⓭ What a creative home-builder /

the male pufferfish is! /

실력을 더 올리는 서술형 추가 문제

A 다음 영영 풀이에 해당하는 단어를 보기에서 골라 쓰시오.

> 보기   mysterious   pattern   entire   species   discover

(1) _____ : to find information that no one knew about before

(2) _____ : a group of animals or plants that shares the same characteristics

(3) _____ : strange and not easily understood

B 우리말과 일치하도록 괄호 안의 말을 알맞게 배열하시오.

(1) Coco는 얼마나 똑똑한 강아지인가! (a / dog / is / Coco / smart / what)

⇒ _____ !

(2) 바깥이 너무 덥기 때문에 나는 무언가 차가운 것을 마시고 싶다. (something / drink / cold)

⇒ I want to _____ because it is too hot outside.

(3) 호주는 많은 사막들을 가지고 있는 나라이다. (has / a country / many deserts / that)

⇒ Australia is _____ .

C 글의 내용과 일치하도록 다음 빈칸에 들어갈 말을 글에서 찾아 쓰고, ⓐ~ⓒ를 알맞은 순서대로 배열하시오.

How a Pufferfish Makes a Nest

> ⓐ The male pufferfish creates a(n) (1) _____ on the seafloor.
>
> ⓑ It gathers up the sand in the center of the circle to make a(n) (2) _____ , and a female pufferfish will (3) _____ eggs in it.
>
> ⓒ The male pufferfish makes small (4) _____ and hills by waving its fins along the circle.

순서: (5) _____ → _____ → _____

실력을 올리는 **직독직해**

끊어 읽기 한 표시를 따라 문장 구조에 유의하여 해석을 쓰고, 각 문장의 주어에는 밑줄을, 동사에는 동그라미를 쳐보세요.

❶ When you feel a lot of stress, / do you look for / something spicy / to eat? / ❷ Eating spicy food / actually makes / you / feel pain. / ❸ However, / many people still want spicy food / when they get stressed. / ❹ What causes this? /

❺ When your tongue feels / something spicy, / it sends a signal / to the brain. / ❼ Your brain / then / releases hormones / called endorphins. / ❻ These reduce the pain, / and they also cause / a positive feeling / in your body. / ❽ As a result, / you usually feel better / after eating spicy food. / ❾ This is why / you want something spicy / especially when you feel stressed. / ❿ Your brain / tells you to eat it / to lower your stress! /

실력을 더 올리는 **서술형 추가 문제**

A 다음 빈칸에 알맞은 단어나 표현을 보기에서 골라 쓰시오.

보기   look for   release   cause   lower   signal

(1) Max will _____ a new bicycle.

(2) This medicine will help _____ your blood pressure.

(3) Bees _____ a special chemical to attract other bees.

B 우리말과 일치하도록 괄호 안의 말을 활용하여 문장을 완성하시오.

(1) 나는 너에게 말할 비밀이 있다. (a secret, tell, you)

⇒ I have _____ _____ _____ _____ .

(2) 윤수는 런던에 있는 그녀의 삼촌에게 초콜릿을 보낼 것이다. (send, chocolate, to, her uncle)

⇒ Yunsu will _____ _____ _____ _____

_____ in London.

(3) 기타를 치는 것은 내가 가장 하기 좋아하는 것이다. (play, the guitar)

⇒ _____ _____ _____ is my favorite thing to do.

C 글의 내용과 일치하도록 다음 빈칸에 들어갈 말을 글에서 찾아 쓰시오.

Many people eat spicy food when they get (1) _____.

⬇

The tongue sends a(n) (2) _____ to the brain when it feels something spicy.

⬇

Then, the brain produces (3) _____ called endorphins.

⬇

Endorphins reduce the pain and cause a(n) (4) _____ _____ in the body.

실력을 올리는 **직독직해**

끊어 읽기 한 표시를 따라 문장 구조에 유의하여 해석을 쓰고, 각 문장의 주어에는 밑줄을, 동사에는 동그라미를 쳐보세요.

❶ Imagine / a scene from a movie. / ❷ A bomb is going to explode / in

10 seconds. / ❸ To stop it, / a man must cut / one of the wires. / ❹ 9, 8, 7,

6 ... / ❺ What will happen next? / ❻ He cuts the right wire, / and the bomb

stops / at one second! /

❼ This is a common cliché. / ❽ Clichés are phrases or actions / that

often appear / in novels and movies. / ❾ They are not fresh or unique. /

❿ However, / this doesn't mean / they are always bad. / ⓫ We understand

stories / that have clichés / more quickly and easily / because we are

already familiar / with them. / ⓬ Moreover, / some clichés are simply

loved / by a wide audience. / ⓭ For example, / the "love triangle" is a very

popular cliché. / ⓮ We have seen this situation / in many stories, / but we

still love seeing it. /

실력을 더 올리는 서술형 추가 문제

A 우리말과 일치하도록 빈칸에 알맞은 단어를 주어진 철자로 시작하여 쓰시오.

(1) 그 영화는 액션 장면으로 시작한다.

⇒ The movie starts with an action s_____.

(2) 호수 위에서 폭죽이 터졌다.

⇒ The fireworks e_____(e)d over the lake.

(3) 그 상황은 예상했던 것보다 더 심각했다.

⇒ The s_____ was more serious than expected.

B 우리말과 일치하도록 괄호 안의 말을 알맞게 배열하시오.

(1) 우리는 파티를 위해 간식을 살 것이다. (going / are / snacks / buy / we / to)

⇒ _____ for the party.

(2) 선인장은 건조한 지역에 사는 식물이다. (dry places / that / a plant / in / lives)

⇒ A cactus is _____.

(3) 그는 전에 닭을 길러본 적이 있다. (has / a chicken / raised)

⇒ He _____ before.

C 글의 내용과 일치하도록 다음 빈칸에 들어갈 말을 글에서 찾아 쓰시오.

Clichés

Definition	Clichés are phrases or actions that often (1) _____ in novels and movies.
Advantages	• Clichés can help us understand stories more (2) _____ and (3) _____. • People have seen them before many times, but some clichés, like the "love triangle," are still very (4) _____.

실력을 올리는 직독직해

끊어 읽기 한 표시를 따라 문장 구조에 유의하여 해석을 쓰고, 각 문장의 주어에는 밑줄을, 동사에는 동그라미를 쳐보세요.

❶ Oliver loved / watching movies. / ❷ One day, / he went to see a new

film. / ❸ The theater was empty / when he walked in. / ❹ "How lucky /

I am!", / he said. / ❺ He could enjoy the movie / in a quiet environment. /

❻ However, / as soon as the film started, / a couple entered. / ❼ They

sat down / right behind him. / ❽ Then, / they started to talk / to each

other. / ❾ He tried / to pay attention to the movie, / but they kept

talking loudly. / ❿ Finally, / Oliver turned around. / ⓫ "Excuse me, /

but I can't hear," / he whispered. / ⓬ The couple stared at him. / ⓭ "I

hope not, sir," / the man responded / angrily. / ⓮ "This is a private

conversation!" /

실력을 더 올리는 **서술형 추가 문제**

A 다음 빈칸에 알맞은 단어를 보기에서 골라 쓰시오.

> 보기   private   whisper   loudly   enter   lucky

(1) Sara was _____ to win the contest.

(2) I heard a baby cry _____ next door.

(3) Many people wonder about the _____ life of celebrities.

B 우리말과 일치하도록 괄호 안의 말을 활용하여 문장을 완성하시오.

(1) 내 새 기타가 도착했기 때문에, 나는 콘서트에서 연주를 할 수 있었다. (play)

⇒ Because my new guitar arrived, I _____ _____ at the concert.

(2) Andy는 오후 8시까지 그의 숙제를 끝내기 위해 노력할 것이다. (try, finish)

⇒ Andy will _____ _____ _____ his homework by 8 P.M.

(3) 내 이웃의 개는 어젯밤에 계속해서 짖었다. (keep, bark)

⇒ My neighbor's dog _____ _____ last night.

C 글의 내용과 일치하도록 다음 빈칸에 들어갈 말을 글에서 찾아 쓰시오.

> **Q.** Why did Oliver think he was lucky at first?
>
> **A.** He thought he could enjoy the movie in a(n) (1) _____ environment.

> **Q.** Why couldn't Oliver pay attention to the movie?
>
> **A.** A couple started to (2) _____ _____ _____ _____
> loudly after sitting down right behind Oliver.

> **Q.** Why was the man angry when Oliver said, "Excuse me, I can't hear"?
>
> **A.** The man thought Oliver wanted to listen to the (3) _____ _____
> between the couple.

실력을 올리는 **직독직해**

끊어 읽기 한 표시를 따라 문장 구조에 유의하여 해석을 쓰고, 각 문장의 주어에는 밑줄을, 동사에는 동그라미를 쳐보세요.

❶ Dozens of people / are riding on an elephant. / ❷ Others are

watching / an eight-meter-long spider / move around. / ❸ This place

is a zoo / called Machines of the Isle of Nantes. / ❹ The most popular

animal / here / is the Great Elephant. / ❺ It stands 12 meters tall /

and is made of / 48 tons of steel and wood. / ❻ It even has / an indoor

lounge and a terrace! / ❼ Fifty passengers can take a ride on it / for 30

minutes. / ❽ Just like a real elephant, / it sprays water / with its trunk. /

❾ There are also other animals / in the zoo, / such as / a giant

hummingbird, / an ant, / and a pair of wild geese. / ❿ They are all

machines, / and you can see / the moving parts inside them. / ⓫ You

can control / some of them, / too. / ⓬ Would you like to visit / this place? /

실력을 더 올리는 서술형 추가 문제

A 다음 영영 풀이에 해당하는 단어를 보기에서 골라 쓰시오.

보기   ride   spray   stand   passenger   indoor

(1) _____ : to sit on something like a car and control it

(2) _____ : to spread liquid in small drops

(3) _____ : a person who travels in a car or bus but not the driver

B 우리말과 일치하도록 괄호 안의 말을 알맞게 배열하시오.

(1) 배에 탄 사람들은 돌고래들이 열을 맞춰 수영하는 것을 봤다. (swim / dolphins / watched)

⇒ People on the boat _____ in a line.

(2) 너는 약간의 수프를 먹고 싶니? (you / some soup / to / like / would / have)

⇒ _____ ?

(3) 에펠탑은 철로 만들어져 있다. (of / is / iron / made)

⇒ The Eiffel Tower _____ .

C 우리말과 일치하도록 다음 빈칸에 들어갈 말을 글에서 찾아 쓰시오.

낭트의 기계섬에 있는 Great Elephant는 강철과 목재로 만들어져 있다. 그것은 실제 코끼리처럼 물을 뿜을 수 있다. 거대한 벌새, 개미, 그리고 한 쌍의 기러기들과 같은 다른 기계 동물들도 있다. 당신은 움직이는 부품들을 볼 수 있고 그것들 중 일부를 조종할 수도 있다.

The Great Elephant in the Machines of the Isle of Nantes is made of (1) _____ and (2) _____ . It can spray water like a(n) (3) _____ _____ . There are also other machine (4) _____ such as a giant hummingbird, an ant, and a pair of wild geese. You can see the moving parts and (5) _____ some of them, too.

실력을 올리는 **직독직해**

끊어 읽기 한 표시를 따라 문장 구조에 유의하여 해석을 쓰고, 각 문장의 주어에는 밑줄을, 동사에는 동그라미를 쳐보세요.

❶ To protect the environment, / a new kind of a war / is going on. /

❷ The enemy is plastic straws. / ❸ To fight them, / we use some special

weapons! /

❹ One of them / is the bamboo straw. / ❺ Unlike most trees, / bamboo

grows very fast / —up to a meter / a day. / ❻ We can cut it down / to make

straws, / and it will quickly grow back. / ❼ Moreover, / drinking straws /

made of bamboo / are strong. / ❽ They don't become soft easily / like

paper straws, / and each one can be used / more than 50 times. /

❾ Another weapon / is made from apples. / ❿ When apple juice is

made, / a lot of peels / are thrown away. / ⓫ But they can be recycled /

to make apple straws. / ⓬ The water tastes slightly sweet / with apple

straws. / ⓭ And you can eat them / after you finish drinking! /

실력을 더 올리는 **서술형 추가 문제**

A 우리말과 일치하도록 빈칸에 알맞은 단어를 주어진 철자로 시작하여 쓰시오.

(1) 그 다크 초콜릿은 매우 쓴 맛이 났다.

⇒ The dark chocolate t_____(e)d extremely bitter.

(2) 과일 껍질은 필수 비타민과 식이 섬유를 가지고 있다.

⇒ Fruit p_____ has essential vitamins and dietary fiber.

(3) 우리는 플라스틱병을 재활용해야 한다.

⇒ We should r_____ plastic bottles.

B 우리말과 일치하도록 괄호 안의 말을 활용하여 문장을 완성하시오.

(1) 점심 전에 그 책을 읽는 것을 끝내다 (finish, read, the book)

⇒ _____ _____ _____ _____ before lunch

(2) 로션은 신발을 닦는 데 사용될 수 있다. (can, use)

⇒ Lotions _____ _____ _____ to clean shoes.

(3) 각각의 쿠키는 다른 맛을 가지고 있다. (cookie, have)

⇒ Each _____ _____ different flavors.

C 글의 내용과 일치하도록 다음 빈칸에 들어갈 말을 글에서 찾아 쓰시오.

Eco-friendly Straws

Bamboo Straws	Apple Straws
• They are (1) _____, so they don't become (2) _____ easily. • They can be used more than (3) _____ _____.	• They are made from recycling apple (4) _____. • Water tastes slightly (5) _____ when you use apple straws.

실력을 올리는 **직독직해**

끊어 읽기 한 표시를 따라 문장 구조에 유의하여 해석을 쓰고, 각 문장의 주어에는 밑줄을, 동사에는 동그라미를 쳐보세요.

❶ In Spain, / children receive Christmas gifts / from something

special. / ❷ Its name is Caga Tió. / ❸ Caga Tió means "poo log" / in

Spanish. / ❹ It is a small log / with a smiling face. / ❺ On December 8, /

children get their own Caga Tió. / ❻ They believe / if they take good

care of it / until Christmas Eve, / it will give them / presents! / ❼ So, /

they offer their log / food / and put a blanket over it / to keep it

warm. / ❽ Then, / on Christmas Day, / children tap their Caga Tió / with

a stick / and sing a song / to ask it for presents. / ❾ When they finish

singing the song, / they remove the blanket / from the log. / ❿ There, /

they will find the gifts / that are pooped out / by the well-fed Caga Tió. /

⓫ Fortunately, / they don't smell bad! /

실력을 더 올리는 서술형 추가 문제

A 다음 빈칸에 알맞은 단어를 보기에서 골라 쓰시오.

> [보기]   tap   remove   warm   smell   well-fed

(1) The new sweater I bought is very _____.

(2) Please make sure my dog is _____ while I am away.

(3) The candy shop _____(e)d like strawberries.

B 우리말과 일치하도록 괄호 안의 말을 알맞게 배열하시오.

(1) 나에게 네 전화번호를 줄 수 있니? (me / your phone number / give)

⇒ Can you _____ ?

(2) 혜리는 자정까지 그 영화를 봤다. (midnight / watched / until / the movie)

⇒ Hyeri _____ .

(3) 나는 모든 사람이 사회에서 중요한 역할을 한다고 믿는다.

(everyone / believe / an important role / plays)

⇒ I _____ in society.

C 글의 내용과 일치하도록 다음 이야기의 빈칸에 들어갈 말을 보기에서 찾아 쓰시오.

> [보기]   tapped her Caga Tió   put a blanket over it   sang a song
>   a smiling face   pooped out gifts   removed the blanket

On December 8th, Julia, who lived in Spain, got her Caga Tió. It was a small log with

(1) _____. From December 8th to Christmas Day, she gave

food to her log and (2) _____. Finally, on Christmas Day, Julia

(3) _____ with a stick. Also, she (4) _____

to ask it for presents. After that, when she (5) _____, the log

(6) _____ !

실력을 올리는 **직독직해**

끊어 읽기 한 표시를 따라 문장 구조에 유의하여 해석을 쓰고, 각 문장의 주어에는 밑줄을, 동사에는 동그라미를 쳐보세요.

❶ Do you eat cereal / for breakfast? / ❷ Then, / you are probably

eating iron / every time! / ❸ In fact, / many kinds of cereal / contain iron

powder, / even yours. / ❹ You can check this / with a simple test. /

❺ First, / crush up some cereal / into small pieces. / ❻ Put them / inside

a plastic bottle / and fill it halfway / with water. / ❼ Next, / get a magnet. /

❽ Hold it close / to the cereal pieces / that are inside the bottle. /

❾ When you move the magnet / slowly, / you will see / small iron

pieces from the cereal / follow it! /

❿ Now, / you may worry / about eating iron, / but you don't have to. /

⓫ The iron in cereal is clean / and safe to eat. / ⓬ It's actually necessary /

for your body / because it helps / produce energy. / ⓭ You can feel weak

or dizzy / without enough of it. /

실력을 더 올리는 **서술형 추가 문제**

A 다음 영영 풀이에 해당하는 단어를 보기에서 골라 쓰시오.

보기   contain   follow   check   halfway   dizzy

(1) _____ : to go or come after someone or something

(2) _____ : in the middle of a place or time

(3) _____ : feeling like everything is spinning around

B 우리말과 일치하도록 괄호 안의 말을 알맞게 배열하시오.

(1) Peter가 구입한 이 아름다운 반지를 봐라. (that / this beautiful ring / bought / Peter)

⇒ Look at _____ .

(2) 당신이 그 스튜디오에 가면, Jennifer가 음악에 맞춰 춤추는 것을 볼 것이다. (Jennifer / see / dance)

⇒ When you go to the studio, you will _____ to the music.

(3) 매일 운동하는 것은 너의 건강을 증진시키는 것을 도울 것이다. (your health / help / improve)

⇒ Exercising every day will _____ .

C 글의 내용과 일치하도록 다음 빈칸에 들어갈 말을 글에서 찾아 쓰고, ⓐ~ⓓ를 알맞은 순서대로 배열하시오.

How to Check Iron in Cereal

ⓐ Crush up your cereal into (1) _____ _____ .

ⓑ When you move the magnet slowly, the iron pieces from the cereal will

    (2) _____ it.

ⓒ Put the crushed cereal inside a(n) (3) _____ _____ , and fill it

    halfway with water.

ⓓ Hold a(n) (4) _____ close to the cereal pieces in the bottle.

순서: (5) _____ → _____ → _____ → _____

실력을 올리는 직독직해

끊어 읽기 한 표시를 따라 문장 구조에 유의하여 해석을 쓰고, 각 문장의 주어에는 밑줄을, 동사에는 동그라미를 쳐보세요.

❶ Are you good at / Rock, Paper, Scissors? / ❷ How about trying /

Ant, Person, and Elephant? / ❸ This is another version of the game /

from Indonesia. / ❺ However, / the gestures are different. / ❹ You stick

out / your little finger / for "ant." / ❻ For "person," / you stick out /

your pointer finger. / ❼ Finally, / you show "elephant" / by sticking out

your thumb. /

❽ Here is / how to play the game. / ❾ The person beats the ant /

because they step on it. / ❿ An elephant can step on a human, / so it beats

the person. / ⓫ However, / when an elephant and an ant fight, / the ant

wins! / ⓬ This is because / the ant can go in the elephant's ear / and annoy

it. / ⓭ Now, / try playing the game / with your friends. / ⓮ Ready, set, go! /

실력을 더 올리는 **서술형 추가 문제**

A 우리말과 일치하도록 빈칸에 알맞은 단어나 표현을 주어진 철자로 시작하여 쓰시오.

(1) 나는 영어를 잘하고 싶다.

⇒ I want to b _____ _____ _____ English.

(2) 진흙을 밟지 않도록 조심해라.

⇒ Be careful not to s _____ in the mud.

(3) Tom은 체스 게임에서 Jack을 이겼다.

⇒ Tom b _____ Jack in a game of chess.

B 우리말과 일치하도록 괄호 안의 말을 활용하여 문장을 완성하시오.

(1) 영화관에 가는 게 어때? (how, go)

⇒ _____ _____ _____ to the movie theater?

(2) 치타는 한 시간에 80킬로미터를 달릴 수 있다. (run)

⇒ A cheetah _____ _____ 80 kilometers per hour.

(3) 너는 이 열쇠를 사용함으로써 그 금고를 열 수 있다. (use, this key)

⇒ You can open the safe _____ . _____ _____ _____ .

C 글의 내용과 일치하도록 다음 빈칸에 들어갈 말을 글에서 찾아 쓰시오.

Rules	Reason
The (1) _____ beats the ant.	The winner can (4) _____ _____ the loser.
The (2) _____ beats the person.	
The (3) _____ beats the elephant.	The winner can go in the loser's (5) _____ and annoy it.

실력을 올리는 **직독직해**

끊어 읽기 한 표시를 따라 문장 구조에 유의하여 해석을 쓰고, 각 문장의 주어에는 밑줄을, 동사에는 동그라미를 쳐보세요.

❶ At 8:30 p.m. / on the last Saturday of March, / the Eiffel Tower in Paris / turns off its lights. / ❷ The Opera House in Sydney / and N Seoul Tower in Seoul / switch off their lights / as well. / ❸ Once a year, / places / all over the world / go dark / for Earth Hour. /

❹ Most cities / around the world / stay bright / all night long. / ❺ This consumes a lot of electricity / and causes light pollution. / ❻ Earth Hour was started / to draw people's attention / to these problems. / ❼ Each year, / people / in more than 180 nations / turn off their lights / for an hour. /

❽ What happens / when they all do this / then? / ❾ In countries / that participate in Earth Hour, / electricity usage decreases / by 4% / on average. / ❿ But more importantly, / it reminds everyone / that saving electricity / can save our planet. /

실력을 더 올리는 **서술형 추가 문제**

A 우리말과 일치하도록 빈칸에 알맞은 단어를 주어진 철자로 시작하여 쓰시오.

(1) 그 등대에서 밝은 빛이 나오고 있었다.

⇒ There was a b＿＿＿＿＿＿＿ light coming from the lighthouse.

(2) 전기 자동차는 휘발유를 소비하지 않는다.

⇒ Electric cars don't c＿＿＿＿＿＿＿ gasoline.

(3) 그 선생님은 학생들에게 과학 쪽지 시험에 대해 상기시켰다.

⇒ The teacher r＿＿＿＿＿＿＿(e)d the students about the science quiz.

B 우리말과 일치하도록 괄호 안의 말을 알맞게 배열하시오.

(1) Ryan은 온라인 게임을 하기 위해 컴퓨터를 켰다. (to / turned on / play / the computer)

⇒ Ryan ＿＿＿＿＿＿＿＿＿＿＿＿＿＿＿＿＿＿＿＿＿＿＿＿ online games.

(2) Brad는 매일 저녁 조깅을 함으로써 건강한 상태를 유지한다. (healthy / Brad / stays)

⇒ ＿＿＿＿＿＿＿＿＿＿＿＿＿＿＿＿＿＿＿＿＿＿＿ by jogging every evening.

(3) 나는 냉장고에 있는 그 사과 주스를 마셨다. (that / in the fridge / the apple juice / was)

⇒ I drank ＿＿＿＿＿＿＿＿＿＿＿＿＿＿＿＿＿＿＿＿＿＿＿.

C 글의 내용과 일치하도록 다음 빈칸에 들어갈 말을 보기에서 찾아 쓰시오.

보기	electricity usage	turn off their lights
	most cities stay bright	saving electricity

Earth Hour

What happens	Why it is needed
During Earth Hour, people (1) ＿＿＿＿＿＿＿＿＿＿ for an hour. (2) ＿＿＿＿＿＿＿＿＿ decreases in many countries.	A lot of electricity is used because (3) ＿＿＿＿＿＿＿＿＿＿ all night long. Earth Hour reminds everyone of the importance of (4) ＿＿＿＿＿＿＿＿＿＿.

실력을 올리는 **직독직해**

끊어 읽기 한 표시를 따라 문장 구조에 유의하여 해석을 쓰고, 각 문장의 주어에는 밑줄을, 동사에는 동그라미를 쳐보세요.

❶ Jessica and Amber / are best friends. / ❷ Jessica talks very fast, /

and Amber does too. / ❸ They both cover their mouths / when they

laugh. / ❹ In fact, / they share / many other similar habits. /

❺ Like Jessica and Amber, / we sometimes act / like the people /

around us. / ❻ It happens more often / if we are close to them. / ❼ And

interestingly, / we usually don't even notice it. / ❽ Psychologists call this

phenomenon / the Chameleon Effect. / ❾ Chameleons change their

colors / to match their surroundings. / ❿ In the same way, / we often

change our behavior / to match our social environments. /

⓫ By nature, / people are attracted / to someone / who is similar to

them. / ⓬ This is why / we naturally follow / what others do, / because

it can cause / them / to like us more! / ⓭ Just think / how you act /

when your crush or friends are around. / ⓮ Do you act / like yourself? /

실력을 더 올리는 서술형 추가 문제

A 다음 빈칸에 알맞은 단어를 보기에서 골라 쓰시오.

> 보기   share   behavior   notice   match   close

(1) The hotel is very _____ to the airport.

(2) Kyle and I _____ an interest in baseball.

(3) We _____(e)d a rabbit behind the tree.

B 우리말과 일치하도록 괄호 안의 말을 활용하여 문장을 완성하시오.

(1) Janet은 노래를 잘하는데, Susie도 역시 그렇다. (Susie, do)

⇒ Janet sings well, and _____ _____, too.

(2) 세종 대왕은 한글을 발명한 사람이다. (the person, invent)

⇒ King Sejong is _____ _____ _____ _____
Hangeul.

(3) 큰 지진은 건물들이 무너지도록 만들 수 있다. (cause, buildings, fall apart)

⇒ A huge earthquake can _____ _____ _____

_____ _____.

C 글의 내용과 일치하도록 다음 빈칸에 들어갈 말을 글에서 찾아 쓰시오.

> **Q.** What does the Chameleon Effect mean?
>
> **A.** It means we sometimes (1) _____ like the people around us.

> **Q.** Why is it called the Chameleon Effect?
>
> **A.** It's because we often change our behavior to match our (2) _____ _____,
> like chameleons changing their (3) _____ to match their environment

실력을 올리는 직독직해

끊어 읽기 한 표시를 따라 문장 구조에 유의하여 해석을 쓰고, 각 문장의 주어에는 밑줄을, 동사에는 동그라미를 쳐보세요.

❶ Have you heard of / the Academy Awards / or the Oscars? / ❷ How

are they different? / ❸ Actually, / they are the same film awards! / ❹ The

Oscars is a nickname / for the Academy Awards. / ❺ This is because / the

trophy / that the winners get / is known as an Oscar. / ❻ And here is /

the funny story / behind the name of the Oscar. /

❼ Margaret Herrick was a librarian / at the organization / that

presents the Academy Awards. / ❽ One day / in 1931, / she saw the

Academy Award trophy / on a library desk. / ❾ She said, / "It looks like

my uncle Oscar!" / ❿ At that time, / a reporter was standing / beside her. /

⓫ She heard this / and wrote about it / in an article. / ⓬ Since then, /

that has been the trophy's nickname, / and people have called / the

Academy Awards / the Oscars. /

실력을 더 올리는 **서술형 추가 문제**

A 다음 빈칸에 알맞은 단어를 보기에서 골라 쓰시오.

보기　　　　article　　winner　　reporter　　beside　　award

(1) The director won a(n) _____ for the movie.

(2) I'm so happy that my favorite team was the _____ of yesterday's game.

(3) My uncle's house is located _____ the river.

B 우리말과 일치하도록 괄호 안의 말을 활용하여 문장을 완성하시오.

(1) 이 바위는 버섯처럼 보인다. (look, a mushroom)

⇒ This rock _____ _____ _____ _____.

(2) 내가 집에 왔을 때, 나의 아버지는 부엌에서 요리하고 계셨다. (cook)

⇒ When I got home, my father _____ _____ in the kitchen.

(3) 그 유명한 시계탑은 빅 벤이라고 알려져 있다. (know)

⇒ The famous clock tower _____ _____ _____ Big Ben.

(4) 작년 이후로, 나는 오케스트라에서 트럼펫을 연주해왔다. (play)

⇒ Since last year, I _____ _____ the trumpet in the orchestra.

C 글의 내용과 일치하도록 다음 빈칸에 들어갈 말을 글에서 찾아 쓰시오.

Cause	Result
• A librarian said that the Academy Award trophy looked like her (1) _____ Oscar. • A reporter heard that and wrote a(n) (2) _____ about the story.	• Oscar has become the trophy's (3) _____, and everyone calls the (4) _____ _____ the Oscars.

실력을 올리는 직독직해

끊어 읽기 한 표시를 따라 문장 구조에 유의하여 해석을 쓰고, 각 문장의 주어에는 밑줄을, 동사에는 동그라미를 쳐보세요.

❶ In a mountain village / in Ethiopia, / people had to walk / for four hours / every day / to get water. / ❷ Most times, / the water was not even clean. / ❹ Arturo Vittori, / an architect, / wanted to help / the villagers. /

❺ He built / a nine-meter-high tower / to collect water. / ❸ The tower consisted of / a mesh net / and an empty water tank at the bottom. /

❻ He called it / the Warka Tower. / ❼ It was named / after a native tree / in Ethiopia. /

❽ Usually, / nights in Ethiopia / are cool. / ❾ The temperature / at night / is lower than during the daytime / by 10 to 15 degrees Celsius. /

❿ When the temperature drops, / the water vapor in the air / turns into water drops. / ⓫ The Warka Tower was designed / so that the water drops could form / on its net / and then fall into the tank. / ⓬ This way, / it can collect / 50 to 100 liters of clean water / per day! /

실력을 더 올리는 서술형 추가 문제

A 다음 빈칸에 알맞은 단어나 표현을 보기에서 골라 쓰시오.

보기   architect   form   consist of   bottom   design

(1) The swimming goggles sank to the _____ of the pool.

(2) Who is the _____ of this new building?

(3) Human bodies _____ cells.

B 우리말과 일치하도록 괄호 안의 말을 알맞게 배열하시오.

(1) 나는 오늘 밤 액션 영화를 보기를 원한다. (watch / an action movie / to / tonight / want)

⇒ I _____ .

(2) 사자는 말보다 더 빠르다. (than / faster / is / a horse)

⇒ A lion _____ .

(3) 우리는 버스를 잡아탈 수 있도록 일찍 떠났다. (could catch / we / so / the bus / that)

⇒ We left early _____ .

(4) Clara는 어제 병원에 가야 했다. (to / had / go / the hospital / to)

⇒ Clara _____ yesterday.

C 글의 내용과 일치하도록 다음 빈칸에 들어갈 말을 글에서 찾아 쓰시오.

Problem	Some Ethiopian people had to walk for four hours every day to get (1) _____ , but it was not clean.
Solution	Arturro Vitorri built the Warka Tower to (2) _____ water. When the temperature drops at (3) _____ , the (4) _____ _____ in the air turns into water drops. The water drops form on the tower's (5) _____ and then fall into the tank.

실력을 올리는 직독직해

끊어 읽기 한 표시를 따라 문장 구조에 유의하여 해석을 쓰고, 각 문장의 주어에는 밑줄을, 동사에는 동그라미를 쳐보세요.

❶ Wembley Stadium is a famous football stadium / in London. /

❷ It is the home / of English football. / ❸ When you visit the place, /

the first thing / you notice / is the 315-meter arch. / ❹ When a goal is

scored, / colored LED lights in the arch / flash. / ❺ Also, / the stadium

is the second largest / in all of Europe. / ❻ It is big enough / to have /

90,000 seats / and standing space for 25,000 people. / ❼ It even has 2,618

toilets! /

❽ Wembley Stadium is also popular / among fans of pop music. /

❾ It has hosted / the world's biggest music concerts. / ❿ Singers / such as

Ed Sheeran and Taylor Swift / have performed / there. / ⓫ In 2019, / the

Korean group BTS / was on the stage! /

실력을 더 올리는 **서술형 추가 문제**

A 우리말과 일치하도록 빈칸에 알맞은 단어를 주어진 철자로 시작하여 쓰시오.

(1) 그 팀은 전반전에서 세 골을 득점했다.

⇒ The team s _____ (e)d three goals in the first half.

(2) 한국은 2018년에 동계 올림픽을 주최했다.

⇒ Korea h _____ (e)d the Winter Olympics in 2018.

(3) 그녀의 밴드는 그 축제에서 공연할 것이다.

⇒ Her band is going to p _____ at the festival.

B 우리말과 일치하도록 괄호 안의 말을 활용하여 문장을 완성하시오.

(1) 롤러코스터를 탈 만큼 충분히 키가 큰 (tall, enough, ride)

⇒ _____ _____ _____ _____ the roller coaster

(2) David는 그 잠긴 문을 열었다. (lock, door)

⇒ David opened the _____ _____.

(3) 나는 전에 타조알을 먹어본 적이 있다. (eat)

⇒ I _____ _____ ostrich eggs before.

C 글의 내용과 일치하도록 다음 광고의 빈칸에 들어갈 말을 글에서 찾아 쓰시오.

Come and Visit Wembley Stadium!

It is a famous (1) _____ stadium in London! It is the (2) _____ largest in all of Europe! The stadium has also hosted the world's biggest (3) _____ _____. That's why it's popular among fans of (4) _____ _____ as well. See this amazing stadium in person!

실력을 올리는 **직독직해**

끊어 읽기 한 표시를 따라 문장 구조에 유의하여 해석을 쓰고, 각 문장의 주어에는 밑줄을, 동사에는 동그라미를 쳐보세요.

❶ The snowman Olaf / stays frozen / thanks to the snow queen. /

❷ But we can also save a snowman / without magical powers. / ❸ Just

cover him / with a blanket! /

❹ Let's say / there are two snowmen. / ❺ One is covered / with a

blanket. / ❻ The other is wearing nothing. / ❼ After about an hour, / one

of them melts / and falls apart. / ❽ Surprisingly, / it is the snowman /

without the blanket. / ❾ How come? / ❿ Heat always flows / from a hot

area / to a colder one. / ⓫ If there is no blanket, / the warm air reaches the

snowman / and melts it. / ⓬ However, / the blanket prevents / the warm

air / from reaching it. / ⓭ Therefore, / the snowman with the blanket /

stays cold longer / and melts more slowly. /

실력을 더 올리는 **서술형 추가 문제**

A 다음 영영 풀이에 해당하는 단어나 표현을 보기에서 골라 쓰시오.

보기   heat   melt   frozen   reach   fall apart

(1) _____ : to make a solid object, such as an ice cube, become liquid because
                        of heat

(2) _____ : to break into smaller parts

(3) _____ : to arrive or get to a point, level, or stage

B 우리말과 일치하도록 괄호 안의 말을 알맞게 배열하시오.

(1) Eddie는 학교부터 공립 도서관까지 10분 안에 달려갈 수 있다.
   (the school / the public library / from / to)
   ⇒ Eddie can run _____ in 10 minutes.

(2) 당신은 뜨거운 차 한 잔과 함께 실내에서 따뜻한 상태를 유지할 수 있다. (inside / stay / warm)
   ⇒ You can _____ with a cup of hot tea.

(3) 가장 인기 많은 뮤지컬 중 하나는 "오페라의 유령"이다. (popular musicals / the most / one / is / of)
   ⇒ _____ The Phantom of the Opera.

C 다음은 눈사람과의 가상 인터뷰이다. 글의 내용과 일치하도록 다음 답변의 빈칸에 들어갈 말을 글에서 찾아 쓰시오.

> **Q.** Hello, Mr. Snowman! Do you have a special way of staying frozen?
>
> **A.** Good question! My secret is actually this (1) _____ ! It prevents the
> (2) _____ air from reaching me. Also, it helps me stay (3) _____
> longer and melt more (4) _____ .

> **Q.** Wow, it's like magic. How is this possible?
>
> **A.** It's because (5) _____ always flows from a(n) (6) _____ area to
> a colder one. This usually makes me melt, but my blanket (7) _____ this.

실력을 올리는 **직독직해**

끊어 읽기 한 표시를 따라 문장 구조에 유의하여 해석을 쓰고, 각 문장의 주어에는 밑줄을, 동사에는 동그라미를 쳐보세요.

❶ If you go to Korea Town / in Los Angeles, / you can see one man's

name / throughout the town. / ❷ An interchange sign / includes his

name. / ❸ A post office and square / are also named / after him. / ❹ Who

is this man? / ❺ He is Dosan Ahn Chang-ho, / the Korean independence

activist. /

❻ In 1902, / Ahn went to the United States / to study. / ❼ There, / he

found / that Korean students and workers / were living / under poor

conditions. / ❽ They didn't have / many opportunities / to become

successful. / ❾ Therefore, / Ahn created a Korean community / and tried /

to educate them / and find them jobs. /

❿ Ahn also fought / for Korea's independence / when Japan took

over Korea. / ⓫ The people in Korea Town / joined / and fought with

him. / ⓬ To this day, / the people in Korea Town / still remember and

celebrate / Ahn's achievements. /

실력을 더 올리는 **서술형 추가 문제**

A 다음 빈칸에 알맞은 단어를 보기에서 골라 쓰시오.

> 보기   achievement   independence   celebrate   educate   include

(1) The teacher _____(e)d her students passionately.

(2) We _____ my parent's wedding anniversary every year.

(3) A good essay should _____ a clear conclusion.

B 우리말과 일치하도록 괄호 안의 말을 활용하여 문장을 완성하시오.

(1) 그 사서는 지우에게 공룡에 대한 책을 찾아줬다. (find, Jiwoo, a book)

⇒ The librarian _____ _____ _____ _____

_____ dinosaurs.

(2) Bill은 그때 샤워를 하고 있었다. (take, a shower)

⇒ Bill _____ _____ _____ _____ at that time.

(3) 나는 우리 할머니의 이름을 따서 이름 지어졌다. (name, after)

⇒ I _____ _____ _____ my grandmother.

C 글의 내용과 일치하도록 다음 빈칸에 들어갈 말을 글에서 찾아 쓰시오.

> In the Los Angeles Korea Town, there are many places named after Dosan Ahn Chang-
> ho. He was a Korean independence (1) _____.

> Ahn found that many Koreans didn't have many (2) _____ to be
> successful. So, he created a(n) (3) _____ _____ to educate
> them and find them jobs. Ahn and the people in Korea Town fought for Korea's
> (4) _____.

> To this day, the people in Korea Town still remember and celebrate his
> (5) _____.

실력을 올리는 직독직해

끊어 읽기 한 표시를 따라 문장 구조에 유의하여 해석을 쓰고, 각 문장의 주어에는 밑줄을, 동사에는 동그라미를 쳐보세요.

❶ Dr. Helper, /

❷ I had a fight / with my sister / yesterday. / ❸ I was very angry / and even threw my phone. / ❹ Now / I feel bad for / losing my temper. /

❺ What's wrong with me? /

❻ Don't worry. / ❼ Nothing is wrong with you! / ❽ Many people become angry / quickly / and regret it later. / ❾ When you get upset, / your body produces / a greater amount of cortisol, / the anger hormone. / ❿ Usually, / it goes back to a normal level / after only 90 seconds. / ⓫ This means / the physical reaction to anger / doesn't actually last long. / ⓬ However, / if you keep thinking about the fight, / you'll keep making / yourself / angry. / ⓭ And your cortisol level / won't go down! / ⓮ The best thing / to do / is to just leave the area / and clear your mind. / ⓯ Count to 90 / while you do this. / ⓰ Soon, / you should feel better. /

실력을 더 올리는 서술형 추가 문제

A 다음 영영 풀이에 해당하는 단어를 보기에서 골라 쓰시오.

> 보기   last physical reaction count throw

(1) _____ : to remain or continue

(2) _____ : relating to the body

(3) _____ : to say numbers in order, such as 1, 2, 3, ⋯

B 우리말과 일치하도록 괄호 안의 말을 알맞게 배열하시오.

(1) 이 노래는 내가 그것을 들을 때마다 나를 울게 만든다. (me / this song / cry / makes)

⇒ _____ every time I hear it.

(2) 수빈이가 아프게 되면, 그녀의 엄마는 그녀에게 수프를 만들어 주신다. (sick / when / gets / Subin)

⇒ _____ , her mom makes her soup.

(3) 너는 너 자신을 믿어야 한다. (yourself / should / trust)

⇒ You _____ .

C 글의 내용과 일치하도록 다음 빈칸에 들어갈 말을 글에서 찾아 쓰시오.

Problem	You become angry quickly and (1) _____ it later.
Solution	Leave the area and clear your (2) _____ while you count to (3) _____. You will feel better soon. This is because cortisol, or the anger hormone, will go back to a(n) (4) _____ level after 90 seconds.

실력을 올리는 **직독직해**

끊어 읽기 한 표시를 따라 문장 구조에 유의하여 해석을 쓰고, 각 문장의 주어에는 밑줄을, 동사에는 동그라미를 쳐보세요.

❶ If someone pulls on your ear, / you might get upset. / ❷ But in

Brazil, / people do this / to congratulate you. / ❸ They pull on / a

birthday person's ear / as many times as his or her age. / ❹ So / if you are

14 years old, / friends and family / will pull on your ears / 14 times. / ❺ As

they do so, / they hope / you will have a long life. /

❻ Hungarians also pull on / the birthday person's earlobes / for a

similar reason. / ❼ However, / they sing a song / with lyrics / that mean /

"Live so long / that your ears reach your ankles" / at the same time. /

❽ Recently, / scientists have found / that ear-pulling has similar

benefits / to massage. / ❾ It helps / to relieve stress / and relax the body. /

❿ Therefore, / ear-pulling is actually good / for your health! /

실력을 더 올리는 서술형 추가 문제

A 다음 빈칸에 알맞은 단어를 보기에서 골라 쓰시오.

보기   benefit   mean   health   relieve   recently

(1) He had his hair cut _____.

(2) One _____ of riding bikes is that it makes your legs strong.

(3) Eating vegetables is good for your _____.

B 우리말과 일치하도록 괄호 안의 말을 활용하여 문장을 완성하시오.

(1) 지원이는 일요일마다 등산을 가는데, 나도 그렇게 한다. (do)

⇒ Jiwon goes hiking on Sundays, and I _____ _____, too.

(2) 비타민은 혈압을 낮추는 것을 돕는다. (help, reduce)

⇒ Vitamins _____ _____ _____ blood pressure.

(3) 고래는 바다에 사는 포유류이다. (a mammal, live)

⇒ A whale is _____ _____ _____ _____ in the sea.

C 글의 내용과 일치하도록 다음 빈칸에 들어갈 말을 보기에서 찾아 쓰시오.

보기   your age   reach your ankles   wish you a long life   sing a song

Pulling Ears: Brazil vs. Hungary

Similarities	Differences
People in Brazil and Hungary both pull your ears to (1) _____ on your birthday.	**In Brazil** • Friends and family will pull on your ears as many times as (2) _____ . **In Hungary** • People (3) _____ while pulling your ears. • The lyrics of the song mean you will live so long that your ears (4) _____ .

실력을 올리는 직독직해

끊어 읽기 한 표시를 따라 문장 구조에 유의하여 해석을 쓰고, 각 문장의 주어에는 밑줄을, 동사에는 동그라미를 쳐보세요.

❶ It was finally summer vacation, / and Tom couldn't wait / to visit /

his aunt Jane. / ❷ Jane always prepares a fun riddle / for Tom / when

he visits. / ❸ On the first day of vacation, / Tom arrived / at his aunt's

house, / but no one was there. / ❹ Instead, / he found a note / on the

drawer: /

❺ I weNt to the Store / to buy some rIce anD Eggs. /

❻ snacks are hidden, / so have Them / wHile you wait for mE. /

❼ where Could the deLiciOus snacks be? / ❽ SEe you soon, / Tom! /

❾ He looked around / but couldn't see the treats. / ❿ Then, / he noticed

/ some of the letters / in the note / were bold and capital. / ⓫ He looked at

them carefully, / and he shouted, / "I know / where they are!" /

⓬ When his aunt came back home, / she saw / Tom / happily eating /

chocolate-chip cookies / on the bed. /

실력을 더 올리는 서술형 추가 문제

A 우리말과 일치하도록 빈칸에 알맞은 단어를 주어진 철자로 시작하여 쓰시오.

(1) 그는 그 박스를 신중히 열었다.

⇒ He opened the box c＿＿＿＿＿＿.

(2) 그 요리사는 손님들을 위해 저녁 식사를 준비했다.

⇒ The chef p＿＿＿＿＿(e)d dinner for the guests.

(3) Janet은 그 남자에게 화내어 소리쳤다.

⇒ Janet s＿＿＿＿＿(e)d angrily at the man.

B 우리말과 일치하도록 괄호 안의 말을 알맞게 배열하시오.

(1) 나는 스페인에 정말 가고 싶다. (wait / to / I / can't / go)

⇒ ＿＿＿＿＿＿＿＿＿＿＿＿＿＿＿＿＿ to Spain.

(2) John이 휴가를 가 있는 동안, Amy는 그의 정원에 물을 주었다. (John / while / on vacation / was)

⇒ ＿＿＿＿＿＿＿＿＿＿＿＿＿＿＿, Amy watered his garden.

(3) Sara는 뱀이 나무에 올라가는 것을 봤다. (a snake / saw / climbing / Sara)

⇒ ＿＿＿＿＿＿＿＿＿＿＿＿＿＿＿ up the tree.

C 글의 내용과 일치하도록 다음 빈칸에 들어갈 말을 글에서 찾아 쓰시오.

> **Q.** Where was aunt Jane when Tom arrived at her house?
>
> **A.** She was at the (1) ＿＿＿＿＿ to (2) ＿＿＿＿＿ some rice and eggs.

> **Q.** How did Tom find the hidden snack?
>
> **A.** He noticed that some letters in the note were (3) ＿＿＿＿＿ and
>
> (4) ＿＿＿＿＿, and then he combined those letters.

MEMO

MEMO

MEMO